Ты сегодня прекрасная роза,
И пусть в прошлое годы летят,
Но какая же ты в жизни заноза!
Все кто знают тебя подтвердят.

Ты меня уже долгие годы
Можешь лучшей подругой считать,
И любые по жизни невзгоды
В силах с тобой побеждать.

Так позволь же мне в твой
                                день рожденья
Преподать небольшой поздравок
Пусть родные с тобой все
                                мученья
Терпеть смогут ещё долгий
                                срок!

25.08.2015

Ленка

Екатерина **Вильмонт**

Плевать на все с гигантской секвойи

АСТРЕЛЬ · АСТ
МОСКВА

УДК 821.151.1-31
ББК 84 (2Рос=Рус)6-44
В46

Подписано в печать с готовых диапозитивов заказчика 12.02.10 г.
Формат 84×108¹/₃₂. Бумага газетная. Печать высокая с ФПФ
Усл. печ. л. 20,2. С.: Совр.жен. Тираж 3000 экз. Заказ 379.

Общероссийский классификатор продукции
ОК-005-93, том 2, 953000 - книги, брошюры

Санитарно-эпидемиологическое заключение
№ 77.99.60.953.Д.012280.10.09 от 20.10.2009 г.

Вильмонт, Е. Н.

В46   Плевать на все с гигантской секвойи / Екатерина Вильмонт. -
М.: Астрель: АСТ, 2010. - 382, [2] с.

ISBN 978-5-17-045151-7 (АСТ) (Совр.жен.)
ISBN 978-5-271-18210-5 (Астрель)
Оформление обложки дизайн-студии «Графит»

Роман и повесть под одной обложкой... Что объединяет их,
кроме имени автора?

Это вариации на вечную тему - ЛЮБВИ. Любви и разлуки.

И не важно, что было в прошлом: долгая связь или мимолет-
ная встреча. Порой одного взгляда достаточно, чтобы родилось
чувство, способное выдержать ВСЕ и преодолеть любую про-
пасть.

УДК 821.161.1-31
ББК 84 (2Рос=Рус)6-44

ISBN 978-985-16-8182-8 (ООО «Харвест»)(Совр.жен.)

ПЛЕВАТЬ НА ВСЕ С ГИГАНТСКОЙ СЕКВОЙИ!

Роман

ЧАСТЬ ПЕРВАЯ

Мама, у тебя, оказывается, есть муж! — встретил Марину возмущенный вопль девятилетнего сына.

— Какой муж? Ты о чем? — нахмурилась она.

— Ты забыла паспорт! И там написано, что ты замужем за каким-то Питером Хольманом! Кто это такой?

— Ну ты сам уже понял, что муж! — пожала плечами Марина.

— А где же он?

— Почем я знаю!

— Мама, ты можешь говорить по-человечески?

— Вообще-то могу, но только попозже, когда приму душ, поем и выкурю сигаретку! Ты способен выдержать все это?

— Мама!

— Мишка!

— Ну мама!

— Ну Мишка!

— Скажи только одно — это мой папа?

3

— Что за бред?

— Ничего не бред! Ты вышла за него замуж задолго до того, как я родился!

— Ну и что?

— Никакого другого мужа в паспорте у тебя нет...

— Да какое значение имеет дурацкий паспорт? Если хочешь знать, дети появляются на свет совершенно независимо от паспорта!

— Можешь мне не рассказывать, как дети появляются на свет! Не хуже тебя знаю!

— Мама дорогая! Как интересно! Но ты поделишься со мной своими знаниями, когда я приму душ! Все!

— Мама, так нечестно! — взвыл Мишка.

— Думаешь? Ладно, в двух словах, чтобы ты от меня отвязался. Я действительно была замужем за этим самым Питером и жила с ним в Швейцарии. А потом встретила твоего папу, влюбилась до полусмерти и уехала в Россию, родила тебя, а папа вскоре попал в аварию, ну ты же все это знаешь.

— Но почему же ты с этим швейцаром не развелась?

— Швейцарцем, — поправила Марина. — Сначала он не давал мне развод, а потом уже не до того было.

— А теперь?

— Что — теперь?

— Почему ты теперь с ним не разводишься?

— А черт его знает... Возиться неохота... К тому же это, наверное, дорого, если по моей инициативе... Да и вообще, жуткая канитель.

— Ты поэтому не женишься с Игорем?

— А ты хочешь, чтобы я вышла замуж?

4

— Честно? Нет, не хочу!

— Вот и я не хочу! И печать в паспорте тут совершенно ни при чем! А вообще-то, рыться в чужих вещах некрасиво, ты разве не знал? Все, закрыли тему, я иду в душ! А ты накрывай на стол!

Но осуществить свое намерение ей опять не удалось. В дверь позвонили.

— Кого это черт принес? — проворчала Марина. И пошла открывать. На пороге стояла соседка со второго этажа — Надежда Романовна.

— Марина, я просто не могу молчать! — с места в карьер начала она. — Ты должна призвать сына к порядку! Он ведет себя просто безобразно! Ему только девять, а что будет, когда он вырастет! Ты должна обратить внимание!

— В чем дело? — сухо спросила Марина.

— Он торгует животными!

— Какими животными? — испугалась она.

— Котятами! Стоял сегодня у метро и продавал котят!

— Каких котят?

— Откуда я знаю? Но сам факт!

Марина оглянулась. Мишка где-то затаился. Но она была уверена в сыне. Раз он продавал котят, значит, так было нужно.

— Ну сам факт тревоги у меня не вызывает! Вот если бы он котят мучил, дело другое, а если продавал... Не вижу никакого криминала!

— Но если бы ты была при этом! — продолжала негодовать соседка. — Он стоял у метро и кричал во весь голос: «Люди добрые, купите котенка! Он осиротел! Ему плохо и одиноко! Скрасьте его горькую жизнь!»

— И что, покупали? — улыбнулась Марина.

— Откуда я знаю! Я была просто возмущена! С таких лет торговать на улице! И к тому же котята могут быть заразными! А если у них стригущий лишай? Он же мальчик из приличной семьи! Вроде как! — не удержалась соседка. — Конечно, без отца его и выпороть некому! А ваша нянька...

— Надежда Романовна, спасибо за сообщение, — едва сдерживаясь, чтобы не выпихнуть мерзкую бабу, ответила Марина. Она знала, что лучше не вступать с этой особой в открытую войну. — Я приму меры!

— Вот-вот, прими меры, пока не поздно, а то не успеешь оглянуться, как твой сыночка бандюганом станет!

С этими словами она удалилась, правда сильно разочарованная. Ей хотелось своими глазами видеть и своими ушами слышать, какие именно меры примет эта нахалка к своему избалованному сынишке. Из таких балованных самые отпетые и вырастают!

— Михаил, где котят взял? — со смехом спросила Марина.

— У Ленки во дворе кошка под машину попала, а у нее пять котят осталось, маленьких совсем, вот мы и решили их продать в хорошие руки.

— Продали?

— Да! Можешь себе представить, за полтора часа всех пристроили!

— И почем брали за штуку?

— По двадцать рублей! Ленка хотела даже по десять продавать, но я подумал, если слишком дешево, это может показаться подозрительным, а дороже... Мы боялись, что дороже могут не раскупить... Мам, ты что, не сердишься?

— А почему я должна сердиться? — засмеялась Марина. — По-моему, чрезвычайно гуманная акция — продать осиротевших котят! Все, я в душ! Что у нас на ужин?

— Голубцы! Алюша ушла к своей Антонине.

— Голубцы? Сойдет! Сунь в микроволновку.

— Сколько тебе?

— Два!

Стоя под душем, она думала, что, пожалуй, и в самом деле надо развестись, но при мысли о каких бы то ни было контактах с Питером ее начинало тошнить. Ничего, когда-нибудь он сам захочет жениться и тогда подаст на развод, а я и так проживу... Не тронь говно, как говорится... Но, слава богу, явление Надежды Романовны сбило Мишку с этой скользкой темы. Конечно, парню в таком возрасте уже нужен отец. Только где его взять, отца, достойного такого сына? В конце концов, он же общается с Игорем, они, можно сказать, дружат, так что он не вовсе лишен мужского общества и влияния. Надо, наверное, согласиться и поехать все-таки отдыхать втроем, Игорь давно предлагает... Да, это правильно. Хотя сначала надо спросить у Мишки, он может и не захотеть.

Она вообще любила думать под душем, одно время только под душем это ей и удавалось. Теперь она думала о том, что вот Мишка и вырос... Неужели это первый звоночек? Он всегда был на редкость беспроблемным ребенком. Здоровым, веселым, покладистым, очень способным. Но скоро начнутся трудности переходного возраста, а там, не успеешь оглянуться, армия... При мысли об этом у нее всегда начинало болеть сердце. И кто знает, как мальчик изменится, превращаясь в юношу? Вдруг перестанет учиться, свяжется с дурной компанией... Все-таки у нас неполная семья, а дети из неполных семей чаще попадают в плохие компании... Да, конечно, он меня любит, он чудесный сын. Но ведь это пока! Он еще маленький, но совсем скоро станет большим... А у меня с каждым днем все больше работы, и я не имею права отказаться от нее, я должна хорошо зарабатывать и не просто на безбедную жизнь, я обязана иметь деньги в запасе, если вдруг понадобится откупить Мишку от армии или, не дай бог, от тюрьмы... Подростки иной раз по глупости могут угодить за решетку, и потом вся жизнь пойдет под откос... От этих мыслей ее затрясло, она поскорее натянула махровый халат и выскочила из ванной — убедиться, что Мишка тут, что он еще маленький и пока можно быть спокойной...

— Мам, а ты была уже у Кудашева?

— Ой, Мишка, это тихий ужас! — простонала она, засунув в рот кусочек голубца.

— Почему?

— Там такая безвкусица, не могу тебе передать! Сочетания — хоть стой, хоть падай! Лепнина, колонны, а при этом диваны с обивкой как у тети Вали с третьего этажа, малахитовые вазы, одним словом — жуть.

— Но он же тебя пригласил, значит, хочет все поменять.

— Да ничего подобного! Он присоединил к своей квартире еще одну и хочет ее обставить. Он собрался жениться...

— Ой, правда, а на ком?

Алексей Кудашев был популярным телеведущим. Совсем молодой человек из провинции, очень одаренный и сексапильный, имел весьма

8

смутные представления об эстетике интерьера, но кто-то рекомендовал ему Марину Зимину в качестве модного и стильного декоратора, к тому же не безумно дорогого.

— А ты возьмешься? — продолжал допытываться сын.

— Надо бы, наверное, но, боюсь, я это не потяну. Он ровным счетом ничего не понимает, ему кажется, что у него все выше всяких похвал...

— Но ты пока не отказалась?

— Пока нет. Сказала, что подумаю.

В этот момент зазвонил телефон.

— Ты дома? — спросил Мишка.

— Дома, — вздохнула Марина.

Но оказалось, что звонят Мишке. Он поболтал с приятелем, а потом вернулся к матери:

— Мам, я совсем забыл, звонил Игорь, велел напомнить, что вы завтра идете на какую-то свадьбу!

— Ой, господи, я совершенно забыла! Как же мне не хочется!

— Почему? Почему тебе не хочется?

— Да что за радость идти на свадьбу к незнакомым людям? Кошмар какой-то!

— Но Игорь же этих людей, наверное, знает?

— Он-то знает, вот и шел бы себе, а при чем тут я?

— Как — при чем? Ты красивая, а с красивой женщиной приятно пойти.

— Ну ты даешь! — засмеялась Марина.

— Нет, правда-правда! Он будет тобой гордиться! Я, между прочим, тоже тобой горжусь!

— И по этому поводу ты с Игорем солидарен?

— Ну вообще-то, я с ним по многим поводам солидарен!

— Ой, ты меня уморишь!

— Так ты пойдешь?

— Ну вы с Игорем так ставите вопрос, что мне ничего другого не остается! Ой, Мишка, я же совсем забыла! У нас новость! Мы с тобой дачу в наследство получили!

— Какую дачу?

— В том-то и дело, что я не знаю, но думаю, та еще развалюха! Мне ее двоюродная тетка завещала.

— А ты там никогда не была? На этой даче?

— Наверное, в детстве бывала, но просто не помню! Завтра хотела поехать, так тут эта свадьба дурацкая!

— Мамочка, миленькая, давай поедем посмотрим, мне так интересно! Свадьба же, наверное, вечером, а на дачу можно с самого утра, давай рано встанем и съездим, а? Это далеко?

— Да не очень. А что, пожалуй, и вправду съездим с утра, но думаю, я ее продам, эту дачу, на фиг она нужна, чужая развалюха? Продадим за сколько удастся и лучше смотаемся на Кипр, например, или в Испанию.

— А там есть сад?

— Мишка, я не знаю!

— А вдруг там большой сад и яблоки на яблонях растут?

— В начале мая яблони разве что цветут! — засмеялась Марина. — И потом, я ничего не понимаю в садоводстве! И вообще, терпеть не могу дачи.

Утром Марина проснулась в крайнем раздражении. Она мечтала в субботу отоспаться, привести в порядок кое-какие дела, может, сходить с Мишкой в зоопарк, а вместо этого надо сначала ехать смотреть какую-то халупу, а потом тащиться на чужую свадьбу. Фу!

— Мам, не злись!

— Я не злюсь, просто не люблю, когда нарушаются мои планы.

— А давай помечтаем!

— О чем?

— А вдруг там никакая не развалюха, а...

— А мраморный дворец с бассейном, так?

— Ну на фиг нам с тобой дворец? Нет, просто там окажется... окажется...

— Ну что, что там окажется?

— Такой дом, чтобы не надо было снимать дачу у этой противной Валентины...

Она внимательно посмотрела на сына. Мысль была более чем здравой.

— А что, Мишка, может, и правда... Мне это даже в голову не пришло. Чем черт не шутит!

— Мам, ты не знаешь, там речка есть?

— Мишка, я ничего не знаю! На месте разберемся. Ох, я забыла, мне бы надо в парикмахерскую сходить, в салон красоты, а то сегодня на свадьбу эту дурацкую...

— Ты и так красивая! Голову помоешь, оденешься — и будешь все равно лучше всех!

— Тебе так кажется, потому что ты меня любишь, — засмеялась Марина.

— Игорь тоже тебя любит, и ему должно так казаться, а на остальных наплевать.

Мне и на Игоря по большому счету наплевать, с горечью подумала Марина. Но говорить ничего не стала. Все-таки лучше пусть будет рядом хоть какой-то мужик. Мне он не больно-то нужен, а вот

Мишке... Тем более у них неплохие отношения и Мишка к нему не ревнует. Да и вообще, ничего плохого в Игоре нет.

— Мам, это и есть наша дача? — срывающимся голосом спросил Мишка.

Они остановились у старого забора, за которым буйно разрослась черемуха.

— Вроде да. Улица Советская, дом семь. Значит, да.

Они вылезли из машины. Марина почему-то тоже разволновалась.

— Ты вспомнила? Мам, ты вспомнила? — тормошил ее сын.

— Да нет...

Они открыли калитку, запертую на проволочную петлю. Остро пахло черемухой. И старый дом за кустами вдруг страшно ей понравился. Он был действительно старый, но развалюхой не выглядел.

— Мама, какая красотища! Смотри, рамки на окнах какие красивые!

— Наличники, это называется — наличники, — задумчиво проговорила Марина.

Дом был деревянный, давно не крашенный, с верандой. Стекла на веранде местами были выбиты.

— А участок какой здоровый, мам! Ну идем же скорее в дом!

Она достала из сумочки ключи.

— Дай мне, я открою! — потребовал сын.

Они поднялись на крылечко. Мишка вставил ключ в замочную скважину.

— Мам, как ты думаешь, тут есть чердак?

— Конечно, есть, вон чердачное окошко. Зачем тебе чердак понадобился?

— На чердаке могут быть всякие старинные штуки, и еще тайны...

— А, понятно. Только пока ты на чердак не полезешь. Неизвестно еще, в каком там все состоянии, так и шею сломать недолго. Ну что ты замер, открывай!

Они вошли. На них пахнуло не затхлостью, как ожидала Марина, а приятным запахом сухого дерева. В доме было очень чисто. На полу лежали деревенские половички. Мебель была старая и некрасивая, но все производило странное впечатление ухоженности. Внизу были две маленькие комнатки, одна довольно большая, и кухня. Наверх вела устланная половичком лестница.

— Мам, пойдем наверх! Лестница крепкая!

Они поднялись на второй этаж. Там была одна очень большая комната, обшитая светлой вагонкой, но совершенно пустая. Два больших окна без занавесок. По-видимому, комнату отделали, но еще никто в ней не жил.

— Мамочка, миленькая, не надо продавать этот дом! Мамочка, ну пожалуйста! — взмолился Мишка. — Тут так клево!

— Да, я просто потрясена, с какой стати тетя Аня мне все это оставила? С ума сойти... Дом и вправду чудный!

— И мы не поедем к Валентине?

— Ну я не знаю, надо еще привести все в божеский вид... И потом, тут же нет ни ванной, ни сортира. Удобства на дворе. Я это терпеть не могу!

— Но ведь можно же сделать...

— О, знаешь, сколько это стоит? И потом, начнешь что-то одно делать, другое посыплется...

— Ну мама, сейчас ведь можно купить биотуалет!

— Боже! Какой ты умный! А ведь и вправду можно!

— А еще можно купить душевую, я видел рекламу, такая прозрачная кабинка, а вода греется от солнца...

Марина с удивлением смотрела на сына. У него горели глаза.

— Мамочка, мне так тут нравится! А как пахнет, ты чуешь?

— Чую, чую.

— Эй, хозяева! — раздался из сада женский голос. Марина вздрогнула и поспешила вниз.

— Ой, здравствуйте, вы новая хозяйка? — спросила пожилая женщина с приветливым, добрым лицом.

— Да, вот получила в наследство, — смущенно сказала Марина.

— Ну и на здоровье. А это сынок ваш?

— Да. А вы наша соседка?

— Не совсем, я дружила с Анной Серафимовной и после ее смерти за домом приглядывала, сама я в деревне живу, тут неподалеку. У меня корова, так я сюда дачникам молочко ношу. И вдруг смотрю, машина возле дома стоит, дай, думаю, загляну, вдруг новым хозяевам что занадобится... Вы, значит, Мариночка? Мне Анна Серафимовна говорила, что дачу родственнице отпишет, Мариночке.

— Я никак не ожидала! Мне когда сообщили, я страшно удивилась, почему тетя Аня так поступила...

— Да как же? Вы ж ей как помогали, она рассказывала, говорила, сын родной и не вспомнит о матери, а двоюродная племянница помогает... Сыну хватит и квартиры, так она сказала, тем более он вообще дачу ненавидел, а теперь за границей живет, зачем ему, а у вас сынок маленький, ему на даче жить надо.

— Ой, а как ваше имя-отчество? — опомнилась Марина.

— Да я тоже Анна. Анна Ивановна, но вообще-то меня все тетей Нюшей зовут.

— Анна Ивановна, мне вас даже угостить нечем, мы приехали просто посмотреть... Но я вам так благодарна, в доме чистота, я думала, тут бог знает что творится.

— Да нет, я убираюсь... А то думаю, Мариночка приедет... Мне ведь от вашей помощи тоже кое-что перепадало, — смущенно засмеялась тетя Нюша. — Анна Серафимовна, бывало, скажет: Нюша, мне Мариночка посылочку прислала, тут и конфетки и печеньице заграничное, давай чайку попьем, а еще, говорит, тут кофточка модная, мне такая уж ни к чему, а ты для внучки возьми, — и деньжат тоже иногда подбрасывала, как дочка моя померла... Я говорю: да не надо, вам самим пригодится, — а она: нет, Нюша, мне помогают, и я должна помогать по мере сил... Хорошая она женщина была, Анна Серафимовна, царствие ей небесное. Ах, жалко, молочко-то я уж отнесла, а то попробовали бы, у меня молочко хорошее, вкусное... А вы тут летом жить-то будете?

— Обязательно! — подал голос Мишка. — Обязательно будем!

— Вот и хорошо!

Марина вытащила из сумочки две пятисотрублевые бумажки.

— Да вы что, зачем это?

— Ну как же, вы тут убирали, следили, я вам очень-очень благодарна. И надеюсь, мы с вами тоже подружимся, и молоко будем брать.

— У меня еще и творожок со сметанкой, и маслице...

— Вот и чудно! Вы только дайте мне ваш адрес.

— А у меня телефон есть. Если что занадобится, звоните. Стекла тут на верандочке побились, так, может, я зятю своему скажу, он придет, стеклышки вставит, перильце вот на крылечке починит...

— О да, буду вам очень признательна... Надо вам, наверное, еще денег оставить?

— Нет, он когда все сделает, разочтемся, но деньги вы уж мне отдавайте, а то пропьет... Он мужик золотой, и руки у него золотые, но пьет, собака...

— Хорошо, договорились.

— А вы как, вдвоем тут жить будете?

— Нет, с нами еще одна пожилая женщина живет.

— Может, захотите огородик вскопать, так скажите, зять выкорчует тут местечко под грядки, вскопает...

— Да нет, спасибо, пока не надо, вот на будущий год, может быть, и огород разведем.

— Правильно, вы сперва обживитесь, а потом уж по уму все сделаете... Ну пойду я, пожалуй.

— Может быть, мы вас на машине довезем? — предложила Марина. — А то у вас сумки, я смотрю...

— Да нет, спасибочки, но я уж пешком, мне еще в магазин зайти надо и к одной знакомой завернуть обещалась. А вы как переезжать надумаете, звоните, я к вашему приезду все тут налажу.

— Мам, только я парное молоко пить не буду! — предупредил Мишка, едва тетя Нюша скрылась из виду.

— Да не пей, кто тебя заставляет, — рассеянно проговорила Марина, присев на крылечко. — А ведь тут хорошо... Воздух какой, а, Мишка!

— Тут просто классно! Суперски!

— Но нам надо ехать.

— Эх, зря мы никакой еды не взяли, а то устроили бы пикник!

— Да, это было бы неплохо. Ничего, в следующий раз обязательно устроим пикник! Кстати, тут можно жарить шашлыки...

— И никакая Валентина не будет придираться! Помнишь, в прошлом году Игорь хотел шашлыки жарить, как она развопилась? Мам, а картошку в костре будем печь?

— Легко!

— Как ты думаешь, Алюше тут понравится?

— Уверена, особенно если мы купим биотуалет!

Мишка сел на крылечко с ней рядом. Она обняла его, поцеловала в макушку. Как хорошо...

— Мам, а наверху ты можешь устроить себе студию!

— Да ну! Наверху ты будешь жить, это будет твое царство!

— Нет, правда?

— Конечно! Я ведь не смогу тут много бывать, у меня работа. Все, Мишка, надо ехать, у меня уже начинается кислородное отравление! Еще немножко — и придется припадать к выхлопной трубе, как советовал Жванецкий!

— А можно я еще разок наверх сбегаю? Это ж теперь мое царство?

— Беги, только на пять минут, не больше!

Как странно, у меня такое ощущение, что начинается какой-то новый этап в жизни... И тут на природе почему-то хочется любви... Мне казалось, с этим уже покончено... Наверное, я устала... Бегаю как цирковая лошадь по кругу и ни о чем таком не думаю... А тут вырвалась с манежа — и вот уже дурацкие мысли в голову лезут. Да какая там любовь, где ее взять?

— Мишка! Пора ехать!

Михаил Петрович Максаков среди знакомых слыл небывалым везунчиком. Действительно, как ни посмотри, все у него складывалось на редкость удачно. И в семье, и в карьере. Его все любили, и с женщинами никогда никаких осложнений не бывало, просто на удивление. Он нравился женщинам и сам их любил. Но никогда никаких драм и тем более трагедий. Все ему давалось легко. В школе и университете он учился играючи — благодаря выдающимся способностям, редкому обаянию и легкости характера. «Ну, Мишка, ты счастливчик, тебе даже с тещей повезло, — шутили приятели, — а это уж фантастическое везение!» Действительно, теща у него была замечательная. Умная, интеллигентная, с прекрасным чувством юмора. Все двадцать семь лет они жили душа в душу, а это, согласитесь, нечасто бывает. Нина Евгеньевна конечно же догадывалась, что зять не блюдет абсолютную верность ее дочери, но считала, что это в порядке вещей, и, как могла, сглаживала острые углы. Вероятно, она покрывала и кое-какие грешки дочери, догадывался он, но, пока ничего не знаешь, живешь спокойно, он не был ревнивцем, хотя в общем-то любил жену и не хотел ни на кого ее менять. Если бы его самого спросили, считает ли он, что жизнь его удалась, он, безусловно, ответил бы да, но не преминул бы заметить, что единственной, правда относительной, неудачей, можно считать только отсутствие сына, но что поделаешь, если после рождения дочери Вика больше не пожелала иметь детей. «Восемь девок, один я», — смеялся он на семейных торжествах. Жена, дочка, теща, мама, сестра. Была одно время надежда на внука, но дочка прожила с мужем только год и вернулась к родителям. А теперь совершенно не стремилась ни к замужеству, ни к деторождению, так что и внука пока ждать не приходилось. Это сплошь женское окружение нисколько его не раздражало, нет. Он всех их нежно любил, лишь иногда на него находили приступы тоски, и тогда он пускался в авантюры, но не запивал, не играл на бегах и в казино, нет, он просто отправлялся в какие-то экстремальные экспедиции, что называется, на выживание. То в пустыню, то на Крайний Север, то в горы. В последние годы побывал даже на юге Африки и в лесах Амазонки. Это бывало с ним нечасто, раз в три-четыре года, и возвращался он оттуда обновленным. Конечно, дома все волновались, но всегда надеялись на его везение, и удача действительно ему не изменяла. К пятидесяти годам это был весьма преуспевающий юрист, специалист по морскому праву, подтянутый, элегантный и почти всегда в хорошем расположении духа.

Вот и сегодня он проснулся, с удовольствием вышел в сад, вдохнул свежий весенний воздух и отправился на пробежку. Бегать в городе он не любил, но на даче бегал всегда и помногу.

— Миша, ты помнишь, что мы приглашены на свадьбу? — спросила жена за завтраком.

— Хорошо, что ты сказала, я и забыл совсем... Что ж делать, придется поехать, никуда не денешься. Но у меня сегодня еще есть одно дело в городе, отменить не удастся. Давай договоримся, где и когда встретимся.

— У меня тоже есть дела в городе, так что поедем вместе.

— Какие у тебя дела? Красоту наводить?

— Ну конечно, — улыбнулась Вика. — В моем возрасте этим нельзя пренебрегать. На неделе времени совсем нет.

— Хорошо, я тебя довезу, а ночевать, боюсь, придется в городе. Нельзя же на свадьбе не выпить.

— Нет, я пить не буду. Знаешь, мы ведь не должны торчать там до утра. Уйдем аккуратненько в десять-одиннадцать! Ненавижу свадьбы вообще, а уж к шапочному разбору в особенности. Сплошное свинство.

— Отлично. Значит, ночуем на даче. Туська!

— Что, папа?

— Ты чего такая унылая с утра?

— Ну не все же такие биологически жизнерадостные, как ты, — проворчала дочь. — Я не выспалась.

— Мы в твоем возрасте могли по три ночи не спать, — засмеялась Вика. — Подумаешь, большое дело!

— Когда вы были в моем возрасте, экология была лучше!

— Тебе нужен мужик, вот и вся экология! — отрезала Вика.

Фу, как грубо и даже жестоко, подумал Михаил Петрович.

— Мам, половой акт решает далеко не все проблемы! — невозмутимо ответила Туся.

— Да какие же у тебя проблемы, хотела бы я знать.

Жаль, что Нина Евгеньевна в отъезде, подумал Михаил Петрович, она бы в миг сумела их примирить.

— По-твоему, мама, если у меня родители при бабках, у меня не может быть проблем?

— Так, может, поделишься? Мы не только при бабках, как ты выражаешься, у нас и мозги тоже есть!

— О да, с этим у вас тоже все в порядке, — насмешливо ответила дочь.

Она намекает, что у нас с душой не все в порядке? Надо бы с ней поговорить по-хорошему. Может, ей нужна помощь? Да нет, она бы не постеснялась просить помощи, видимо, Вика права, и ей просто нужен мужик, но все равно нельзя же так прямо об этом заявлять, да еще при мне...

Излишняя прямота жены иной раз его шокировала, хотя он понимал, что Вика безумно любит дочь и ее раздражает, что у Туськи не задалась семейная жизнь. Она считает, что у ее единственного чада все должно быть выше всяких похвал, а вот поди ж ты... И ее это злит.

— Девочки, не ругайтесь!

— Папа, мы не ругаемся, мы обмениваемся любезностями. Ладно, пойду лучше еще посплю, благо выходной! Пока, шнурки!

— Вика, ну нельзя же так, — укоризненно покачал головой Михаил Петрович, когда Туська ушла, — надо же щадить ее чувства!

— Ты о чем? — рассеянно спросила жена.

— Как — о чем? Ты при отце говоришь девочке такие вещи...

— Это насчет того, что ей мужик нужен? — усмехнулась Вика. — Можно подумать, она тринадцатилетняя школьница, причем не нынешняя, а лет пятьдесят назад...

— Все равно. Так нельзя, она же твоя дочь...

— Да не волнуйся, с нее все как с гуся вода. А мужика она найдет, она хорошенькая, и мужа, у нее родители небедные...

— Вика! Откуда столько цинизма?

— Здоровый цинизм вещь хорошая, иначе разве могла бы я всю жизнь спокойно терпеть твое жизнерадостное блядство?

— О господи, что за ерунда!

— Миша, не будем углубляться в тему!

— Так и темы нет, — пожал он плечами. — Ты скоро будешь готова? Мне через полчаса надо выехать.

— Через полчаса буду готова.

— А где Сидор, я что-то его сегодня не видел.

— Шляется где-то.

— Надо ему еду оставить, а то Туська может забыть.

Сидор был огромный сибирский кот тигровой масти с дивными глазами, напоминающими светло-зеленый хрусталь. Хозяева в нем души не чаяли, а сам Сидор больше всех был привязан к Михаилу Петровичу. Он словно знал, что хозяин спас его от неминуемой кастрации.

Когда через полчаса жена вышла из дому, он подумал: интересно, за каким чертом надо наводить марафет, если едешь в салон красоты? А впрочем, в сорок шесть лет, вероятно, это необходимо просто для тонуса. А забавно было бы, если бы она тоже сейчас ехала к любовнику. Дело в том, что сам он собирался к своей давней и верной подруге Наде. Надя тоже относилась к числу его везений. Вот уже восемь лет она верно и преданно любила его, никогда ничего не только не требовала, но даже и не просила, встречала с радостью, провожала без слез и укоров, была в курсе всех его дел, но при этом никогда не задавала лишних вопросов, а вдобавок была еще красива, умна, интеллигентна, с ней о многом можно было поговорить. Но никогда она не клялась ему в любви, не произносила громких слов, а еще превосходно готовила и была очень хороша в постели. Словом, идеальная любовница. Иногда он думал, что вообще-то так не бывает. Первые два года все-таки был настороже, все ждал, где же обнаружится изъян, но изъян не обнаруживался, тогда он расслабился и по-своему полюбил Надю, во всяком случае, она занимала в его жизни немалое место. Хотя за эти годы у него случались мелкие романы, но он всегда возвращался к Наде, в ее уютную квартиру, куда иной раз приползал еле живой от усталости, но выходил неизменно бодрым и довольным. Надя, как и он, умела радоваться жизни. Иногда, правда, он думал о том, что у нее, вероятно, есть еще кто-то, ведь она молодая, всего тридцать три, а ему нечасто удается у нее бывать... И еще — они никогда никуда не ходили вместе. Значит, с кем-то другим она бывает в театрах, на выставках, в ресторанах, наконец. Но они ни разу не столкнулись в общественных местах, и у них не было общих знакомых, лишь однажды, когда он неожиданно приехал к ней с вокзала, без звонка, он застал у нее какую-то подружку, которая немедленно ретировалась при его появлении. Вот и сегодня он ре-

шил провести два часа у Надюши, еще вчера предупредил ее и знал, что она встретит его в красивом
халатике, сияя, прижмется к нему... На душе сразу
сделалось легко.

— Ты что это т к задумался? — донесся до него
голос жены.

— У меня важная встреча, надо сосредоточиться.

— А, понятно, сосредоточивайся на здоровье. —
Она тихонько включила радио...

Он подвез жену к салону красоты.

— Во сколько там надо быть, на этой свадьбе? —
спросил он.

— В семь.

— Отлично! Ох, а что с подарком?

— Я давно все купила.

— Умница! Ну пока, солнышко! Как освобожусь,
звякну на мобильник!

— Пока, Мишенька!

Как хорошо! Солнечный весенний день, пре-
красное настроение, Надюшке не придется меня
реанимировать. Надо, кстати, купить ей цветов и
белого шоколаду. Почему-то и жена, и Надюша обе
обожают именно белый шоколад. И в этом ему тоже повезло, не возникает досадной водевильной
путаницы. Они даже духи любят одни и те же, «Ма-
жи нуар». Чрезвычайно удобно!

— Маринка, ты что такая задумчивая? — спросил
Игорь, когда они шли к машине.

— Понимаешь, я рассчитывала заказать двери в
одной фирме, а они таких размеров не делают, ищу
теперь другую. Впрочем, к чему тебе эти заморочки?

— Ну мне интересно! Ты хоть немного расслабься, забудь о проблемах! Мы идем на свадьбу, встряхнись! Кстати, там будет всякая богатая публика, может, еще клиентов подцепишь!

— Ну ты даешь! Я что, по-твоему, проститутка? — засмеялась Марина.

— Боже упаси! Но ведь ты тоже продаешь свои услуги, так что аналогия не так уж неуместна.

— Ну знаешь ли! Любой, кто работает, продает свои услуги, как и ты, кстати!

— Маринка, ты что, обиделась? — испугался Игорь.

— Нет, конечно, что ты. Просто у меня куча проблем, теперь еще эта дача на меня свалилась — и Мишка требует, чтобы летом мы там жили!

— Слава тебе господи, хоть от этой гнусной Валентины избавимся, сука, даже шашлык пожарить не позволяла! Но ты скажи, может, я могу чем-то помочь?

— Я подумаю и обязательно что-нибудь на тебя взвалю, ты ж меня знаешь, — засмеялась Марина. — Ты купил цветы?

— Какие цветы?

— Ты собираешься идти на свадьбу без цветов?

— Да на фиг? Там и так будет море цветов!

— Игорь, о чем ты говоришь? Нельзя на свадьбу без цветов!

— Тебя послушать, без цветов никуда нельзя, ни на свадьбу, ни на похороны, ни к бабе в постель!

— Именно так! Насчет бабы ты, слава богу, уже усвоил.

— Ладно, купим цветы, в чем проблема!

— Давай заедем на рынок, там дешевле и интереснее, а то, я уверена, все будут с розами или чудовищными букетами.

— А ты что хочешь купить?

— Откуда я знаю? Посмотрим.

— Слушай, возьми деньги и пойди одна, не люблю я по рынкам таскаться.

Марина подумала, что, пожалуй, в таком туалете идти на рынок довольно глупо, а впрочем, плевать. Она так любила покупать цветы... Но еще только на подходе к рынку увидела женщину с букетиками ландышей в руках. И сразу поняла: вот то, что нужно!

— Скажите, у вас их много? — подбежала к женщине Марина.

— Да вот, я только приехала, боюсь, и не распродам...

Она открыла клеенчатую сумку, подняла влажную марлю, и на Марину пахнуло ароматом ландышей.

— Это ведь еще не подмосковные, да?

— Нет, конечно.

— Я у вас все возьму!

— Все? Ох, милая, спасибо тебе! Вот выручишь, только тут много...

— Ничего, мне на свадьбу, в подарок!

— А куда ж ты их положишь?

— В корзинку! Я куплю корзинку!

Марина вспомнила, что в супермаркете рядом с рынком на днях видела красивую корзину и даже хотела ее купить, но потом раздумала.

— Я сбегаю за корзинкой, а вы пока ниточки с букетов снимите, ладно?

Через десять минут она вернулась с большой плоской корзинкой, и они вдвоем принялись освобождать ландыши от ниток.

Шедшие мимо люди с удивлением смотрели на красивую и очень нарядную женщину, что, присев на корточки рядом с деревенской бабкой, упоенно выкладывала ландыши в корзину.

— Ох, как это у тебя ловко выходит, и красиво как! — восторгалась торговка.

В самом деле, корзинка с ландышами выглядела восхитительно.

Марина вернулась к машине.

— Это что? — как-то удивленно осведомился Игорь.

— Ландыши!

— По-твоему, это нормально? — с сомнением спросил он. — Не жидко?

— Если, по-твоему, жидко, пойди и купи еще роз!

— Да ну! Раз ты считаешь, что это хорошо... Но ты так долго там торчала, как будто сама эти ландыши собирала.

— Не ворчи! Чувствуешь, какой запах?

— Да, ничего...

Пока она возилась с ландышами, ее покинуло странное ощущение тревоги, преследовавшее ее с самого утра. Наверное, должно что-то случиться, весь день думала она. И пока они ехали к загородному ресторану, где должен был состояться свадебный пир, это ощущение вновь вернулось. Она достала из сумочки телефон.

— Мишка? Как дела?

— Мам, ты уже на свадьбе?

— Нет, еще в машине. У вас там все нормально?

— Конечно! Алюша телевизор смотрит, скоро будем ужинать.

— А ты чем занимаешься?

— Кляссер заполняю! Кстати, кляссер суперский, скажи Игорю!

— Ладно. Я еще позвоню! Игорь, велено передать, что кляссер суперский.

— А то я не знаю! — довольно усмехнулся Игорь. — Маринка, я идиот!

— Почему?

— Ну какого черта я на своей машине поехал? Это ж свадьба!

— Пей, я тебя, так и быть, вывезу оттуда!

— Ты у меня золото!

Да, я золото, но не у тебя, а так, сама по себе!

— Ох, как неохота уходить!

— Так не уходи.

— Я бы рад, Надюша! Но рога трубят! Мне ведь надо еще с одним типом пересечься, потом заехать домой переодеться... Впрочем, еще чашечку кофе я бы выпил.

— А к кому на свадьбу-то идешь?

— К одному старому приятелю, он дочку замуж выдает, не пойти было бы неудобно. Я эту девочку знаю с пеленок...

— Там будет весело?

— Не думаю. Честно говоря, мне давно уж не бывает весело на свадьбах. Но мы с Викой решили, что уйдем часов в десять. Все уже напьются, и никто внимания не обратит.

— А народу там много будет?

— Боюсь, что да, сняли ведь целый загородный ресторан.

— А невеста красивая?

— Солнышко, ты почему так заинтересовалась этой свадьбой?

— Не знаю... Просто, наверное, мне приятно представить себе, где ты будешь...

Эта фраза ему не понравилась. Совсем не в Надином стиле. Неужели придется рвать такие милые отношения? Впрочем, мало ли какие настроения бывают у женщин.

— А ты? Что ты будешь делать вечером?

— Пойду в гости. На день рождения.

— Вот и чудесно. Я на свадьбу, ты на день рождения...

Нет, пора уходить. А то возникла какая-то неловкость. Наверное, она все-таки в глубине души чего-то ждет от меня, на что-то надеется...

— Солнышко, мне пора, действительно пора. Как всегда было чудесно, ты и на этот раз свою фамилию не посрамила.

Фамилия Нади была Праздникова.

Он нежно поцеловал ее, обещал позвонить через недельку и ушел. Если через недельку будет еще какой-то тревожный признак, надо осторожно и мягко закончить эту связь. А жаль...

Молодожены встречали гостей в садике у ресторана. Жених был высокий и довольно красивый парень, а невеста маленькая, хрупкая, в пышном свадебном платье.

Ее и не видно в этом наряде, подумала Марина, бедная девочка, какой дурак напялил на нее это великолепие? Оно ее убивает. Хоть бы фату сняла. Цветов и вправду было море. Огромные, пышные букеты.

— Риммочка, поздравляю!

— Дядя Игорь! Здравствуйте! — Невеста встала на цыпочки и чмокнула Игоря в щеку. — Познакомьтесь, это Женя, мой муж!

— А это Марина, моя подруга! Мы решили тебе ландыши подарить!

И он взял у Марины из рук корзинку.

— Какая прелесть! — искренне воскликнула девушка. — Это вы придумали, да? Дядя Игорь не мог... Я о вас много слышала. Ой, как они пахнут! Нам тут надарили роз, а они почему-то совсем не пахнут. И вообще, они такие пышные, — тихо добавила она.

Марине вдруг стало жалко эту юную девушку, казалось, она чувствует себя не в своей тарелке на собственной свадьбе.

— Римма, простите, наверное, это не мое дело, но, по-моему, вам неудобно в этом платье, может, надо переодеться? Есть во что?

— Ой, правда, я просто мечтаю его снять, да, у меня тут есть костюмчик, мы ведь потом уедем в путешествие... А это удобно?

— Почему же нет? Вы ведь уже вышли замуж, — ласково улыбнулась Марина.

— Правда, Римка, сними ты с себя эти взбитые сливки! — рассмеялся жених, вернее, новоиспеченный муж.

— Может быть, вам надо помочь? — предложила Марина. Ей очень вдруг понравились молодожены.

— Ой, спасибо, а то столько всяких застежек! Пойдемте! Я так вам благодарна!

— Да за что? — улыбнулась Марина.

— За то, что вы правду сказали, а то все твердят, какая я в этом платье красивая, а я знаю, что оно мне не идет! Это мама привезла из Рима, заплатила за него бешеные деньги и ничего слушать не желает. Я вообще хотела без свадьбы обойтись...

— Ну почему же! Свадьба дело хорошее, тем более вы скоро уедете в путешествие. А куда?

— На Гавайи.

— О боже! Здорово, поздравляю!

В каком-то закутке Марина помогла Римме снять роскошный туалет. Девушка надела бежевый шелковый костюм и буквально преобразилась, даже словно выше ростом стала.

— Совсем другое дело, правда? — спросила она.

— О да!

Вдруг Римма сняла туфли и вытерла подметки о подол свадебного платья.

— Что ты делаешь? — испугалась Марина.

— Это для мамы, скажу, кто-то наступил на подол, вот и пришлось переодеться, а то она хотела, чтобы я весь вечер в нем была...

— Понятно, — улыбнулась Марина. — Ты жениха-то любишь?

— Вроде да... — не слишком уверенно ответила Римма.

— Желаю тебе счастья!

— Спасибо, у вас это искренне прозвучало... Можно я вас поцелую? Вы мне сразу понравились. — Она чмокнула Марину в щеку.

— Идем, а то тебя там хватятся.

Они вышли в садик. Гости приветствовали невесту. Игорь стоял с высоким рыжим мужчиной с веселыми синими глазами.

— Марина, позволь тебе представить, мой старый дружбан Андрей.

— Очень приятно.

— И мне приятно!

— Римма, ты почему переоделась так рано? — К девушке подошла красивая, элегантная женщина с неприятно тонкими губами.

— Мамочка, мне кто-то наступил на подол, он весь грязный!

В этот момент у Игоря в кармане зазвонил телефон. Он отошел в сторонку и через минуту вернулся с расстроенным лицом.

— Что случилось? — встревожилась Марина.

— Сестра звонила, у мамы сердечный приступ. Так что...

— Поехать с тобой?

— Не стоит, детка, я, скорее всего, еще вернусь...

— Но я же тут никого не знаю, и вообще... — тихо сказала Марина.

— Не уезжайте, пожалуйста, очень вас прошу! — вдруг взмолилась Римма. — Дядя Игорь обязательно вернется, правда, дядя Игорь?

— Надеюсь, у мамы не столь плохое здоровье, это больше характер...

— Игорь, на меня можешь оставить свою даму, не волнуйся, я буду ее охранять! — весело предложил рыжий. — Я тут один, и Марина будет под присмотром!

— Ну конечно, пусти козла в огород, — проворчал Игорь.

— Дядя Игорь, ваша Марина — чудо! — прошептала ему на ухо Римма. — Но вы возвращайтесь, пожалуйста!

Игорь побежал к машине. А Андрей взял Марину под руку:

— С этой минуты я ваш верный оруженосец! Можете мною располагать!

А он симпатяга, подумала Марина.

— Вы на машине? — спросила она. Надо же знать, на каком ты свете, на что можно рассчитывать. Ведь Игорь может и не вернуться.

— Да, и притом вообще не пью!

— Вообще?

— Только боржом!

— А нарзан?

— Если нет боржома! — рассмеялся рыжий. — Так что не волнуйтесь, даже если Игоряша не вернется, я вас доставлю домой в целости и сохранности. Хотя, похоже, я влюбился в вас с первого взгляда!

— Это лишнее, — улыбнулась Марина, хотя слышать это было почему-то приятно...

— Наверное, вам хочется спросить, почему я не пью? Отвечаю сразу: я просто уже выпил все, что должен был выпить за свою жизнь, и даже немножко больше!

— Но я ничего такого не думала, это ваше личное дело, я вас вижу первый раз в жизни.

— О, да вы колючка! Но я надеюсь, мы подружимся! Не берите в голову насчет любви с первого взгляда, просто вы мне понравились, а у меня есть дурная привычка спешить с выводами.

— Я уже заметила.

— Все! Мы дружим, и только!

— Согласна! Ого, сколько еще гостей понаехало! Вы тут всех знаете?

— Не всех, но некоторых. А вообще, ужасно жрать хочется! Я видел стол — закачаешься! Даже омары есть! Вы ели когда-нибудь омары?

— Да.

Михаил Петрович с удовольствием озирался. Удивительно, сколько красивых женщин стало в Москве. Например, вон та высокая блондинка, просто глаз не оторвать. Элегантная, а фигура какая... Он вообще обожал рослых блондинок, хотя ни жена, ни Надя не соответствовали этому идеалу.

— Мишка, привет! — хлопнул его по плечу старый приятель. — Ничего цветничок, а? Ты видел сестру жениха — закачаешься! Конфетка! И всего восемнадцать, хочешь, покажу?

— Саня, я с женой!

— Но поглядеть же можно! Восемнадцать лет! Нам с тобой на таких остается уже только глядеть!

— Ну почему же? В другой ситуации можно и приударить! Нынешние девочки не такие уж недотроги!

— Старый развратник! А я смотрю, ты уже облизываешься вон на ту блонду! Ладно, дело твое, а я пойду на девочку полюбуюсь, просто трепетная лань!

— Миша! — позвала его жена. — Вот познакомься, это мой школьный друг, мы не виделись лет двадцать! Георгий Иванович, Михаил Петрович, мой муж!

— Очень приятно, — ответил Михаил Петрович и пожал руку школьному другу жены. Он вдруг сообразил, что этот пожилой человек, седой, с большой лысиной и каким-то потертым лицом, на четыре года моложе него. Ему стало страшно. А каким же я кажусь стариком? Но тут же он поймал на себе взгляд той самой высокой блондинки, взгляд абсолютно недвусмысленный, и сразу приободрился.

34

Гостей пригласили к столу.

Часа через полтора, когда первый голод и первая жажда были утолены, тамада притомился кричать «горько!» и молодожены уже посматривали на часы в предвкушении отъезда, Вика, вернувшись из дамской комнаты, сказала:

— Мишка, я видела тут одну бабенку, у нее глаза точь-в-точь как у нашего Сидора, я даже испугалась!

— Неправда, таких глаз у людей не бывает! И вообще, мой Сидор вне конкуренции, — пробормотал Михаил Петрович.

— О, да ты уже набрался!

— Ничего подобного!

Сказав, что таких глаз, как у любимого кота, у людей не бывает, он немного кривил душой. Когда-то, очень давно, он встретил на речном трамвайчике девушку с такими глазами. Он был тогда с дочкой, девушка — с большой компанией, но он до сих пор помнит, как у него тогда замерло сердце. Она стояла у борта, смеялась, а какой-то парень, кажется иностранец, фотографировал ее. Была ли она красива? Он не помнил. И черт лица не помнил, только фантастические зеленые глаза. Он и Сидора в свое время подобрал именно из-за того, что кот напомнил ему девушку, при виде которой у него перехватило дыхание.

— Ну и где это чудо с глазами Сидора? — как бы невзначай поинтересовался он.

— Никакого чуда, женщина как женщина и, кстати, совершенно не в твоем вкусе.

— Господи, Вика, — поморщился он, — о чем ты оришь?

— Будто я не знаю, что ты западаешь на блондинистых дылд. Ага, вон она, смотри.

— Где?

— Вон та, черненькая, с рыжим мужиком.

Он увидел женщину среднего роста в черном платье с темными гладкими волосами, она стояла к нему спиной.

— Пойду гляну, что за Сидоровы глаза... — нарочито пьяным голосом произнес он. Внутри же он был страшно напряжен. Она или не она? Он встал и неспешно направился в сторону яркой парочки. Вдруг женщина обернулась. Нет, не она... Но глаза! Это были те же глаза. Неужто есть еще женщина с такими глазами? Идиот, сказал он себе, не в силах оторвать взгляд от этой женщины, прошло ведь лет семнадцать, наверное, она постарела, она уже не хрупкая девочка...

Рыжий мужчина что-то сказал, и она рассмеялась. Она! Это была она! И точно так же замерло сердце и остановилось дыхание. Женщина поймала его ошеломленный взгляд и отвернулась. А он не привык, чтобы понравившаяся женщина отворачивалась от него. Он всегда был победителем. Неужели я вышел в тираж? — испуганно подумал он. И счел за благо вернуться за стол.

— Ну как? Разглядел? — спросила жена.

— Действительно, глаза точь-в-точь как у Сидора. Но в целом ничего особенного.

— Я же говорила...

— Марина, вы одним взглядом сразили человека! — смеясь, заметил Андрей. — Он шел и вдруг словно споткнулся! Вы опасная женщина! Вторая жертва за один вечер, и то ли еще будет!

— Да ладно вам, Андрей, человек выпил лишнего, вот и споткнулся, а я тут ни при чем!

— Марина, можно вас на минуточку? — тронула ее за плечо Римма. — Мы сейчас уезжаем, я хочу с вами проститься.

Марина поцеловала новобрачную.

— Риммочка, желаю вам счастья, пусть все-все у вас будет хорошо!

— Спасибо, я почему-то сразу к вам... прониклась... Вы добрая... Да, и еще... Мне сказали, что вы классный декоратор!

— Господи, кто же вам мог это сказать, я тут никого не знаю!

— Дело не в этом, но я очень хочу, чтобы вы... Ну если сможете... Папа подарил нам квартиру, и я бы хотела, чтобы вы... обставили ее. Это можно?

— Почему же нет?

— Здорово! Я подумала, мне будет уютно в такой квартире... Я глупости говорю, да?

— Ничего подобного. Я с удовольствием, Римма! Ты мне тоже очень понравилась.

— Я вас найду через дядю Игоря, да? Или у вас есть с собой визитка?

— Конечно, есть. Вот возьми. И даже если раздумаешь обставлять квартиру, все равно позвони, когда вернешься.

Они еще раз расцеловались. И Римма убежала, спрятав визитку в сумочку.

— До чего трогательная девочка, — покачала головой Марина.

— Да, она милая. Отец ее обожает, а мать муштрует как... вообще мало симпатичная дама.

— Зачем же вы пришли?

— А я с ее мужем когда-то работал вместе, мы были дружны, еще в советские времена, никто даже и подумать не мог, что он так взлетит... О, смотрите, Игорь вернулся, какая жалость!

— Маришка, вот и я!

— Ну как мама?

— Да ничего страшного, сделали ей укольчик, она успокоилась и заснула! Этот рыжий тебя не обижал?

— Я? Разве я могу обидеть женщину? Это Марина тут кавалеров штабелями укладывает...

— Андрюха, ты набрался!

— Я же не пью, но опьянел от волшебных глаз твоей дамы, и, кстати, не я один...

Михаил Петрович все время держал в поле зрения зеленоглазую незнакомку. Вот к ней подошел еще один мужчина и как-то очень по-хозяйски приобнял. Муж, наверное. А рыжий кто? Просто знакомый? Любовник? Претендент? Ему хотелось броситься туда и разметать их всех, схватить ее на руки и увезти. Куда? В лес, в степь, в пустыню... Лучше всего в пустыню... Нет, на необитаемый остров... Лет на пять... Чтоб никто не смел приблизиться к ней... Я ее хочу! Давно никого так не хотел... Надо бы с ней потанцевать... Почему на этой дурацкой свадьбе никто не танцует? Все только жрут, пьют, сплетничают... Ненавижу!

— Василий Никитич, друг мой, почему никто не танцует? — окликнул он отца невесты.

— Миша, не волнуйся, там вышла накладка с музыкантами, но все уладилось. А ты что же, наметил себе жертву? — тихо спросил Василий Никитич, хорошо знавший своего приятеля.

Тот загадочно улыбнулся и показал глазами на жену: мол, говори потише. Отец невесты понимающе ухмыльнулся.

— Давай, Миша, выпьем за мою дочку, пусть ей брачная постель будет пухом!

— Ты что, с ума сошел? — возмутилась Вика, услышавшая эту фразу. — Как можно так говорить?

— Так я же про постель... — смутился пьяный Василий Никитич.

— Все равно! Давай выпьем за ее счастье, за удачу, за здоро́вье, — увлеченно перечисляла Вика.

И тут заиграла музыка. К Вике бросился ее потертый одноклассник и пригласил на танец.

— Ну, Мишка, а ты на кого нацелился? — полюбопытствовал Василий Никитич.

— Вон видишь ту, черненькую, в черном платье? Кстати, кто она?

— Не знаю, наверное, с Игорьком приехала, я никогда раньше ее не видел.

— А Игорек кто?

— Мой партнер по бизнесу, хороший парень.

— Она не жена ему?

— Нет, он мамин сын, она ему жениться не дает. Даже сегодня спектакль устроила. Он только приехал сюда, она ему позвонила, что дуба дает, он не поверил, но помчался — и вот вернулся...

— Да? — чрезвычайно оживился Михаил Петрович. — Ты извини, Вася, я сделаю заход...

Он встал и неспешно направился к незнакомке. А сердце как у мальчишки выпрыгивало из груди.

— Вы разрешите пригласить вашу даму?

Дама обернулась и с улыбкой кивнула. Ее кавалеру ничего уже не оставалось, как просто пожать плечами.

Он осторожно обнял ее. Она хорошо танцевала, вести ее было легко. На него вдруг снизошло странное ощущение покоя, как будто они уже на необитаемом острове и никуда она от него не денется.

— Как вас зовут?

— Марина. А вас?

— Михаил... Петрович. Вы потрясающе красивы. И я вас помню...

— Помните? Мы встречались разве?

— Ну так это нельзя назвать... Но я вас видел много лет назад и запомнил.

— И где это было? — живо заинтересовалась она.

— На речном трамвайчике, вы были с компанией, стояли у борта, и вас фотографировал какой-то парень, мне показалось, иностранец...

— Боже мой, это и вправду было... В день моей свадьбы.

И вдруг она тоже вспомнила его. Не может быть!

— А вы... Вы, кажется, были с дочкой, да? Я помню, вы так на меня смотрели... Мне даже неловко стало, я решила, что у меня что-то не в порядке с платьем или с макияжем...

— Невероятно! Вы меня запомнили?

— Я бы вас не узнала, конечно, но когда вы сказали...

Она отчетливо вспомнила, что в тот момент у нее мелькнула шальная мысль — если бы этот человек меня сейчас позвал, я бы все бросила... Но мысль мелькнула и исчезла. А сейчас такого ощущения не возникло.

— Вы вышли замуж за того иностранца?

— Да.

Музыка кончилась. Он с ужасающей неохотой отпустил ее и подвел к Игорю.

— О чем ты так оживленно с ним беседовала? — ревниво осведомился тот.

— Да ни о чем.

— Мне не понравилось, как он на тебя смотрел.

— Это твои проблемы. И вообще, Игорь, я устала, давай уедем.

— Ну вот, я только недавно вернулся. А у тебя, кстати, совсем не усталый вид.

Марина тяжело вздохнула и отошла в сторонку, чтобы позвонить домой. Ее почему-то не отпускало волнение.

— Алюша, как у вас дела? Мишка спит?

— Спит как ангелочек. Маря, тут к тебе женщина какая-то приехала. Но я не пустила. Ты ведь ничего не сказала, а я боюсь.

— Какая женщина?

— Почем я знаю, говорит, подружка твоя, я забыла как звать, но я сказала, пускай завтра приходит. И что за дела — являться без звонка, я права? А то мало ли... Теперь народ ушлый такой.

— Действительно, если надо, придет завтра, а я никого не жду.

Марина терялась в догадках, кто бы это мог быть? У нее была всего одна подруга — Геля, которую Алюша прекрасно знала, да и та не стала бы вот так действовать, а просто позвонила бы ей на мобильник К тому же сейчас Геля живет в Аргентине. Почему-то настроение испортилось — и потянуло домой.

— Что-то случилось? — подошел Андрей.

— Да вроде нет, но я хочу уехать.

— А Игорь, конечно, не хочет? — засмеялся он. — Я бы вас отвез, но тогда ему придется пьяному садиться за руль.

— Знаю, — махнула рукой Марина. — Ой, Андрей, а давайте сделаем так: я уеду на его машине, а вы его доставите домой.

— К вам домой?

— Боже упаси. Он утром заберет машину.

— Ну что ж... Я предпочел бы везти вас, но, видно, ничего не попишешь.

— Спасибо, вы настоящий друг.

Она поспешила к Игорю:

— Игорек, дай мне ключи от машины.

— Зачем это?

Она быстро объяснила ему все.

— Ну вот еще! У меня утром важные дела, машина будет нужна...

— Если ты будешь пить такими темпами, тебе утром будет нужна разве что машина «скорой помощи».

— Маришка, не хами! И вообще, имею я право хоть когда-нибудь расслабиться... И почему я не педераст, как твой Севочка? Совсем бабы заездили. А как бы славно было с нежным «голубеньким» мальчиком... Он бы не спорил, а только смотрел на меня с восторгом...

— О, ты уже хорош! Дай ключи!

— Не дам!

— В таком случае забудь обо мне раз и навсегда!

— Ну, Маришка, не вредничай! Посидим еще часик, и я предоставлю тебе возможность отвезти себя домой.

— Тебя отвезет Андрей, а если тебе и вправду с утра нужна тачка, я возьму от твоего дома такси!

— Ну где там среди ночи брать такси, и потом, выйдет, что я не джентльмен... Нет, обещаю, через час мы уедем. Ну сядь, давай выпьем душевненько за тебя, Маришка! Ну выпей, что ты как неродная?

— Я пить не буду, мне же вести машину, черт бы тебя взял.

— Как хочешь, как хочешь, золотая моя! А я выпью, мне надо снять стресс! А то с моей мамулей...

— Марина, вам помочь? — подоспел Андрей.

Она кивнула.

— Игорек, дружище, дай ключи, очень прошу!

Через десять минут уговоров Марина уже спешила к машине.

Как странно, думала она по дороге, я стала совсем как чурбан, а это ведь чертовски романтично — мужчина и женщина столько лет помнили друг друга, не обменявшись даже словом... Я тогда готова была все бросить, если б он меня позвал, и он, наверное, тоже мог бы что-то сломать в своей жизни. Он волновался сегодня, еще как волновался, а я... Мне было приятно, не скрою, но и только. Он постарел, хотя все равно хорош... Рост, фигура, глаза... А его дочка, должно быть, уже совсем взрослая, ей тогда было лет шесть-семь...

Нет, вся эта романтика не для меня. В моей жизни главный человек — Мишка. Ох, а ведь этот тоже Мишка! Забавно. Но ровным счетом ничего не значит. Михаил — очень распространенное имя. Но отчего же так тревожно на душе? Хотелось позвонить домой, но она боялась разбудить Алюшу. Мишку не разбудишь и из пушки... Машину Игоря она решила все-таки поставить у его дома, чтобы поменьше было разговоров, вторые ключи у него есть. Уже на подъезде к городу она вызвала к его дому такси. И действительно, ей пришлось подождать каких-нибудь пять минут — и такси прибыло. До чего же все-таки удобно стало жить с мобильными телефонами.

Она уже набрала код на двери подъезда, как вдруг из темноты ее кто-то окликнул:

— Маринхен!

К ней кинулась женщина, с огромной дорожной сумкой.

— Маринхен, какое счастье, что ты вернулась!

— Нора, это ты? — поразилась Марина. Она не видела эту женщину лет десять.

— Я, конечно, я! — Женщина бросилась обнимать и целовать Марину. — Меня твоя домраба не впустила, представляешь, киска? Вот сука, правда же? Я говорю: я ее фройндин[1], — а она — знать, говорит, не знаю! Представляешь, Маринхен, я своего супружника послала. Надо ж в Москве где-то приземлиться, а кроме тебя, негде.

— Но как ты меня нашла? — растерянно спросила Марина. Встреча ее совсем не обрадовала. Но не оставлять же женщину среди ночи на улице. — Ладно, пойдем ко мне, там все расскажешь, — обречен-

---

[1] Подруга (нем.).

но сказала она, понимая, что лечь спать в ближайшие часы не удастся. — Только, пожалуйста, не кричи, дома все спят.

— Да ты что, я тихонечко! Ой, я тут страху-то натерпелась!

— Почему ж ты не позвонила? Не предупредила?

— Да мне телефон почему-то не дали, только адрес в справочной...

— А если б меня в Москве не было?

— Ну на вокзале бы перекантовалась, вернее, в аэропорту... Или мужичка какого-нибудь подцепила... Не проблема! — Она весело подмигнула. — Но я так хотела тебя повидать, все ж таки сколько лет общались, дружили...

Никогда мы не дружили, мысленно сказала Марина, отпирая дверь квартиры, и приложила палец к губам.

— Ну у тебя и платье — зашибись! — прошептала Нора, когда Марина зажгла свет в прихожей.

— Ты, наверное, голодная?

— Ну съела бы что-нибудь.

— Хорошо, заходи вот сюда, я сейчас принесу белье, больше мне тебя положить негде. Но диван тут удобный. Хочешь помыться с дороги, ванная вон там, помоешься, приходи на кухню, я что-нибудь соображу...

Марина быстро переоделась и побежала на кухню. Вскоре туда явилась Нора в пронзительно розовом атласном халате. Она сильно постарела, как-то обабилась. И тут же полезла к Марине с поцелуями:

— Ой, до чего ж я рада тебя видеть! Ты все такая же — холодная, неприступная! Но ты не волнуйся, я только на пару дней, потом улечу к своим в Новосибирск! Представляешь, Маринхен, я своего послала...

— Ты уже говорила.

— А, ну да... Он меня до печенок достал, Halunke[1]. Мне там так обрыдло... А у вас тут, говорят, жизнь совсем другая стала, вольготная! А я воли хочу! Ты вот умница, давно слиняла. Я тогда думала, что ты дура непроходимая, а сейчас понимаю, поумней моего оказалась баба. Заколебали меня там своими правилами. Это не так, да это не так. Я вроде приспособилась уже, но нет... А уж как поглядела, с какими башлями русские приезжать стали, так вообще... Надоело мне там хуже смерти. Волюшки хочу, воли! Freiheit[2], понимаешь?

— Нора, поешь...

— А выпить у тебя нету? Русской водочки?

— Нет, — неуверенно ответила Марина. Она опасалась, что, выпив, Нора может так разойтись, что перебудит весь дом.

— Ну и ладно. А ты с кем живешь-то? Кроме домрабы?

— С сыном.

— У тебя сын есть? Ну здорово! А сколько ему лет?

— Девять!

— Ни фига себе! Это ж сколько мы не видались! С ума сойти! Ой, Маринхен, дай я тебя поцелую! А муж-то есть?

— Нет. Он погиб, но я не хочу об этом говорить, — сухо произнесла Марина.

— Но сын не от Питера?

---

[1] Мерзавец (нем.).
[2] Свобода (нем.).

46

— Нет, конечно, нет.

— А, тогда многое понятно... Ты сбляднула, зале-
тела, и он тебя выгнал, так?

— Нет, не так. Я влюбилась и ушла от него.

— Между прочим, я его недавно видела, он как
будто консервный.

— Что?

— Ну не меняется, как его законсервировали. Вы
с ним развелись?

— Нет. Я, как уехала, больше ничего о нем не
знаю. Он на развод не подавал, я тоже. Знаешь, Нора, я страшно хочу спать. Такой тяжелый день вы-
дался.

— Да ладно тебе, не вредничай, Маринхен, завтра вообще воскресенье! Я так мечтала, что мы с тобой сядем на кухне, потреплемся всласть, mein
Liebchen[1]. У тебя, оказывается, сын есть... Ну надо
же! И как его звать?

— Миша.

— А мужика твоего как звали?

— Не хочу об этом говорить.

— Ладно, ладно, не буду, как скажешь. А я, Маринхен, на развод подам и уж вытрясу из своего все
по полной программе. Ты, я гляжу, не бедствуешь.

— А почему я должна бедствовать? Я работаю.
Первое время, конечно, туго пришлось. Когда я с
Мишкой одна осталась, время было лихое... Работы
нет, крошечный ребеночек на руках, все деньги, что
у меня оставались, потратила на него, маленьким
столько всего надо, а тут ведь ничего не было, магазины пустые...

_____
[1] Милочка (нем.).

47

— Ну и как же ты?

— Самое для меня ужасное было, — разговорилась вдруг Марина, — то, что Мишку не с кем оставлять. Я была готова на любую работу, но куда его девать-то? Вот тут мне повезло. Я встретила Алюшу, Александру Ивановну, она тоже одна как перст осталась, и ей жить негде было, я ее к себе взяла, вот с тех пор и горя не знаю. Она мне Мишку растила, пока я деньги зарабатывала...

— И чем же ты зарабатывала?

— Сначала я, как вся страна тогда, торговала чем придется, но недолго. А потом соседи выставили на улицу старый гардероб...

— И ты там что, клад нашла? — У Норы загорелись глаза.

— Ну можно сказать и так, — засмеялась Марина. Ей приятно было вспоминать начало своей успешной карьеры. — Возвращаюсь я вечером, ну буквально без ног, еле живая, и гляжу, шкаф стоит во дворе. Меня как что-то ударило! Я попросила мужиков доволочь мне этот шкаф до квартиры. А потом стала приводить его в божеский вид...

— Сама, что ли?

— Сама, конечно, кто ж еще? Потом покрасила в ярко-зеленый цвет и расписала цветами, райскими птицами, так красиво получилось. Поставила в детской. Но его увидал один мой знакомый и чуть с ума не спятил, продай да продай ему для дачи. Я ни за что не хотела, но он все цену набавлял и набавлял, и я, наконец, сдалась. Это были очень хорошие деньги, и мы с Алюшей стали рыскать по пустырям и помойкам в поисках рухляди. То я сижу с Мишкой, она рыщет, то наоборот. Комодик нашли, потом буфет... А уж потом на меня заказы стали сыпаться. Но у Мишки вдруг началась аллергия на краску, и дома я уж не могла этим заниматься. Но я же в Цюрихе окончила дизайнерскую школу, пошла с этим дипломом в одну фирму, меня взяли, а потом встретила своего одноклассника, мы с ним очень сдружились, и он помог мне, нашел клиентов, которым за маленькие деньги надо было привести в божеский вид квартиру. Я встала на уши и уложилась в смету. С этого и пошло. А сейчас я довольно модный декоратор. Вот так! — с гордостью добавила Марина. И тут же подумала: зачем я перед ней распинаюсь? Она же чужая.

— Да, ты молодец, хоть диплом от заграничной жизни поимела... А я...

— Ты же прилично знаешь языки...

— Ну и чего? В секретутки идти? Я уж стара для этого, мне, mein Schatz[1], уже сорок два!

— Так чего ж ты уехала? Жила бы себе, тебя, по-моему, муж не ущемлял.

— Ущемлял, гад, еще как ущемлял, но я бы это стерпела, но он трахаться перестал, импотенто, понимаешь? То есть на стороне он, может, чего и может, но мне что с того? Мне мужик нужен, никуда не денешься, у меня, можно сказать, самый трахучий возраст подошел, и вот тебе — выкуси! Я попробовала тоже на сторону сходить, но он такое мне устроил! Даже морду набил, Schurke[2]. Ну ничего, я эти побои зафиксировала, будет что в суде предъявить... Я с него много сдеру, не сомневайся. Уж дом-то — точно! А какой у нас дом, сама знаешь, я его

---

[1] Мое сокровище (нем.).
[2] Негодяй (нем.).

продам, куплю себе малюсенькую квартирку и буду жить...

— Где, в Новосибирске?

— Да ты что! Квартирку где-нибудь в Европах, а... Hör mal[1], а у тебя-то откуда такая квартирка, а? Сколько комнат?

— Четыре. Мне от матери двухкомнатная досталась, и еще от Мишкиного отца. Мы только успели с ним съехаться, он и погиб...

— Надо же... Хороший мужик был?

— Да, очень.

— Ты хлебнула... Слушай, Маринхен, а ты мне какую-нибудь работенку тут не подберешь?

— Какую тебе работенку, Нора?

— А я знаю? — засмеялась та. — Это я так, сболтнула... Ну а мужичок-то у тебя есть?

— Да как тебе сказать...

— Вот так и скажи.

— Ну считай, что есть.

— Но это не любовь?

— Нет, что ты... С любовью я завязала!

— Ну прям, с твоими данными... Сколько тебе?

— Тридцать восемь.

— Молодка еще! Хотя любовь — это в общем-то сказки. Трахается нормально?

— Нормально.

— И слава богу. А остальное — геморрой!

— Норка, я спать хочу, умираю.

— Да, я вообще тоже не против. Ладно, завтра еще поговорим. Gute nacht, mein Liebchen![2]

---

[1] Слушай (нем.).
[2] Доброй ночи, милочка! (нем.)

Она тоже меня помнит, как странно и как хорошо... — расслабленно думал Михаил Петрович, сидя рядом с женой в машине. Он закрыл глаза, пусть Вика думает, что я сплю. Ма-ри-на! Какое красивое имя. Она стала еще лучше... Тогда это была моденькая девушка, а теперь роскошная женщина, с виду холодная, но я уверен, под этой холодностью... Это напускное, защитная маска. А может, и не напускное... Когда он прижал ее к себе, то не ощутил ответного порыва. Это обстоятельство было для него настолько непривычным, что он дернулся, отдав себе в этом отчет, хоть и с большим опозданием. Но она же меня помнит столько лет... Он представил себе ее лицо таким, как видел два часа назад, совсем близко, и ощутил вдруг какой-то страх. Неужели эта встреча неспроста? Вдруг это мне в наказание за все мои прегрешения? Безответная любовь? Фу, глупости какие! Надо просто выкинуть ее из головы, и дело с концом. Подумаешь! И вообще, мне не до нее. У меня скоро процесс в Исландии, довольно безнадежный процесс, кстати сказать, и надо думать об этом, а не о зеленых глазах. Тоже мне невидаль. Лучше оставить все как есть. Она женщина-мечта! А при ближайшем рассмотрении может оказаться той еще стервой, или непроходимой дурой, или кошмарной неряхой! Мечта должна оставаться мечтой. А то будет как с Ларкой. Как она мне нравилась, как я ее добивался, а получил — и второй раз даже видеть не хотел. Брр! Тупая кретинка! Да и зачем мне еще какая-то баба? Пора уж успокоиться, есть жена, есть Надюшка — и хватит. Случится какое-нибудь легкое приключение, и отлично, а тут ничего хорошего не выйдет. Все, забыли!

Он открыл глаза.

— Я, кажется, заснул.

— Тебе не кажется, ты вправду спал, — добродушно отозвалась Вика. — Слава богу, в ближайшее время никаких тусовок не предвидится. Терпеть не могу! Идиотское сборище! Хорошо, что Туська пока замуж не собирается.

— Ну у нее и в первый раз никакой свадьбы не было.

— Так она же вышла замуж за мальчика из интеллигентной семьи, а кто знает, на кого напорется в следующий раз. Да, кстати, ты знаешь, мой школьный приятель...

— Этот обтерханный?

— Это он с виду такой, а на самом деле — профессор Колумбийского университета.

— Да, грандиозная шишка! — усмехнулся он.

— Он всегда был жутко умный и талантливый.

— Ну и черт с ним.

— Ты ревнуешь?

— Еще чего! Было бы к кому!

— Между прочим, он в школе был в меня влюблен!

— Ну и на здоровье!

Вика вдруг расхохоталась.

— Ты чего? — недоуменно посмотрел на нее Михаил Петрович.

— По законам драматургии, у меня должен завязаться с ним пылкий роман, а ты, как муж, естественно, узнаешь об этом в последнюю очередь.

— Даю добро! — проворчал он.

— Думаешь, он тебе не соперник?

— Да нет, просто слишком хорошо знаю, какие мужики тебе нравятся. Это не тот случай.

— Мало ли что бывает! Ты вот тоже любишь здоровенных блондинок, а сегодня запал на брюнетку среднего роста. Так что, Мишка, в этой жизни все бывает.

— Не понимаю, ты что, меня заранее предупреждаешь, что у тебя будет роман с этим обтерханным? Повторяю: на здоровье! Я лично ни на кого не запал, и о брюнетке среднего роста ровным счетом ничего не знаю.

— Ее зовут Марина, она модный декоратор, говорят, фантастически оформила квартиру Болотниковой.

— А это еще кто?

— Знаменитая актриса!

— Что ты говоришь? Из новых, что ли?

— Да, она еще молодая.

— Странно, раньше я всех знаменитых актрис знал, а теперь, видно, отстал от жизни.

— Раньше мы по-советски работали, помнишь. А теперь вкалываем как... папы Карлы...

— Вика, фи, что за выражения!

— Это я от студентов набралась.

Виктория Антоновна преподавала в частном университете.

— Да, зато ты раньше на работе такие свитера вязала... — мечтательно произнес Михаил Петрович. — Мне все завидовали... И вообще, мне нравилось, когда ты со спицами сидела, это было уютно, женственно...

— Не могу! Обрыдло! Может, когда совсем старая стану, опять возьмусь за спицы, а теперь обойдешься покупными. Слава богу, можешь покупать себе вещи в лучших магазинах...

— Оно конечно, но не то... — засмеялся Михаил Петрович. И потянулся. — Ах, хорошо! Сейчас приедем, откроем окна, надеюсь, Туська уже спит... — Он многозначительно посмотрел на жену.

Она довольно усмехнулась:

— Что это тебя разобрало?

— Воспоминания об уютной женушке со спицами.

— А я думала, брюнеточка.

— Вика, что за чушь! — поморщился он. Но всякое желание пропало. Как ветром сдуло. Она стала какая-то нечуткая... Даже если ты так думаешь, зачем напоминать в такой момент о другой женщине? Дура!

Несмотря на то что вчера они с Норой сидели допоздна, Марина, как всегда, проснулась ровно в восемь часов. И ее сразу охватила досада. Ну зачем тут нужна Нора? Мы же с ней никогда не были особенно близки и не виделись бог знает сколько времени. Мне никогда она не нравилась, общалась с ней по принципу — на бесптичье и жопа соловей. И вот тебе явление Христа народу! Что-то ей подсказывало, что Нора быстро не уедет и еще наделает хлопот. Марина прислушалась. В кухне уже возилась Алюша. А я ведь хотела сегодня свозить ее на дачу, вместе с ней посмотреть и обсудить, что в первую очередь понадобится для нормальной жизни. Ведь в первых числах июня надо уже переехать. Одно я точно знаю: нужен холодильник и телевизор. Ну телевизор возьмем из Мишкиной комнаты, а холодильник придется купить.

Она встала и вышла на застекленный балкон, где у нее стоял велоэргометр. Позанимавшись минут десять, она побежала в ванную, а потом на кухню.

— Чего ты в такую рань вскочила? — проворчала Алюша. — Вчера поздно приехала? Все ж таки подобрала эту подружку? Я уж видела, она в гостиной дрыхнет.

— А что было делать? — шепотом ответила Марина. — Человек ждал меня во дворе. Не могла же я...

— Чует мое сердце, ты с ней еще наплачешься. Только не давай ей сесть тебе на голову.

— Да что ты, Алюша, она скоро в Новосибирск к родным уедет.

— Поглядим, поглядим. Ну как на свадьбе погуляла? Игорек небось назюзюкался?

— Да нет, не очень. — Марине не хотелось все рассказывать.

— Ты там хоть поела?

— Ну еще бы! Там такое угощение было!

— И то хорошо. На вот сочку выпей, я тебе свеженького сделала.

— Спасибо!

Только сейчас Марина поняла, как ей хотелось холодного апельсинового сока. Она поцеловала Алюшу в щеку.

— Чего подлизываешься? Из-за этой белобрысой?

— Господи, да что ты на нее взъелась? Ты ж ее совсем не знаешь!

— Не знаю, но чую, ничего хорошего от нее ждать не приходится.

— На дачу поедешь?

— Надо!

— Хорошо, я бужу Мишку.

— А эту куда?

— Никуда, пусть спит, я ей записку оставлю.

— Ты ее одну здесь оставить хочешь? Нет уж, тогда и я останусь, а то, того гляди, вернемся в пустую квартиру.

— Аля, что ты выдумываешь?

— Нет, это мое последнее слово, — стояла на своем Алюша. Она иногда бывала упряма как осел.

И зачем мне эта головная боль? — с тоской подумала Марина.

— Мишка, вставай!

— А? Мам, ну воскресенье же...

— На дачу поедем?

— Ура!

— Тогда быстро! Чтоб через десять минут был на кухне! Рядовой Зимин, подъем!

— Слушаюсь, товарищ генерал!

Мишка усвистел в ванную, а Марина остановилась в раздумье у двери в гостиную. А потом решительно вошла. Нора спала, отвернувшись к стене.

— Нора! — Марина легонько потрепала ее по плечу.

— А? Что? Ой, Маринхен, ты чего?

— Нора, нам нужно поехать на дачу.

— И чего?

— Может, хочешь поехать с нами?

— А что, можно! — сладко потянулась и зевнула та.

— Тогда вставай, мы позавтракаем и поедем!

— И сынуля твой поедет?

— Мы все поедем.

— Abgemacht![1]

---

[1] Решено! (нем.)

— Миша, к телефону!

— Кто?

— Булавин!

Жена протягивала ему мобильник.

— Алло.

Он хмуро и сосредоточенно слушал шефа.

— Ладно, через полчаса выезжаю!

— Что случилось? — встревожилась Вика. Булавин крайне редко беспокоил по выходным своего главного юриста.

— Наше судно столкнулось с японским. Как бы не пришлось лететь в Японию...

Он вскочил и через полчаса уже мчался в Москву. Только этого еще не хватало. Он надеялся сегодня спокойно посидеть над исландскими бумагами, и вот пожалуйста. Хотя в общем-то он любил, когда дела сталкивались, налезали одно на другое, а он опытной рукой все утрясал и сглаживал. Когда действуешь в экстремальных условиях, обостряются все способности и ощущения. И удовольствие от выигранных или удачно улаженных дел было отличной наградой за усилия, впрочем — вкупе с очень большими гонорарами. Недаром он считался крупнейшим специалистом в России.

Домой он возвращался уже около девяти вечера. К счастью, необходимости лететь в Японию не возникло, удалось все уладить из Москвы, к удовольствию обеих сторон.

— Михаил Петрович, ты ас! — восхищенно говорил Булавин, когда, покончив с делом, они пили коньяк в кабинете шефа. — Пей, пей, друже, я дам тебе свою машину с водителем, а завтра утречком он же тебя привезет. А свою тачку оставишь в нашем гараже.

— Годится! — согласился Михаил Петрович. После такого напряжения непременно надо расслабиться.

И вот теперь он клевал носом, сидя рядом с пожилым и очень разговорчивым водителем. Тот произносил какие-то монологи, вовсе не требовавшие участия. И вдруг резко затормозил.

— Что случилось?

— Михаил Петрович, бабы на дороге застряли, может, поможем, а? У них еще и ребятенок.

— Ну разумеется!

К машине подбежала женщина:

— Господа, помогите! Машина стала — и ни с места, а мы не понимаем, стоим почти час, и никто не останавливается.

Иван Иванович степенно вылез из машины. Михаил Петрович тоже решил встряхнуться. Возле вишневого «Рено-Мегана» с открытым капотом стоял мальчик лет десяти и пожилая женщина. У багажника тоже кто-то возился.

— Мама! — позвал мальчик.

Женщина у багажника подняла голову.

— Вы? — ахнул Михаил Петрович.

— Господи, вот так встреча! — удивилась Марина и поспешила к нему. — Здравствуйте!

— Что случилось?

— Кабы знать! Встали, и все! А мобильник разрядился!

— Ничего, сейчас все выясним, Иван Иваныч у нас специалист, каких мало.

Он говорил что-то безразличное, что говорят в подобных случаях, а в душе поднимался щенячий восторг.

— Маринхен, это твой знакомый? — кокетливо осведомилась Нора. — Познакомь нас тоже!

Марине ее тон страшно не понравился, но что делать, познакомила.

— Очень, очень приятно, — томно глядя в глаза Михаилу Петровичу, проговорила Нора и долго не отпускала его руку.

— Мишка, поди сюда! — позвала Марина.

Он вздрогнул. Но она звала не его, а мальчика.

— Познакомьтесь уж и с моим сыном! Он ваш тезка.

— Здрасте! Я Миша!

— И я Миша! — радостно рассмеялся Михаил Петрович. Мальчик был прелестный — светловолосый, веснушчатый, кругломорденький, с веселыми синими глазками, совсем не похожий на мать. — Ты в каком классе?

— Пока в третьем!

— О, уже почти взрослый.

— Летом будет десять, — с гордостью сообщил маленький Миша.

А Миша-большой просто таял от восторга и умиления, что было ему совершенно несвойственно.

— А у вас «Мерседес», да? — спросил мальчик.

— Да.

— Можно посмотреть?

— Конечно. Иван Иванович, не возражаете, если мы с молодым человеком...

— О чем речь, Михаил Петрович! — Похоже, Ивану Ивановичу нравилось ощущать себя хозяином роскошной машины, да еще и спасителем трех женщин и ребенка. — Кто у вас водила-то? — спросил он. — Вы? Идите сюда. Вот видите, у вас тут...

Он что-то объяснял Марине, а та никак не могла сосредоточиться. Не слишком ли часто судьба сталкивает нас? И он так явно обрадовался... А Мишка? Он не такой уж общительный и далеко не с каждым заводит разговоры, а тут, можно сказать, с первого взгляда... Только это все ни к чему. Зачем мне этот дядька? Он наверняка страшный бабник. Но я чувствую, что могла бы в него влюбиться. Не хочу! Не до того мне! Интересно, у него, наверное, дача по этой дороге? Он, похоже, важная шишка, «Мерседес» с водителем...

Между тем Михаил Петрович беседовал в машине с тезкой.

— А у вас собака есть? — спросил вдруг мальчик.

— Нет, только кот.

— У нас тоже кошка, шотландская вислоухая! Но мама обещала взять мне собаку, у нас теперь своя дача, мы в наследство получили. Я так хочу собаку!

— А кошку ты не любишь?

— Очень люблю! Она красивая! Но собака... Это совсем другое дело. С собакой можно дружить, а с кошкой нет.

— Почему? Я, например, очень дружу с Сидором.

— Вашего кота зовут Сидор? — почему-то удивился мальчик.

— Да, а что?

— У нас кошка Сидора.

— Сидора? Странное имя.

— Понимаете, вообще-то она Клипсидра, но Алюша зовет Сидорой.

— Клипсидра? — рассмеялся Михаил Петрович. — Если не ошибаюсь, так назывались в Древней Греции водяные часы?

— Именно! Я где-то вычитал это название, оно мне так понравилось, а тут Игорь подарил маме кошку, и я решил назвать ее Клипсидрой, по-моему, суперское имя для кошки.

— Да, суперское, согласен. Во всяком случае, прикольное! Миша, а где ваша дача находится?

— В Башлыкове, улица Советская, семь! — доложил Мишка. — Приезжайте к нам в гости.

— Спасибо, друг, может быть, если мама пригласит... Очень хочется посмотреть на Клипсидру. Мне вислоухие нравятся.

— Миша! — раздался голос Марины. — Миша!

Они оба вылезли из «Мерседеса». Иван Иванович с довольным видом вытирал руки какой-то тряпкой.

— Порядок, Михаил Петрович! Дамы могут ехать спокойно, там пустяки были.

— Вот и хорошо!

— Марина... Простите, не знаю вашего отчества.

— Аркадьевна, но это необязательно.

— У вас очаровательный сын.

— Миша, можно тебя на минутку? — позвала Нора.

Марина поняла — та хочет оставить их вдвоем.

— Марина, вам не кажется... Марина, давайте встретимся!

— Так мы уже встретились, — улыбнулась она.

— Вы прекрасно меня поняли. И я повторяю свою просьбу, давайте встретимся.

— Зачем?

— Вы мне безумно нравитесь, — не придумал он ничего оригинальнее. Она вообще ставила его в тупик.

— Не стоит.

— Почему?

— Я не гожусь для адюльтера, мне это неинтересно.

— Но позвольте, я ничего подобного...

— Михаил Петрович, спасибо за своевременную помощь, но нам пора ехать.

— Подождите, Марина! Так нельзя... Жизнь второй день подряд сталкивает нас... Это неспроста!

— Вот если жизнь столкнет нас в третий раз, тогда поговорим, ведь Бог любит троицу, — засмеялась она. — До свиданья, Михаил Петрович, как вы считаете, я должна что-то заплатить вашему водителю?

— Боже упаси! — вспыхнул он. — Если нужно, я сам ему заплачу!

— Тогда еще раз — большое спасибо, что остановились. Но нам пора ехать. Мишке завтра в школу.

Она не подала ему руки, повернулась и побежала к машине.

Он стоял на дороге и смотрел вслед удаляющемуся «Рено».

— Михаил Петрович, поехали.

— Да-да, едем!

— Ма, какой «мерс»! Просто классный! И дядька, кстати, суперский! Да, знаешь, у него кот Сидор! А у нас Сидора, прикольно, правда?

— Боже, Мишка, ну что за словечки! — поморщилась Марина.

— Ма, а представляешь, если его Сидор женится на нашей Сидоре, у них дети будут сидорята!

Нора расхохоталась.

— У этого дядьки дача недалеко от нашей! Он сказал, что, если ты его пригласишь, он приедет к нам в гости. Пригласи его, мам!

— Ну вот еще! Я видела его второй раз в жизни, зачем мне его приглашать? И вообще, отвяжись, я устала, а мне еще надо вас довезти в целости и сохранности.

— Тогда не отвяжусь! А то ты заснешь за рулем.

— Вот умничка! — воскликнула Алюша. В спорах матери с сыном она чаще держала сторону сына.

Она хочет третьей встречи? Она ее получит! Зная номер машины, я в два счета найду ее адрес. Или съезжу в Башлыково! Нет, лучше изобразить случайную встречу... Но сначала надо выяснить хотя бы ее фамилию. Вот с утра и займусь...

Он приехал на дачу в прекрасном расположении духа.

— Миша, ну как дела? — встретила его на террасе теща.

— Все замечательно, Нина Евгеньевна. — Просто отлично!

— Есть хочешь?

— Не откажусь! А где все?

— Спят. А что это ты так сияешь?

— Сияю? — удивился он. — Да нет, просто доволен, удалось все уладить без особых проблем, а потом мы с Булавиным выпили хорошего коньячку, так что...

— Понятно...

Но Нина Евгеньевна была весьма наблюдательна и прекрасно знала: когда у любимого зятя начинают так светиться глаза, это значит, что на горизонте появилась новая юбка. И когда ж он угомонится? Нина Евгеньевна считала, что это в порядке вещей, тем более что за двадцать семь лет брака такое бывало не однажды, но ничем Вике не угрожало.

Интересно, он ведь действительно ездил по делам, в этом нет сомнений, его привез шофер на машине шефа. Значит, вероятно, он подцепил какую-нибудь бабенку вчера на свадьбе... Ну и на здоровье!

На другой день секретарша Михаила Петровича Инна Борисовна, некрасивая и немолодая женщина, сообщила ему, что хозяйку вишневого «Рено» зовут Марина Аркадьевна Зимина и живет она на улице Гиляровского.

— Спасибо, Инна Борисовна, это очень важно!

Он безмерно ценил свою секретаршу. Никогда не задает лишних вопросов, умна, исполнительна и очень преданна. Он терпеть не мог молодых, красивых секретарш. Раздражали понимающие ухмылки коллег, излишние претензии красоток, настороженность жены и любовницы, да и вообще, на работе не нужны отвлечения, во всяком случае, отвлечения такого рода.

Утром Алюша проводила Мишку в школу и отправилась на рынок. Марина сидела на кухне со стаканом апельсинового сока и пыталась дозвониться до менеджера фирмы «Лал». Но номер был занят, что приводило Марину в крайнее раздражение. В этот момент в кухню вплыла заспанная Нора.

— С добрым утром, киска, — зевая, проговорила она. — Я так спала сегодня, просто кайфец! Это после дачи твоей. Халабуда, конечно, но зато халявная. Слушай, а что за мужик-то, я вчера еще хотела спросить, но меня сморило...

— Какой мужик? — рассеянно отозвалась Марина. Но тут ей удалось дозвониться. — Николай Семеныч, это Зимина. Да, да, все нормально. Николай Семеныч, у меня большой заказ! Но нестандартный. Вы как, согласны поговорить? Вот и чудесно, в таком случае в одиннадцать тридцать буду у вас. Отлично, уверена, вы, как всегда, не подкачаете. Нет-нет, детали обсудим при встрече! Надеюсь, вы сделаете мне скидку? Договорились! Чао!

Она была довольна, что встреча состоится уже сегодня.

— Кофе будешь?

— Спасибо, Маринхен, с удовольствием. Ты с утра уже делами занимаешься?

— А как же иначе? Если б я этого мужика не застала...

— Погоди, ты мне про того мужика не ответила.

— Про какого?

— Про вчерашнего, он просто млеет от тебя!

— Не выдумывай! Мы накануне познакомились на свадьбе, вот и все. Кстати, он там был с женой, и я тоже не одна.

— Ладно, меня не проведешь, я в таких делах будьте-нате! И если вы на второй день опять встретились, значит, у вас кармическая связь!

— Что?

— Кармическая связь! Это, знаешь ли...

— Глупости, просто закон парных случаев.

— Но он abscheulich[1] хорош!

— Что? — расхохоталась Марина.

— Именно так! Я не слепая, видела, как он на тебя пялился. И ты, между прочим, тоже глазки так отводила, что хоть стой, хоть падай. Но думаю, у него стоит, не падает!

— Нора! Что ты несешь?

— А чего? Нормально. Ты баба молодая, одинокая, почему бы и не дать такому кобелю? Он тот еще кобелина, можешь мне поверить. Я лично дала бы ему через пять минут после знакомства.

— Вот и давай. Мне он не нужен.

— Ach so?[2]

— Кстати, Нора, какие у тебя планы? — жестко поинтересовалась Марина, которую Нора начинала раздражать.

— Думаю, еще пару деньков у тебя покантуюсь, а потом двину в Сибирь! И тебе не жалко подругу?

— Ни капельки. Тебя никто туда не гнал. Жила бы себе в Швейцарии...

— Ты что, глухая? Я ж тебе все объяснила.

— Нора, понимаешь, я очень занята!

— Ну и что из этого?

— Ты что же, собираешься целый день взаперти сидеть? У меня нет лишних ключей! Я скоро уйду. Если хочешь, могу тебя подбросить куда тебе нужно.

— Да мне вроде никуда не нужно. А что, твоя Александра сегодня выходная?

— Нет, она пошла на рынок.

— Вот и чудненько. Я сейчас кофейку дерну, а потом поваляюсь, телик ваш посмотрю. Интересно.

_____
[1] Отвратительно, ужасно (нем.).
[2] Ах вот как? (нем.)

Представляешь, киска, я у своего как тарелку просила поставить, а он ни в какую, жмот проклятый!

— Кстати, билеты на самолет можно заказать по телефону.

— Ну ты и лярва, Маринхен! Не ожидала!

Марине стало стыдно, но совсем чуть-чуть.

— Нора, если б ты меня предупредила, я была бы готова к твоему визиту. А ты как снег на голову...

— Вот лярва, — повторила Нора. — Ладно уж, отвези меня туда, где билеты продают, я ж тут ничего не знаю. Может, прямо сегодня и улечу! Не ожидала, что ты...

Ее монолог был прерван телефонным звонком.

— Алло!

— Маришечка, как дела? — раздался голос Севы, закадычного друга. — Ты что-то пропала, я волнуюсь.

— Привет, Севочка, я закрутилась, столько всего за последние дни произошло. Извини.

— Маришечка, я могу чем-нибудь помочь?

Нора вышла из кухни.

— Можешь, Севочка, можешь. Помнишь, я говорила про дачу?

— О да, родовое имение, кажется? Надеюсь, не пресловутые шесть соток?

— Нет, слава богу, участок там большой, чудный, да и дом в общем обаятельный. Но я бы хотела, чтобы ты посмотрел с инженерной точки зрения, что там требуется. Понимаешь, Мишка просто влюбился в эту дачу и жаждет жить там летом. Я, конечно, в божеский вид ее приведу, но...

— Понимаю и непременно съезжу туда с тобой в самое ближайшее время. Я, правда, уже бывший инженер, но на таком уровне еще смогу дать дельный совет, особенно своей любимой подружке. Ты сейчас занята?

— Да, еду в «Лал» стеклянную стену заказывать.

— Для баратовского дома?

— Ну конечно. А как у тебя дела, Сева?

— Надо встретиться, пошептаться, может, пообедаем вместе?

— В принципе можно, но я не знаю, когда освобожусь.

— Ну два-то часика сможешь выбрать для друга, ты же моя главная конфидентка, мне нужен твой совет, Маришечка.

— А ты сегодня свободен, что ли?

— До вечера да.

— Хорошо, как освобожусь, позвоню тебе.

— Только на мобильный, я вряд ли буду дома.

— Договорились! Целую!

В какой-то момент разговора Марине показалось, что кто-то их слушает. По-видимому, Нора по второму аппарату. Только этого еще не хватало! Прежде чем положить трубку, Марина выждала несколько секунд и отчетливо услышала щелчок — Нора первой положила трубку. Марина хотела тут же выгнать ее вон, но потом решила не устраивать скандала, а выпроводить нахалку мирным путем, пусть даже и завтра.

— Нора, я спешу! Одевайся! — крикнула она.

Через двадцать минут обе женщины вышли на улицу.

— В Швейцарии ты на «Вольво» ездила, а тут на паршивеньком «Рено». Тебе не обидно?

— Еще чего! Зато эту машинку я сама себе купила!

— Слушай, а кто это — Севочка?

— Мой школьный друг.

— Он чего, «голубой»?

— С чего ты взяла? — ледяным тоном спросила Марина.

— Понимаешь, я хотела позвонить, узнать который час, у меня часы остановились, сняла трубку, а вы еще разговариваете. Вот мне по его тону и показалось, что он «голубенький».

— Ну и что?

— Так он правда педрило?

— Нора! Какое тебе дело до человека, которого ты никогда даже не видела! И вообще, подслушала разговор, так молчала бы в тряпочку, ты разве не знаешь, что это неприлично? Может, ты и письма мои вскрывать будешь?

— Маринхен, ты чего взъерепенилась так? Я ж говорю, случайно получилось, ну извини, я ж ничего такого не хотела, просто подумала, у тебя же сын маленький...

— И что из этого?

— Здрасте, что из этого, а то ты не знаешь, что «голубые» мальчишек портят!

— Я знаю, что мальчишек портят педофилы! И кстати, очень часто это священники, — казалось бы, святые люди, которые еще других уму-разуму учат, проповеди читают! — уже орала Марина. — Если хочешь знать, именно этот «голубой» Сева помог мне выбиться в люди! Может, это самый добрый и щедрый человек из всех кого я знаю, а ты вообще мне никто и позволяешь себе...

— Маринхен, ты чего орешь, mein Schatz![1] Нравятся тебе «голубые», на здоровье. Ты права, твое

_____
[1] Мое сокровище (нем.).

69

личное дело! Все, я не суюсь! Ты еще не забыла, что обещала отвезти меня за билетами?

От злости у Марины дрожали руки. Она достала из бардачка минеральную воду и прямо из горлышка начала пить. Успокойся, приказала она себе, потерпи, и скоро забудешь эту бабу как страшный сон.

— Помню, — проворчала она.

— Ну и чудненько, а то я уж испугалась, что ты сейчас в троллейбус врежешься от злости.

Дальше они ехали молча. Марина подвезла Нору к билетным кассам.

— Спасибо, Маринхен, не злись, ты же знаешь, я бестактная. Я, пожалуй, тут в центре погуляю, погляжу, как все изменилось. Твоя раба меня впустит?

— Не смей называть Алюшу рабой! Она мой друг!

— Три ха-ха! Но если ты говоришь, я не буду. Странная ты баба, все у тебя друзья — и мужики, и «голубые», и прислуга, — это знаешь отчего? Оттого, что ты неискренний человек. Вот я искренний, а ты нет! Ты притворяешься! Тебе вот хочется послать меня на три буквы или на пять, а ты сдерживаешься.

— Да? Что ж, ты права — и в таком случае иди на хер! Довольна? — окончательно взбесилась Марина.

— Hure![1] — злобно бросила в ответ Нора и выскочила из машины.

Слава богу, избавилась, облегченно вздохнула Марина. И зачем она ко мне приперлась через столько лет? Но уже спустя две минуты она сообразила, что вещи Норы остались в ее доме и та неизбежно за ними явится. И не факт еще, что не станет слезно просить прощения, а почему, собственно, я

---

[1] Шлюха, уличная девка (нем.).

должна ее прощать? В Москве сейчас не так уж сложно найти номер в гостинице. Ну заплатит подороже, только и всего. А может, еще сегодня улетит в свой Новосибирск! Скатертью дорожка!

Марина позвонила домой и сказала Алюше, чтобы она не прикасалась к Нориным вещам, а когда та будет их собирать, пусть не спускает с нее глаз, такая особа и украсть что-нибудь не постесняется.

— Вот и умничка! — обрадовалась Алюша. — Будь спокойна, мимо меня и спички не пронесет!

Вернувшись вечером домой, Марина обнаружила все Норины вещи там же, где и были.

— Не явилась! — сообщила Алюша. — Знаю я ее, явится поздно, когда уже вроде и не выставишь на улицу, а потом подлизываться начнет: Маришечка то, Маришечка се, — а ты и спасуешь!

— Не исключено! — тяжело вздохнула Марина.

— Мам, тебе звонил какой-то Даниил Александрович Гусев.

— Кто такой?

— Не знаю, он оставил свой телефон, просил с ним связаться в любое удобное для тебя время! — доложил Мишка.

— Сегодня у меня нет ни времени, ни сил! Если бы ты знал, как я устала...

— Стену стеклянную заказала?

— Да, хотя пришлось долго ругаться! А у тебя что нового?

— Ничего.

— Котятами больше не торговал? Кстати, где Сидора?

— У меня на столе дрыхнет, ей все фиолетово.

— Что? Как?

— Фиолетово!

— Что это значит?

— Значит, ей все по барабану!

— Господи помилуй! — тяжело вздохнула Марина.

Около одиннадцати таинственный Даниил Александрович Гусев позвонил снова. У него был приятный, вкрадчивый голос.

После работы Михаил Петрович решил съездить на улицу Гиляровского, впрочем, это нельзя было назвать решением, это была острая потребность. Он нашел дом, подъезд, возле которого не обнаружил вишневого «Рено». Вероятно, она еще не вернулась или ставит машину на стоянку. Интересно, как она живет, какая у нее квартира, кто кроме маленького Мишки и Клипсидры еще обитает в этой квартире? Надо ж такое выдумать — Клипсидра, улыбнулся он. Прождав напрасно около получаса, он рассердился на себя. Совсем я сдурел, что ли? Вернется с работы усталая женщина, дома ждет сынишка, может быть, некормленый, а тут я, здрасте вам! Какие чувства, кроме раздражения, я у нее вызову? Нет, поеду на дачу, лягу спать пораньше, может, она мне приснится... Он развернулся и уехал. Интересно, она хоть разок сегодня обо мне вспомнила?

Около часу ночи Марина начала беспокоиться. Куда же подевалась Нора? Она говорила, что в Москве у нее нет других знакомых, улететь без вещей она вряд ли могла. А вдруг с ней что-то случилось? Она одета дорого, на ней много всяких цацек, мало ли кто мог ей попасться на пути. Марина побрела на кухню, решила выпить чаю. Вот чертова кукла эта Нора.

— Ты что полуночничаешь? — спросила Алюша.

— А ты почему не спишь?

— Так я все думаю, куда эта шалава подевалась.

— Вот и я тоже!

— Но ты вообще-то зря волнуешься, придет, никуда не денется, такие Богу не нужны.

— Богу не нужны, а каким-нибудь бандитам сгодится, да и вообще... Неудобно вышло, вроде я ее выгнала, она, конечно, сама меня спровоцировала, но все равно...

— Я думаю, она тебя проучить хочет. Именно того и добивается, чтобы ты тут с ума сходила, а когда она явится, просто все от радости позабыла.

— Вполне в ее духе, но Москва — город уж больно неспокойный.

— Ты, Маря, все-таки иди ложись спать...

— Не могу! Если она явится целая и невредимая, я сама ее убью. Ты знаешь, мне завтра предстоит очень важная встреча. Если дело выгорит, я заработаю сумасшедшие деньги!

— Как это?

— Меня пригласили в одну мощную фирму оформить целый этаж, где у них директорат помещается. Бюджет огромный, я смогу там развернуться... Я такого еще никогда не делала...

— Ой, Маря, там небось бандюганы одни...

— Посмотрим.

— Не надо, не соглашайся, Маря!

— Да почему?

— Боязно мне. Где большие деньги, там всякие разборки начинаются, вон как в кино показывают. Налетят какие-нибудь да пристрелят тебя под горячую руку...

— Телевизор надо меньше смотреть, — засмеялась Марина. — Нет, Алюша, это шанс! Еще какой! Если все получится... Даже не в деньгах дело, мы, в конце концов, и так неплохо живем, но просто тут размах и перспективы... Я могу очень высоко взлететь, хотя могу, конечно, и провалиться. Кто знает, какие там заказчики? Может, им нужна золоченая лепнина и бархатные шторы с хрустальными люстрами... Хотя, конечно, вряд ли они стали бы меня приглашать, если бы не знали моих работ... У меня завтра в половине первого встреча с ними, а я тут из-за этой коровы спать не могу...

— Ничего, ты еще молодая, одну ночку не поспишь, хуже не станешь, — погладила ее по голове Алюша.

— Ты права, но сама ступай спать.

— Сейчас, сейчас, только молочка хлебну.

Алюша ушла. У Марины сна не было ни в одном глазу. Неужели эта поганка испортит мне день моего профессионального торжества? Марина встала, подошла к окну, отщипнула верхний листок герани, которая все норовила вымахать вверх, пощупала землю у толстянки и тут увидела, что к дому подкатило такси. Она вгляделась. Из машины вылезла Нора, целая и невредимая. Марина задохнулась от злости. Половина второго, ключей у нее нет, значит, она перебудит весь дом! Но ее это, похоже, нисколечко не волнует.

Раздался звонок домофона. Марина не реагировала. Она знала, что Алюша еще не спит, а Мишку чичто не разбудит. Звонок повторился. В прихожую выглянула Алюша:

— Маря, ступай спать, я сама ее впущу, а то сейчас разборки начнутся. Выгонишь ее утром, а пока постарайся заснуть.

— Хорошо, спасибо тебе! — согласилась Марина и ушла к себе.

Проснувшись утром, она первым делом вспомнила о предстоящей встрече с заказчиком, а потом уж о Норе. Как же быть? Если она и сегодня не уедет? Тогда придется попросить Игоря, пусть он что-то предпримет... Или нет, я сама куплю ей билет в Новосибирск и отвезу в аэропорт. Интересно, из какого аэропорта вылетают самолеты в Новосибирск? Из Домодедова, наверное?

Марина встала, позанималась на тренажере и побежала в душ. Когда она пришла в кухню, Алюша уже кормила завтраком Мишку.

— С добрым утром!

— Привет, мам! Знаешь что, ты мне дай денег!

— Зачем тебе деньги? — рассеянно осведомилась Марина.

— На театр, мы с классом идем в театр на следующей неделе! И потом, у меня тоже кончились деньги. Понимаешь, надо было кое-что купить...

— Принеси мою сумочку.

Мишка принес. Марина открыла кошелек и удивилась. Она совершенно точно помнила, что вчера вечером в кошельке было триста долларов и три тысячи рублей. Теперь же там было только двести долларов и сто рублей.

— Ма, ты чего? Я же опаздываю!

— Ах да, да, на вот, сто рублей хватит?

— Думаю, да, спасибо! Все, я побежал!

— Маря, ты чего?

— Понимаешь, у меня тут денег не хватает, я точно помню, что было триста баксов, а сейчас двести...

— Я не брала!

— Господи, Алюша, а то я не знаю...

— Ой, Маря, ты сумку в прихожей оставляла?

— Как всегда.

— Ясненько, подружка твоя поживилась. Больше некому.

— А Мишка не мог? Знаешь, мальчишки в таком возрасте...

— Маря, ты в своем уме? Сколько пропало?

— Сто баксов и три тысячи. Не так уж мало...

Марина встала и решительно направилась в гостиную, не хватало еще, чтобы эта гнусная баба тут воровала...

Нора спала сладким сном.

— А ну вставай, — тряхнула ее Марина.

— Что? А? Маринхен, guten Morgen!

— Нора, зачем ты взяла деньги?

— Что? Какие деньги?

— Черт с тобой, можешь ими подавиться, но видеть тебя в своем доме я больше не желаю! И мне абсолютно наплевать, купила ты билет или решила еще у меня пожить! Я тебя видеть не желаю! Вставай, собирай вещи и катись!

— Маринхен, ну что ты злишься? Мало ли что бывает между подругами. Ну цапнулись мы вчера ein biβchen¹, подумаешь!

_____
¹ Немножко (нем.).

76

— Ты мне не подруга, я вообще не знаю, за каким чертом ты сюда явилась, но терпеть тебя тут я больше не намерена, понимаешь?

Нора неспешно поднялась, накинула халат:

— Значит, гонишь?

— Значит, гоню! И кстати, вещи будешь собирать при мне, а то, боюсь, мне твой визит слишком дорого обойдется.

— Ты что же, меня за воровку считаешь?

— Вот именно!

— Ну ты и сука!

— Какая есть!

— Выйди, я не буду при тебе одеваться!

— Придется. С тебя глаз спускать нельзя!

— Ты еще об этом пожалеешь!

— Не думаю!

— Но поссать хотя бы ты мне позволишь!

— Ради бога!

Нора пулей вылетела из комнаты. Марину всю трясло. Эта тварь еще смеет угрожать!

Из ванной Нора вернулась присмиревшая.

— Маринхен, давай все забудем!

— С какой стати?

— Ну, мы же все-таки цивилизованные люди...

— Ты, может, и цивилизованная, а я нет! Мне не нравится, когда меня держат за полную дуру, вот такая странность!

— Даже кофе не дашь?

— Не дам! На те деньги, что ты у меня слямзила, вполне прилично можешь позавтракать в ресторане. Еще и на обед останется и на ужин...

— Ничего я не лямзила, просто твой сыночка тебя обокрал, они теперь с малолетства ширяются. Я вчера знаешь сколько малолетних наркоманов повидала, пока по вашей сраной Москве гуляла!

Марина потеряла дар речи.

— Да-да, еще помладше твоего есть! Проворонила сынишку, а теперь на меня все валишь! Да я уйду, уйду, не боись! Мне вчера мой Ханнес позвонил, если хочешь знать, умолял вернуться, обещал златые горы, так что мне твой стольник — тьфу! Дура ненормальная! У меня завтра самолет в Швейцарию, на фиг мне эта Сибирь... Если уж в Москве все так... то в Сибири еще хуже, так что...

Марина была уже не в силах реагировать на ее слова. Она вся тряслась от ужаса. Вдруг эта мерзкая баба права и Мишка стал наркоманом, а она, занятая делами, упустила его? А Алюша просто по темноте своей ничего не заметила?

— Ну вот и все. Я готова! Вызови мне такси!

— Выйдешь, сразу поймаешь!

— Ну что ж, спасибо за приют, за ласку, Маринхен! Желаю тебе очень сильно пожалеть о том, как ты со мной обошлась! Пусть у тебя все будет хуже некуда! Tschüs![1]

И она ушла, хлопнув на прощание дверью.

— Маря, ну слава богу! Ой, что это ты такая? Что она тебе сказала?

— Аля, я даже говорить не хочу!

— Скажи, тебе легче будет! Я тут слыхала, как она на прощание вопила, ты из-за этого расстроилась?

— Да нет, что ты... Она сказала, что деньги Мишка украл.

---

[1] Пока (*нем.*).

— Ну конечно, раньше никогда копеечки не брал, а как эта курва приехала, сразу и украл, причем у родной матери...

— Она сказала, что он малолетний наркоман... Алюша, а вдруг правда, а?

Алюша позеленела.

— Маря, ты чего, совсем с глузду съехала? Наш Мишка наркоман? Да если б я слышала, своими бы руками пасть ее поганую порвала, и как у нее язык-то повернулся! Мишка наркоман! Да мы с ним на той неделе диспансеризацию проходили, думаешь, доктора бы это проворонили? Если хочешь знать, в полуклинике одна женщина в такой истерике билась — у ней сынишку как раз наркоманом признали...

— Вот видишь!

— Ты чего, оглохла? Я ж говорю, Мишка наш здоровенький, и вообще, золото чистое, а ты этой падле веришь? Да она просто хотела тебя отключить, вот под дых и ударила, знала, гадина, чем тебя до печенок пронять... Ты что, не видишь, какие у Мишки глазки ясные, разве ж у наркоманов такие бывают?

— Ох, Алюша, она и вправду меня до печенок достала... Вот гадина. — Марина разрыдалась.

— Ну ничего умнее не придумала? Но ты поплачь, легче будет.

Марина долго еще рыдала на груди у Алюши, а та гладила ее по голове, приговаривая:

— Маря, Маря, ты не думай такие глупости, неужели я Мишку не уберегу? Он же не только твоя кровиночка, но и моя тоже, я ж его с пеленок ращу. У меня дороже Мишки никого нет в жизни, даже ты на втором месте, а ведь это не Мишка меня пригрел, а ты. Ну, Маря, все, хватит плакать, а то будешь такое чупирадло, когда на встречу свою пойдешь! Нос красный, глаза красные, они глянут и скажут: она, наверное, пьяница. А не то встретишь там своего суженого, а он тебя и не узнает. Глянет и подумает: она же просто пугало...

— Какой еще суженый? — улыбнулась Марина.

— Да уж какой-нибудь... Не век же тебе с Игорьком хороводиться. Он до сорока лет под мамкину дудку пляшет. Нам такой не годится, сама ведь знаешь... Ну вот, хватит носом хлюпать, иди умойся, причепурься, чтобы сразу все увидали — красавица пришла. К красавицам люди хорошо относятся. А на эту гадину наплюй и разотри!

Марина поцеловала Алюшу и пошла в ванную.

Через час никто не мог бы сказать, что эта элегантная, уверенная в себе женщина недавно рыдала на плече у старой няньки, чувствуя себя несчастной, одинокой, умирая от страха за единственного сына и от жалости к себе. А еще через несколько часов, которые она провела на фирме в обществе Даниила Александровича, ее и вовсе нельзя было узнать. У нее светились глаза, на щеках выступил легкий румянец, она целиком была захвачена предстоящей работой и открывшимися перспективами.

— Мариночка Аркадьевна, я уверен, что наше сотрудничество будет весьма и весьма плодотворным, — мягким баритоном произнес Даниил Александрович.

— Я тоже так думаю, — улыбнулась Марина.

Даниил Александрович, представительный мужчина лет сорока, чуть полноватый, показавшийся Марине вполне приятным, пошел проводить ее, и только тут она спохватилась:

— Даниил Александрович, вы так меня ошеломили, что я даже не спросила, а почему, собственно, вы обратились ко мне? Кто вам меня рекомендовал, у меня ведь не такое уж громкое имя...

— А вы не в курсе? Вас настоятельно рекомендовал Всеволод Александрович Некрасов. Его вкусу мы полностью доверяем, тем более что в случае с вами мы не можем заподозрить его в какой-либо пристрастности. — И он тонко улыбнулся.

Марине его замечание страшно не понравилось. А впрочем, черт с ним. Он, наверное, просто дурак. А Сева, как всегда, оказался замечательным другом.

— Не скрою, мы предложили эту работу ему, но он категорически отказался, заявил, что сейчас ему это неинтересно, и посоветовал обратиться к вам!

Они попрощались. Марина вышла на улицу. Ей в лицо ударил холодный ветер с мелкими брызгами еще только начинающегося дождя. Она поежилась. Но все равно, настроение было роскошное. Такая работа! И очень хорошие деньги! Но тут дождь хлынул как из ведра. Зонтик лежал в машине. Марина невольно отступила под козырек здания. В этот момент двери на фотоэлементах разошлись, и оттуда вышел Михаил Петрович. При виде ее он остолбенел:

— Вы? Господи, что вы тут делаете?

Неужели суженый? — испуганно подумала Марина и тут же одернула себя: не будь дурой!

— Да вот пережидаю дождь.

— Марина, это же та самая третья встреча! Теперь вы не отвертитесь. И все-таки как вы сюда попали? Шли мимо?

— Отнюдь. Меня пригласили здесь поработать.

— Поработать? Кем?

— Меня пригласили оформить верхний, административный этаж. А вы? Вы здесь работаете?

— Ну да. Боже, это судьба, Марина! Послушайте, что мы тут стоим, вы же, наверное, замерзли, такой ветер, а вы легко одеты. Пойдемте посидим в холле!

Михаилу Петровичу было немного страшно. Это уж и в самом деле судьба! А еще она сегодня изумительно выглядит. Странно, в ее лице есть что-то такое... родное... Неужели все дело только в Сидоровых глазах? Нет, нет, эта ямочка на левой щеке, когда она улыбается... На правой такой ямочки нет. И едва заметный шрамик на переносице, и рисунок губ .. Я пропал...

— Марина, смотрите, дождь уже не так хлещет... Вы очень торопитесь?

— Да нет... А что?

— Давайте пообедаем где-нибудь, помните, вы обещали, если будет третья встреча...

— Хорошо, я согласна, — неожиданно для себя произнесла Марина.

Дождь кончился так же внезапно, как и начался. Проглянуло солнце.

— Идем? — спросил он, подавая ей руку.

— Идем!

Они вышли на улицу. Там было хорошо, пахло свежестью.

— Но у меня тут машина, — растерялась она.

— Ничего страшного, после обеда я привезу вас сюда же.

— Хорошо.

Они подошли к его «БМВ». Он открыл дверцу, но в этот момент у нее в сумочке зазвонил телефон.

— Извините! Алло!

— Маря, Маря, приезжай скорее, Мишка упал, голову расшиб... Я «скорую» вызвала, приезжай скорее, Маря! — рыдала в трубку Алюша.

— Боже, Норино проклятье... — прошептала Марина.

— Что случилось?

— Мне срочно надо домой, мой сын разбился...

— Что значит — разбился? — Он схватил ее за руку. — Где разбился?

— Не знаю, упал, голову разбил... Пустите!

— Я вас не пущу, в таком состоянии нельзя садиться за руль! Я сам вас отвезу!

Он почти силой запихнул ее в машину.

У нее тряслись руки и зуб на зуб не попадал.

— Успокойтесь! Дети часто падают, расшибают себе все что можно и нельзя, а через три дня уже снова лезут куда ни попадя. Уверяю вас, я знаю, что говорю, мой отец был нейрохирургом, он часто говорил: ребенок иногда так башкой треснется, что взрослый давно бы уже окочурился, а он полежит денек-другой — и как огурчик!

— Это правда?

— Что?

— То, что вы сейчас сказали? Или вы просто хотите меня утешить.

— Я безусловно хочу вас утешить, но то, что я сказал, — чистая правда. Я, конечно, уже не помню, почему так происходит, но вроде бы у детей в мозгу есть еще какая-то жидкость, которая амортизирует...

Почему-то его слова внушили ей доверие. И само присутствие этого человека ее как-то успокаивало.

К счастью, им удалось доехать, не попав в пробку. Когда он затормозил у ее подъезда, она вдруг подумала: а я ведь, кажется, не сказала ему адрес.

— Спасибо, что довезли!

— Я с вами! — не терпящим возражений тоном заявил Михаил Петрович. — Мало ли что может понадобиться.

Алюша поджидала на площадке:

— Ох, Маря, как хорошо, что ты уже тут, «скорая» еще не приехала, а здесь ведь ехать — всего ничего.

Марина кинулась в квартиру. Мишка лежал на диване в гостиной, совершенно белый, с закрытыми глазами, в уголке рта запеклась кровь.

— Мишенька, Миша!

Он прошептал, не открывая глаз:

— Мамочка, меня тошнит!

— Тебя рвало?

— Да. Но несильно. Ты не волнуйся.

Марина заметила на лбу под упавшей прядкой кусок пластыря.

— Понимаешь, я бежал и споткнулся, а там железяка...

— Лежи, лежи, не надо разговаривать.

Ей стало легче. Ясно, у Мишки, скорее всего, просто сотрясение мозга.

Явившийся через пять минут врач «скорой помощи» подтвердил ее диагноз. Осмотрев рану на лбу, он обработал ее какими-то антисептиками, снова заклеил и сказал:

— Ничего страшного, пусть полежит недельку. Телевизор не смотреть, книжек не читать. Только радио и мамины сказки! Будь здоров, юноша, и гляди под ноги, когда бегаешь! В туалет завтра уже сможешь сам ходить. А сегодня лучше в баночку! Всего хорошего!

С этим он удалился.

— Здравствуй, тезка! — раздался вдруг голос Михаила Петровича, о присутствии которого Марина совсем забыла. — Ты так маму напугал!

Мишка удивленно открыл глаза.

— Здравствуйте, — просиял он.

— Привет! Марина, мальчику, наверное, лучше лечь в постель, на диване не очень удобно. Вы там приготовьте все, а я его отнесу!

— Да я уж ему все чистенькое постелила, — подала голос Алюша.

Михаил Петрович отнес Мишку в детскую, раздел, уложил и сел рядышком:

— Ну как ты, брат?

— Ничего. Только скучно, ничего нельзя... как можно лежать и ничего не делать?

— Это ж ненадолго. Зато отоспишься.

— У меня скоро учебный год кончается.

— Ну и что? Ты ж наверняка хорошо учишься!

— В общем, да.

— А есть не хочешь?

— Нет, не хочу! Я почитать хочу, у меня книжка суперская!

— «Гарри Поттер», наверное? — улыбнулся Михаил Петрович.

— Вот еще, это для дурачков, нет, я сейчас читаю «Вокруг света на «Коршуне»! Так интересно!

— Станюковича! Подумать только, я в твоем возрасте тоже обожал эту книгу!

— А вы вокруг света плавали?

— Вокруг света нет, но путешествовал много! Могу такого тебе порассказать — закачаешься! Хотя тебе сейчас качаться противопоказано!

Мишка рассмеялся.

— Михаил Петрович, вы из-за меня без обеда остались, — вошла в детскую Марина, — так может, перекусите чем бог послал?

— С удовольствием, если вас не затруднит.

— Отлично, тогда через пять минут приходите на кухню!

В этот момент на кровать вспрыгнула кошка. Недоверчиво глянув на незнакомца, она улеглась на подушке рядом с мальчиком.

— Это и есть твоя Клипсидра? Красивая! А ты знаешь, если кошка лежит с тобой в постели, значит, ничего плохого с тобой не случится. Это медицинский факт!

— А вы в Африке были?

— И не один раз.

— И в Сахаре были?

— И в Сахаре, и в Намибе. Знаешь, один раз на юге Африки я ночью дежурил по лагерю, вдруг слышу такой странный звук, как будто насос работает. Выглянул — мать честная, слон. Здоровенный такой слонище, стоит, ушами хлопает!

— Вы испугались?

— Да нет, он мирный был. Ему самому, наверное, страшновато было.

— А вы что, путешественник?

— Нет, юрист.

— Михаил Петрович, я вас жду! — заглянула в детскую Марина.

— Иду, иду!

— А вы мне еще про Африку расскажете?

— Обязательно, вот только поем...

Стол на кухне был накрыт на двоих.

— Садитесь, пожалуйста!

— Как у вас тут красиво и уютно, а до чего вкусно пахнет!

— Ешьте на здоровье. Выпить я вам не предлагаю, вы же за рулем.

— Да, разумеется.

Она налила ему в красивую чашку горячий, ароматный бульон.

— А к бульону возьмите вот эти сухарики!

Перед ним стояла мисочка, полная румяных сухариков с еще пузырящимся, горячим сыром.

— Какая прелесть!

— Берите, берите, не стесняйтесь.

У него было странное ощущение, что он вернулся домой после долгого, трудного путешествия, где ему не раз грозила опасность, где он был открыт всем ветрам, а вот теперь, здесь, с этой женщиной, он защищен, спокоен. Каких только причудливых форм не обретает влюбленность, усмехнулся он про себя, а еще он почему-то боялся посмотреть ей в глаза. Вдруг в них он прочтет вежливое безразличие?

После обеда возникла неловкая пауза. Он вынужден был поднять глаза, и сердце у него екнуло. Она смотрела на него, пожалуй, даже с нежностью, но при этом выглядела такой усталой, что ему захотелось немедленно прижать ее к себе, погладить по волосам, утешить и сказать: не бойся, маленькая, я с тобой, все будет хорошо, не волнуйся и ложись спать. Хотелось защитить ее от всего мира, чтобы она почувствовала себя так же, как он четверть часа назад...

— Марина, вы устали, я пойду.

— У меня был невероятно тяжелый день, столько всего... И плохого и хорошего...

— Я все-таки загляну к вашему сыну попрощаться. Я обещал ему рассказать про Африку.

— Ну конечно, и спасибо вам за все. Вы так меня поддержали...

Он заглянул в детскую. Мишка спал. Он все еще был очень бледный. И, конечно, тоже нуждался в защите.

— Он спит, — шепотом сообщил он Марине. — Если вы позволите, я на днях навещу его, ему ведь скучно так лежать, и еще я обещал показать ему фотографии...

— Какие фотографии?

— Которые привозил из экспедиций, ему будет интересно.

— Спасибо, вы так любезны.

— Я не любезен, я влюблен, — шепнул он ей и подошел к двери. — Дайте мне ключи от вашей машины. Я сейчас возвращаюсь на фирму и попрошу кого-нибудь из водителей подогнать ее к вашему дому.

Она благодарно улыбнулась.

— Вы все-таки чрезвычайно любезны.

— Я чрезвычайно влюблен! — повторил он и вышел из квартиры.

И я, кажется, тоже, подумала Марина. Только это сейчас совершенно ни к чему.

Утром, когда Мишка проснулся, у него был уже вполне нормальный вид. Он с удовольствием поел.

— Мам, ну скажи, что я буду делать целый день? Я так не могу!

— Слушай радио, плеер, ну я не знаю!

— Ма, а дядя Миша не приедет?

— Сегодня? Вряд ли. Он сказал, зайдет на днях, какие-то африканские фотографии обещал привезти.

— Здорово! Он клевейший дядька! Знаешь, он где только не был, а один раз к нему в гости слон приходил! Африканский! И он нисколечко не испугался, представляешь?

— Как это — слон в гости приходил? Куда?

— В лагерь, он был в экспедиции в какой-то.

— Я про это ничего не знаю.

— А почему он с тобой вчера приехал?

— Мы встретились случайно в той фирме, где я буду работать. Кстати, Кудашева я теперь пошлю к чертям.

— Почему?

— Неохота!

— Но ты же обещала!

— Я обещала подумать! И вот подумала: не хочу! У меня, Мишка, будет сумасшедшая работа, боюсь, ни на что другое времени не останется. Я, конечно, доведу до конца все начатое, но новых заказов пока брать не буду.

— Тебе надо открыть свою фирму, взять помощников...

— Ну нет, это не по мне. Я хочу оставаться свободным художником. А кстати, я что подумала, может, плюнем на школу?

— Как это?

— Ну сколько тебе осталось, чуть больше двух недель? Неделю ты проваляешься, а потом поедешь на дачу, будешь дышать свежим воздухом, тебе это сейчас нужнее всего.

— Ма, это фигня!

— Почему?

— Там же до июня никого не будет! С кем мне там общаться?

— А без общения две недели не выдержишь?

— Исключено!

— Ишь ты! Странный ты все-таки парень, тебе предлагают прогулять школу на законных основаниях, а ты еще выпендриваешься, — засмеялась Марина. — А кто, кстати, канючил: «Мамочка, какая клевая дача!»?

— А ты там будешь жить?

— Буду приезжать вечером.

— Тогда я еще подумаю! Все равно ведь эту неделю придется лежать.

— Вот и подумай хорошенько!

Марина поцеловала сына и умчалась. У нее была прорва дел.

Домой она вернулась только в половине одиннадцатого, усталая, голодная, но очень довольная. Мишка уже спал.

— Ну как он? — спросила она у Алюши.

— Да хорошо, дружок у него новый объявился.

— Какой дружок? Откуда? Из школы?

— Да нет, не из школы. Твой вчерашний кавалер заезжал.

— Михаил Петрович? — ахнула Марина.

— Он самый. Приехал, привез Мишке кучу подарков, сидел с ним часа полтора, фотки какие-то показывал, наш малый от него просто млеет. Ой, смотри, Маря, охмурит он тебя! Так завсегда кавалеры с детными бабами действуют. Детенка приворожат, а там, глядишь, и мамаша слабину даст.

Хотя мужик он хороший, видный, обходительный такой.

Марина была в замешательстве.

— Он мне что-нибудь передавал?

— Ни словечка. Все только с Мишкой.

— Надо бы ему позвонить, поблагодарить, он вчера мне так помог. Но я даже не знаю его телефона.

— Есть будешь?

— Нет, только чайку выпью, но после душа. Я сама заварю, ты иди спать.

Марина пошла в душ. Думать. Но мысли путались. Слишком много забот сразу навалилось, а тут еще этот человек... Он действительно хочет меня добиться, это понятно. Но нужен ли он мне? Я же ничего о нем не знаю. Не знаю, и не надо! Ни к чему сосредоточиваться на этом, сейчас главное — новая работа. От ее успеха зависит вся наша с Мишкой дальнейшая жизнь.

Она вылезла из ванны, и вдруг взгляд ее упал на незнакомый розовый флакон на полочке под зеркалом. Нора оставила! Марина взяла его двумя пальцами и выкинула в мусорное ведро. Чтобы даже духу ее не было.

Михаил Петрович лежал в постели рядом с женой. Ему не спалось. Он думал о том, что испытал сегодня, сидя в комнате своего юного тезки. Почему-то этот парнишка тронул его до глубины души. Он был так доверчив, так весел, так мил и так одинок... Нельзя мальчику расти без отца. А я? Я всегда мечтал о сыне. Старый ты дурак, сказал он себе, ты без памяти втюрился в женщину, вот и ищешь к ней подход.

А это такой старый и пошлый трюк — действовать через ребенка. Ма-ри-на, Ма-ри-на! Странно, меня тянет к ней как магнитом, но тут что-то другое, не просто желание уложить ее в постель... В ее доме никаких признаков мужчины... Но не может быть, чтобы такая женщина была одна? На свадьбу она приехала с каким-то типом... Интересно, кто отец Мишки? И все-таки наши три нечаянные встречи за такой краткий промежуток времени после восемнадцати лет... Это неспроста. Интересно, кому пришло в голову пригласить ее на фирму? О, а ведь прежде чем ее пригласить, о ней наверняка собрали какие-то сведения. Завтра же я узнаю о ней все, что знает служба безопасности. Вот и отлично. Утро вечера мудренее. Скоро я все буду знать, а, как известно, знание — сила! Он повернулся на другой бок и вскоре уснул.

Все-таки и вправду утро вечера мудренее, думал он на другой день по дороге в Москву. Не стану я собирать сведений о ней, это стыдно и противно. Захочет что-то рассказать, я буду только счастлив. Надо ей позвонить сегодня, справиться о мальчике и пригласить в ресторан.

— Михаил Петрович, Булавин вызывает, — доложила Инна Борисовна, едва он переступил порог своей приемной.

— Спасибо, Инночка. Иду.

— Старик, час пробил, надо немедленно лететь в Рейкьявик! — начал с ходу шеф. — Похоже, наши дела там хреновые. Одна надежда на тебя!

— Очень слабая надежда, — вздохнул Михаил Петрович. — Есть все-таки вполне очевидные вещи...

— Для юриста твоего класса очевидных вещей быть не должно!

— Я все-таки не Господь Бог.

— Не скромничай, не скромничай, если кто и может хоть что-то сделать в этой ситуации, так только ты.

— Я, конечно, польщен, но предупреждаю, я, увы, не всесилен.

— Мне не нравится твое настроение! Ты должен. Ты просто обязан ощущать себя всесильным, тогда и остальные поверят, тем паче эти провинциальные островитяне.

— В данном случае ничего гарантировать не могу, наше положение достаточно уязвимо.

— Да знаю, знаю! Миша, если ты справишься, я, как золотая рыбка, исполню любое твое желание!

— Ничего не обещаю, но ловлю на слове! Когда лететь?

— Самолет через три часа.

— Ничего себе!

— Я уже послал Ивана Ивановича к тебе на дачу за вещами. Вика собирает чемодан.

— Круто! Ну я пойду, мне надо перед отлетом уладить еще кое-какие личные дела.

— Свиданку отменить, а, старый ты греховодник?

Михаил Петрович только загадочно улыбнулся.

— Молодая? — полюбопытствовал шеф.

— Не слишком, лет тридцать шесть, наверное.

— Надо же, а меня вот что-то на молоденьких тянет, — вздохнул Булавин. — Они, правда, в основном продажные твари, но сердцу не прикажешь.

— Сердцу ли?

— Ты, как всегда, прав, — засмеялся шеф. — Рад бы с тобой поговорить про баб, но время поджимает! Ничего, вот вернешься с победой, мы с тобой оттянемся в баньке!

— Хотелось бы!
— Ни пуха тебе, ни пера, Миша!
— К черту.

Марина уже третий день не могла дозвониться до Севы. Несколько раз безуспешно взывала к автоответчику, звонила на мобильный, но неизменно слышала: «Абонент временно недоступен». Она даже начала волноваться, но вдруг он сам позвонил.

— Приветствую, Маришечка! Угадай, где я?

— Откуда ж мне знать?

— Я в Ницце! Такая красота, все цветет и благоухает! Тебе непременно нужно тут побывать!

— Сева, подожди, я хотела поблагодарить тебя!

— А, значит, они все же вняли моим советам! Ты согласилась?

— Ну конечно!

— О, я рад, я бесконечно рад... Если справишься, обещаю тебе разворот в самом престижном издании, я еще не решил, в каком именно, но там будет видно. Как ты себя чувствуешь, Маришечка? Как наш постреленок?

— Валяется с сотрясением мозга!

— О боже! Надеюсь, ничего серьезного?

— Вроде нет.

— Маришечка, лапочка, я тебя невольно подвел, обещал поехать в твое родовое имение, но тут внезапная любовь — как гром среди ясного неба, не сердись, лапочка, ладно? Я дам тебе телефончик, а ты позвони, скажи, что от меня, спроси Евгения Викторовича, он отлично все сделает что нужно. Ты не очень сердишься, Маришечка?

— Нет, конечно, мне еще некогда было сердиться, а теперь вроде не на что, тем более у тебя новая любовь!

— А у тебя? У тебя нет новой любви?

— У меня даже старой нет, — засмеялась Марина.

— Маришечка, а может, выберешься с постреленком сюда на недельку? Подумай, весна в Ницце! Все расходы беру на себя!

— Сева, о чем ты говоришь? Работа, Мишкино сотрясение...

— Ах да, прости! Я, как всегда, немножко одурел от любви!

— А мобильник зачем отключил? Я уж волноваться начала!

— Как приятно, когда о тебе кто-то волнуется... Спасибо, лапочка. Больше не буду отключать. Целую!

Михаил Петрович раздумал звонить Марине. Что он ей скажет? И потом, может быть, лучше избавиться от этого наваждения. В Исландии он пробудет дней десять, не меньше, там даже минутки не выберется на мечты о зеленых глазах. Может, охолону и успокоюсь? Зачем мне эти заморочки, у меня в жизни все хорошо и без нее. Да и у нее жизнь устроена. Зачем я там? Решено, не буду звонить!

И он занялся делами. Надо успеть еще отдать некоторые распоряжения помощникам.

— Мам, а дядя Миша не звонил?

— Нет.

— Почему? Ты с ним поссорилась?

— Даже не собиралась. А он разве тебе обещал звонить?

— Нет, но я так понял, что он еще приедет.

— Ну либо ты неправильно понял, либо... Знаешь, у взрослых...

— Знаю! — перебил Мишка. — У взрослых своя жизнь! И вообще, они за свои слова не отвечают!

— Разве я за свои слова не отвечаю?

— Ты же мама, а не чужой взрослый дядька.

Он обиделся, поняла Марина. А тот дурак тоже хорош, приручил ребенка и смылил. Испугался чего-то, скорее всего. Она тоже слегка обиделась. Прошло уже пять дней, а от него ни слуху ни духу. Бывая каждый день на фирме, она ни разу с ним не столкнулась, а спросить о нем у кого-то не решалась. Тем более что не знала даже его фамилии, а в таком большом учреждении может быть десять Михаилов Петровичей. Да и вообще, нельзя на работе проявлять какой-то личный интерес, ни к чему это. Она крутилась как белка в колесе, чтобы не пренебречь старыми заказами, а в сочетании с новым проектом это было очень нелегко. Ей даже не удалось ни разу выбраться на дачу. Да еще здорово похолодало, зарядили дожди, и не было никакой возможности вывезти Мишку на воздух.

— Ой, Маря, ты что же творишь? — вздыхала поздними вечерами Алюша. — Ты ж себя загонишь! А как с дачей быть?

— Господи, если бы я знала! Сейчас такая мерзкая погода.

— Ну не век же она мерзкая будет...

— Аля, обещаю: в воскресенье с утра мотану на дачу. Если там нормально, ничего не потекло, не сломалось, я за день приведу ее в божеский вид!

— А Игорька не подключишь?

— Обязательно, — без всякого энтузиазма отозвалась Марина.

Игорь постоянно звонил ей на мобильный, требовал встреч, но ей было некогда. Один раз он навестил Мишку, ждал ее, но так и не дождался. Ей почему-то не хотелось его видеть.

Михаил Петрович работал с раннего утра до поздней ночи, и у него даже секунды не было на мысли о чем-то, кроме предстоящего процесса. Он жил в небольшом, но весьма респектабельном отеле за городом, на берегу фьорда, но времени не было даже чтобы оценить окружающую суровую красоту. К тому же все дни дул ледяной ветер. Черт, я провалюсь, думал он в редкие свободные минуты, есть только одна сотая шанса, да и то если случится чудо. А чудес не бывает, любое чудо надо организовать, а я сделал все, что в моих силах. И даже немного больше. На восьмую ночь в Исландии ему приснилась Марина. Она сидела на залитой солнцем лужайке и шила что-то из ткани в крупный красный цветочек.

— Что ты шьешь? — спросил он.

— Трусы, — ответила она, не поднимая головы от шитья.

— Какие трусы?

— Семейные.

— А для кого?

— Для тебя!

— Зачем? — растерялся он.

— Меня волнуют мужчины в семейных трусах.

— Но ведь можно купить...

— Разве ты не знаешь, в России не осталось семейных трусов?

Он с хохотом проснулся. Господи, какая чушь снится, когда переутомишься... Такое нарочно не придумаешь. Но почему-то настроение у него резко изменилось. И он вдруг ясно увидел, что в цепи доказательств противной стороны есть одно не то чтобы слабое, а все же не столь крепкое, как остальные, звено.

А вечером он позвонил Булавину сообщить, что чудо, на которое они даже рассчитывать не смели, случилось! Это не была абсолютная победа, но и поражения не было! Что называется, боевая ничья, о которой они могли только мечтать. То есть все-таки победа!

Наконец он смог выдохнуть. Сегодня я напьюсь! — решил Михаил Петрович, и вместе с коллегой из Питера они отправились в один из самых дорогих ресторанов Рейкьявика.

— Михаил Петрович, вы гений! — прочувствованно произнес питерский адвокат Семен Давыдович.

— Нет, Сема, нам просто фантастически повезло!

— Тем не менее я предлагаю выпить за ваш талант. Я, честно говоря, не верил, что такое возможно. Вы сумели уцепиться за единственную микроскопическую возможность. Это и есть талант! Настоящий талант! За вас!

— Сема, я не желаю больше говорить об этом деле, по крайней мере сегодня. Я хочу есть, пить, радоваться жизни!

— Ваше здоровье!

— И ваше!

Они выпили. В этот момент в зал вошла девушка лет двадцати. Она была ослепительна!

— Святые угодники, это же королева красоты! — прошептал Семен Давыдович.

Девушка была фантастически хороша. Высокая, статная, с дивным цветом лица и светлыми волосами до пояса. Ее сопровождали двое мужчин. Один молодой, другой старый. Они сели за столик. Но вскоре вокруг них поднялась какая-то суета. Блеснула фотовспышка, красавица закрыла лицо, старый мужчина вскочил, и какие-то люди вывели под руки ражего детину с фотоаппаратом.

— Что там случилось? — на безупречном английском спросил у официанта Михаил Петрович.

Тот на очень плохом английском объяснил:

— Эта девушка — наша гордость, «мисс Универсум». А с ней ее отец и жених. Они не хотят, чтобы их фотографировали за едой. Их можно понять.

— Сема, вы когда-нибудь видели живую «мисс Универсум»?

— Я даже мертвой никогда не видел! Жаль, нельзя ее сфотографировать, а то хвастался бы в Питере. Хотя, откровенно говоря, она уж чересчур красива. На мой лично взгляд в женщине должен быть все же какой-то изъянчик, пусть маленький.

— Согласен. Но изъянчик есть и в этой.

— Какой же?

— Даже два! Холодность и сознание собственного совершенства.

— Ну вы, похоже, тонкий знаток.

— Не сказал бы.

— Признайтесь, Михаил Петрович, она вас волнует?

— Теоретически должна волновать, это как раз тот тип женщин, которые мне обычно нравятся, но эта и вправду чересчур хороша... Нет, честно говоря, не волнует! И не потому, что зелен виноград.

— Вероятно, вы переутомились! Или, как говорили в прежние, не столь циничные времена, ваше сердце занято?

— Это заметно? — встревожился Михаил Петрович.

— Да нет, я просто высказал предположение, но вы проговорились, Михаил Петрович! Это непрофессионально, что в вашем случае может быть оправдано лишь крайним переутомлением, — засмеялся Семен Давыдович. — А посему меняем тему, а еще лучше — давайте выпьем за дам сердца! У меня тоже есть дама сердца!

— Ну вам сам Бог велел, вы еще молодой человек.

— Тридцать девять уже.

— Уже? Еще! У вас все впереди, друг мой! А давайте перейдем на «ты»!

— Для меня это большая честь, я с удовольствием! — обрадовался Семен Давыдович.

Они еще хорошо выпили, и Семена потянуло на откровенность. Он поведал коллеге о своей великой любви. Еще в школе он влюбился без памяти в девочку по имени Стелла. У них начался бурный роман, который продолжался и после школы. Из-за нее он категорически отказался уехать с родителями и сестрой в Израиль, а она через год выскочила замуж за другого. Поначалу Сема был убит, но жизнь берет свое, и он женился на милой девушке, которая родила ему двойняшек, мальчика и девочку. Со временем он полюбил Лизу за ее чудный характер, за то, что была она прекрасной женой и матерью, и уже считал себя счастливым, как вдруг опять появилась Стелла...

— В общем, достаточно банальная история, — резюмировал Семен Давыдович.

— И что же теперь? — с тревожным любопытством спросил Михаил Петрович.

— Стелла осталась, как говорится, у разбитого корыта. Я мог бы, наверное, торжествовать, но почему-то не получается. К тому же у нее больное сердце...

— Ты ее любишь?

— Да, — просто ответил Семен Давыдович. — Но и Лизу я тоже люблю. И не могу бросить детей. К тому же я подозреваю, что у Стеллы есть еще кто-то.

— Но если так, ты мог бы чувствовать себя свободным.

— Я не хочу чувствовать себя свободным от нее, понимаете? А, хватит об этом, простите, что я разоткровенничался. Михаил Петрович, предлагаю тост за вас! Ваш сегодняшний успех...

— Мы, во-первых, перешли на «ты», если помнишь, а во-вторых, в сегодняшнем успехе есть доля и твоего участия.

— Брось! Я просто свято выполнял все твои указания, не более!

— О, когда человек свято выполняет указания более опытного товарища, тогда и приходит успех! Так что пьем за нас, мы с тобой, Сема, потрясающие ребята! Стоп! Сема, я что подумал... Хочешь перейти в нашу фирму? Будем работать вместе! Переберешься в Москву, и многое решится само собой...

— Михаил Петрович, Миша, я, конечно, польщен твоим предложением, но... Нет, я не смогу. Будет еще хуже, я стану рваться в Питер, да и к тому же в Питере живут родители Лизы, они души не чают во внуках...

— Это разрешимо, их тоже можно перевезти в Москву.

— Нет, спасибо, конечно, но нет.

— Ты все-таки подумай. И если надумаешь, дай мне знать. Договорились?

— Хорошо, я подумаю.

— Тогда давай выпьем еще!

В этот момент исландская красавица встала и прошла мимо них, очевидно в туалет.

— До изумления хороша, — пробормотал изрядно набравшийся Михаил Петрович, — но моя Марина лучше.

— Марина? Вашу женщину зовут Марина? Впрочем, так и должно быть!

— Почему?

— Марина — морская... А вы лучший в Европе специалист по морскому праву!

Михаил Петрович расхохотался.

— Сказать по правде, мне и в голову не приходило...

— Она красивая?

— Я не знаю... Наверное... В данном случае это неважно. Но знаешь, Сема, она мне приснилась сегодня ночью, и я от радости вдруг понял, как надо действовать... Можешь себе представить?

Они еще посидели, а потом на такси отправились в отель.

— Мариночка Аркадьевна, это Гусев!

— Слушаю вас, Даниил Александрович.

— Мариночка Аркадьевна, у нас ЧП! В ближайшие две недели вы свободны!

— Что это значит? Что случилось?

— Да такая бодяга... Пожар на этаже случился.

— Кто-нибудь погиб?

— Слава богу, нет, да и пожарные мигом потушили, но придется снова делать ремонт, а это, сами понимаете...

— Но отчего пожар?

— Разбираются. Не исключают поджога, а кто, что, ничего пока не знаю. Просто хотел вас предупредить, что вы можете пока быть свободны.

— Спасибо, это сейчас кстати, я, по крайней мере, спокойно перевезу сына на дачу.

— Мариночка... Аркадьевна, а может, мы пообедаем вместе? — вкрадчиво спросил Гусев.

— Там видно будет, — уклончиво ответила Марина. — Сегодня я очень занята. Но, во всяком случае, спасибо.

Ты мне триста лет не нужен, подумала она, вешая трубку. Хотя, вероятно, в другой раз следует принять приглашение пообедать, чтобы не портить отношений, и к тому же у него можно хоть что-то узнать о Михаиле Петровиче. Хотя зачем? И так все ясно. Он передумал. Ну и черт с ним. Оказывается, пожар тоже бывает кстати, и не только поджигателям! Она решила немедленно заняться благоустройством дачи. Там уже побывал зять тети Нюши, вставил стекла, починил крыльцо, осмотрел все внутри и сказал, что дом нормальный, жить можно, надо только еще отопление проверить. На Маринину просьбу заняться и этим он с радостью согласился. Этот Слава и впрямь был мастер на все руки, так что к Севиному приятелю Марина даже и обращаться не стала. Саму ее больше волновал интерьер. Покупать новую мебель она не считала нужным, надо сперва обжиться, чтобы понять, что же именно следует купить. Но привести дачу в божеский вид необходимо. Повесить занавески, купить яркие пледы, какие-нибудь скатерки, покрывала.

Погода стояла божественная, в старом, запущенном саду все цвело и благоухало, пела какая-то птица. Я совершенно не знаю птиц, с сожалением думала Марина. И вообще, наверное, надо бы посадить тут хоть какие-нибудь цветочки, а впрочем, и так хорошо. Главное — потрясающий воздух, для Мишки это сейчас очень важно... А что важно для меня? Мишкино здоровье прежде всего. Наверное, это ненормально в моем возрасте, но у меня вроде как нет никаких женских желаний... Был момент, когда вдруг захотелось любви и даже появился мужчина, в которого я могла бы влюбиться, а может, даже полюбить. И что? Ничего. Видно, не судьба. Мне тридцать восемь лет, а по-настоящему я еще не любила. Когда женщины иной раз рассказывают, как сходили с ума от любви, я им даже не очень верю. А Тася? Она, можно сказать, жизнью ради любви пожертвовала, а ее жертва оказалась не очень нужна... Наверное, у меня просто нет этого таланта — любить. А на нет и суда нет!

Марина с остервенением взялась за дело — распаковала купленные вчера занавески и полезла на стремянку.

Михаил Петрович твердо решил увидеться с Мариной. Прошло двенадцать дней, за это время все могло измениться. Вот взгляну на нее и, может, останусь совершенно равнодушен. Из аэропорта он поехал на фирму. Во всем здании чувствовался запах гари.

— Что случилось? — спросил он охранника.

— На новом этаже пожар был.

— Кто-нибудь пострадал? — обмирая, спросил он. Ему вдруг показалось, что Марина погибла в огне. По спине потек холодный пот.

— Нет, дело ночью было.

— А, тогда ладно. — Он ощутил неимоверное облегчение. А ведь это уже серьезно...

После долгих восторгов, поздравлений и благодарностей Булавин спросил:

— Миша, ты не думай, я не забыл, что обещал тебе поработать золотой рыбкой. Говори, чего тебе надобно, старче?

— Три дня!

— Какие три дня? — не понял шеф.

— Три дня свободных.

— Ишь чего захотел! Два!

— Ладно, пусть два, — засмеялся Михаил Петрович, — но это строго между нами!

— То есть? Ты что, думаешь, я буду звонить Вике и докладывать, что ты куда-то слинял? Ты, по-моему, за дурака меня держишь, дружище!

— За дурака — ни в коем случае, а вот рыбка из тебя хреновая, скаредная уж очень.

— Миша, я думал, ты попросишь что-нибудь менее дорогое, чем твое время! «Мерседес», например! Слушай, а кто же эта таинственная незнакомка тридцати шести лет?

— Запомнил? — рассмеялся Михаил Петрович. — Это коммерческая тайна!

— И когда тебе нужны эти два дня?

— Завтра и послезавтра!

— Черт с тобой! Гуляй, так и быть, сегодня тоже!

Прежде чем ехать домой, он набрал номер Марины. Ответил Мишка.

— Миша, здравствуй, это твой тезка, дядя Миша!

— Здрасте, — сухо отозвался мальчик. — Мамы нет дома.

— А ты как поживаешь?

— Спасибо, хорошо!

Он на меня обиделся. Я наобещал ему с три короба, а потом смылся. Фу, как некрасиво.

— Миша, я перед тобой виноват, но невольно. Мне срочно пришлось улететь, а сегодня я вернулся и вот звоню. Ты уж не сердись, брат. Я тебе привез одну штучку...

— Какую штучку? — не выдержал мальчик.

— Ладью викингов.

— А что это такое?

— Я тебе при встрече расскажу, ладно? А когда мама вернется?

— Не знаю. Она на даче.

— А, понятно. Что ж, передавай привет! А ты завтра занят?

— Я теперь всегда не занят, — с грустью проговорил Мишка. — Меня никуда не пускают, у меня потому что еще горло болит!

— Мороженым объелся?

— Откуда вы знаете? — удивился Мишка. — Игорь привез здоровое ведерко.

— И ты один его слопал?

— Ну не все, но много, оно такое вкусное было, просто ужас!

— Мама сердилась?

— На меня нет. На Игоря! Ему так попало!

Это сообщение почему-то обрадовало Михаила Петровича.

— Слушай, Миша, а как ты смотришь на то, что я в течение часа заеду к тебе и завезу подарок?

— Хорошо смотрю!

— Отлично, брат, жди меня!

Ему и вправду было стыдно перед ребенком, от звуков его голоса почему-то заныло сердце. Что-то я, кажется, старею... Но увидеть мальчика хотелось нестерпимо, даже сильнее, чем его маму. Это потому что встречи с ней я немножко боюсь...

Марина вернулась с дачи, когда Мишка уже спал. Алюша сидела у телевизора и тоже спала.

Сонное царство, с удовольствием подумала Марина, значит, все дома хорошо. На тумбочке у Мишки стояла довольно большая деревянная лодка, а в ней викинги на веслах и куча каких-то снастей. Откуда это? Игрушка была явно очень дорогая. Не иначе Игорь припер, чтобы загладить свою вину с мороженым, усмехнулась она и, тихонько притворив дверь, отправилась на кухню. Она уже пила чай, когда появилась сонная Алюша.

— Опять у телевизора спала, вот напасть, на самом интересном месте заснула. Ну как ты? Голодная небось?

— Да нет, чайку попью, и все.

— Тут, между прочим, хахель твой был.

— Да знаю, видела подарок у Мишки, шикарная вещь, между прочим. Ну и ладно, нечего ребенка мороженым закармливать.

– Погоди, ты что, на Игорька думаешь?

– А кто ж мой «хахель», как ты выражаешься? – почему-то перепугалась Марина.

– Да тот, новый, был. Хороший, кстати, мужик, душевный. Не то что этот балабол, маменькин сынок. Уважительный такой, я его кофеем поила.

– Он мне что-нибудь передавал?

– Да нет. Спросил просто, когда ты вернешься. Он посидел часика два, да и уехал. Ну позвонит, надо думать. Он, оказывается, уезжал в какую-то страну... Забыла, как называется, там еще из-под земли горячая вода фонтаном бьет, он рассказывал. Ты, Маря, смотри, за такого и замуж можно...

– О чем ты, Алюша? Он женат.

– Хорошие, они все женатые, что ж делать-то? Ой, спать хочу, сил нет.

– Подожди, он что сказал, позвонит еще или как?

– У Мишки спроси, я с ним не так долго сидела. Ну, спокойной ночи!

– Да-да, – рассеянно ответила Марина. Значит, он не забыл, он просто уезжал... Действует через Мишку, подкупает ребенка дорогими игрушками, исчезает, не предупредив... Достаточно примитивно. Интересно, откуда в наше время нельзя позвонить? Он явно был где-то в Скандинавии, хотя Алюша говорила про гейзеры, стало быть, скорее всего, это Исландия. Далеко, но все же не край света... Что-то меня такие игры не увлекают. Нет, надо гнать его, к чертовой матери, шутит с чувствами ребенка, у которого нет отца! Допустим, я сдамся, даже влюблюсь в него, в него трудно не влюбиться, а потом он схильнет, я-то переживу, а Мишка почему должен страдать? Не позволю! Ребенок с первого раза к нему прикипел, а он потом вильнет хвостом — и до свидания? Ну нет, Михаил Петрович, не на ту напали!

Дома было плохо, это он учуял сразу. Вика рассеянно чмокнула его в щеку.

— Поздравляю, ты, как всегда, победитель! — с иронией сказала она.

— Вика, что стряслось? Где Туська?

— Не знаю! Она позволяет себе исчезать, никого не предупредив, как малолетняя идиотка! А я тут с ума схожу!

— Погоди, в чем дело? Вы что, поссорились?

— Я с ней не ссорилась! Но у нее, видимо, в связи с весной гормоны играют, а мужика на обозримом пространстве нет, вот она и срывает зло на матери! Ну где, где мне ее искать, эту дурищу?

— Ты подругам звонила?

— Естественно!

— Когда она пропала?

— Да она не пропала, она хлопнула дверью и гордо ушла, обдав меня презрением и ненавистью!

— Боже мой, что же ты ей сказала?

— Ничего особенного, я и не помню, глупости все!

— А где Нина Евгеньевна?

— Где-то тут.

— А моей маме ты звонила?

— Нет. Но Татьяна Григорьевна разумный человек, она бы меня известила.

— А Лине?

— Ее нет, у нее автоответчик включен.

— Да? Как интересно, она всегда утверждала, что ненавидит автоответчики. Это настораживает.

— Не понимаю.

— Ладно, я сейчас попробую к ней съездить.

— Зачем это?

— Убежден, Туська у нее! Это очень в ее стиле — решила спрятаться у тетки и купила автоответчик!

— Думаешь? — с надеждой спросила Вика.

— Уверен!

— Так позвони и наговори все, что нужно! Эта корова поймет, что обожаемый папуля прибыл и теперь защитит ее от матери-мегеры! Сразу примчится!

— Не примчится! Я сам поеду туда и попробую с ней поговорить. А вообще, я знаю, что надо делать.

Он был страшно зол. Думал отдохнуть на даче, поесть, и вот нá тебе... Ничего, Лина меня покормит. А что, если я ошибаюсь, вдруг Туськи там нет?

И он на максимальной скорости поехал в город. Дверь ему открыла сестра:

— Миша! Вот так сюрприз! Не ждала тебя, почему ты не предупредил?

— Папа! — с воплем кинулась ему на шею Туська. — Как ты догадался?

— Элементарно, Ватсон! По автоответчику. Ясно, ты его купила, чтобы тут затаиться. Твоя тетка врать не любит, а автоответчик, что с него возьмешь! — радостно смеялся он. Любимая дочка цела и невредима! — В следующий раз покупай определитель номера. Не так выдает! Лина, если ты меня не накормишь, я умру!

— Папочка, бедненький! Ой, а как твои исландцы?

— Нормально, я их победил!

110

— Так я и знала, ты же непобедимый Максаков! Пап, только я на дачу не поеду!

— Погоди вопить, я позвоню маме, она же там с ума сходит!

— Ей полезно, в другой раз, может, подумает, прежде чем...

— Надеюсь, другого раза не будет! Я все обдумал и решил: тебе надо жить одной. Я куплю тебе квартиру, пора отделяться от родителей!

— Ура! Папочка, ты у меня самый лучший, самый золотой!

— Миша, но как же она будет жить одна?

— Лина, она не ребенок, она разведенная женщина, институт окончила два года назад, о чем ты говоришь? У нее могло быть уже трое детей! Я же не отказываюсь ей помогать, но пусть живет самостоятельно и устраивает свою личную жизнь без материнского присмотра и ядовитых комментариев.

— Может, ты и прав, — задумчиво проговорила сестра. — Но ты все-таки позвони Вике.

— Разумеется!

— Пап, а можно я пока поживу у Лины?

— Нельзя! У Лины   есть своя личная жизнь, и присутствие племянни   не всегда желательно, и потом, тетка может подать тебе плохой пример! — Он со смехом подмигнул сестре.

— О да, я могу совершенно развратить ребенка!

— Папа, но ведь покупать квартиру — это долго...

— Ничего, потерпишь!

— Тогда я поживу дома, но в городе. Не хочу на дачу!

— Это пожалуйста. Только не рассчитывай на роскошные апартаменты в элитном доме. Получишь обычную однокомнатную квартиру.

— Жизнь надо начинать с трудностей, да? — засмеялась дочь.

— Линка, какие они наглые, ужас просто! Отдельная квартира для такой соплюхи — жизненная трудность!

— Да уж, я в ее возрасте даже мечтать о таком не смела! Вечно кроме мамы с папой братец под ногами крутился, да еще девок водил! Это был какой-то кошмар, я думала, он никогда не угомонится...

— Укатали сивку крутые горки, — вздохнул Михаил Петрович.

— Да ладно, тебя укатаешь, как же! — ласково потрепала его по плечу старшая сестра.

Да, действительно, подумал он, кажется, есть еще порох в пороховницах. Стоит вспомнить об этой зеленоглазой, весь организм оживает. Ох, надо будет завтра еще позвонить Надюшке...

Когда он вошел в спальню, Вика уже спала. Вот и слава богу! В спальне пахло чем-то непривычным. Какие-то новые духи. Противные, надо заметить. Просто даже отвратительные. Он открыл окно, впуская свежий весенний воздух. Лег как можно дальше от жены. Надо будет ей завтра сказать, чтобы не душилась этой гадостью. Спать не хотелось. Вот сейчас закрою глаза и представлю себе ее лицо, я даже не знаю, красивое оно или нет. Но увидел перед собой просиявшее при виде викингов лицо Мишки, маленького веснушчатого тезки. Эх, был бы у меня сын... Мальчик сегодня рассказал, что его отец погиб в автомобильной аварии уже очень давно. Бедолага, так рано осиротел... А она, конечно, безумная мать... Она не простит мне, если я приручу ребенка, а потом у нас с ней ничего не выйдет. А что, собственно, должно выйти? Я хочу с ней переспать. А что дальше, еще один многолетний роман? Но она сразу предупредила, что не годится для адюльтера. Ну это мы еще поглядим! Однако от мальчика лучше держаться подальше.

— Мам, ты вчера поздно приехала?
— Очень.
— Мам, посмотри, что у меня есть! — Мишка с гордостью показал матери ладью.
— Боже, какая прелесть! — Марина притворилась, что впервые видит игрушку. — Откуда это?
— Угадай.
— Игорь подарил?
— И ничего не Игорь!
— А кто же?
— Угадай.
— Ну не знаю!
— Михаил Петрович!
— Да ну? И с чего это он тебе такой подарок сделал?
— Я думаю, он в тебя влюбился.
— Здрасте, я ваша тетя.
— Нет, правда, правда, поэтому и дарит мне подарки! Мам, но он все равно клевый! Знаешь, он где только не побывал, даже в Гренландии. А эту лодку он привез из Исландии, вот!
— Он про меня что-нибудь спрашивал?
— Нет, ничего. Вот я и подумал, что он влюбился. Когда влюбляешься, лучше ничего не спрашивать, а то смеяться будут... — делился Мишка жизненным опытом.

— Это ты про Шурочку? — шепотом спросила Марина.

Мишка вспыхнул.

— Ладно, все, молчу! Я уважаю твои чувства!

— А я твои, выходит, не уважаю? — перепугался Мишка.

— Мои? Ты о чем?

— Ты разве в него не влюбилась?

— Даже не собиралась.

— Мам, а папа... Он был похож на Михаила Петровича?

— Ничуточки! Папа был гораздо лучше! Ну ладно, сын, мне пора на дачу, там еще много дел, а я хочу, чтобы на той неделе мы уже переехали.

— Мам, возьми меня с собой, ну пожалуйста, я буду тебе помогать.

— Мишка, не канючь! Тебе надо еще посидеть дома. Там дом холодный, я его топлю, но он пока не прогрелся. Нельзя, маленький!

— Я не маленький!

— Тогда тем более нельзя!

— Почему?

— Да я пошутила! Все, будь умницей!

— Мам, а тебе дядя Миша еще не звонил?

— Он не знает номер мобильника. А сюда не звонил. Все, что ты придумал про любовь, — чепуха!

— На постном масле?

— Вот именно!

— А спорим?

— Еще чего!

— Давай замажем!

— Не собираюсь!

Первым делом на даче Марина включила отопление. Оставлять его на ночь она боялась. Но дом был хороший и быстро просыхал. Правда, сегодня припекало солнце и находиться в доме было невозможно. Марина вынесла во двор старенькое кресло с линялой обивкой, развинтила его и надела на спинку и сиденье две ярко-синие наволочки в крупных красных цветах, потом опять свинтила и пришла в восхищение от собственной выдумки. Как просто и красиво! Да еще и дешево! Она пошла за вторым креслом. Вскоре и оно приобрело веселый, дачный вид. Не прошло и часа, как все четыре имевшихся в доме кресла преобразились. Старые, но на удивление крепкие венские стулья с кухни она решила покрасить новой шведской краской в ярко-зеленый цвет. Дело спорилось, и вскоре лужайка напоминала снимок из глянцевого журнала. Покончив со стульями, Марина достала из сумки приготовленные Алюшей бутерброды, а потом, усевшись в одно из кресел, решила подкоротить кухонные занавески, белые в зеленых ветках. Ей вдруг не понравилось, что они такие длинные. Я их подкорочу, а из обрезка сделаю ламбрекен, получится то, что надо. Мою дачу еще будут фотографировать для какого-нибудь женского журнала для рубрики «Делаем сами»!

— Неужели твой Булавин не мог дать тебе выходной?

— У меня куча дел, некогда! А ты сегодня в город не едешь?

— Жду звонка, может, придется принять зачеты у одной группы...

— Кстати, Вика, у тебя новые духи?

— Учуял? Нравятся?

— С души воротит.

— Серьезно? А по-моему, чудный запах. Мне до смерти надоели мои духи, вот и решила купить себе другие.

— Меня вчера чуть не стошнило, такой тяжелый запах...

Жена внимательно на него посмотрела. Но ничего не сказала.

Он допил кофе и хотел уже идти к машине, но тут появился Сидор. Он здорово хромал.

— Миша, смотри, он поранился! — всполошилась Вика.

Он осторожно взял кота на руки, тот жалобно мяукнул. Задняя лапа была в крови, похоже, кот на что-то напоролся.

— Придется свозить его к Марье Ильиничне, — покачал головой Михаил Петрович. — А то как бы заражения не было!

— Ерунда, он прекрасно залижет рану!

— Нет уж, я своего Сидора отвезу, на работе подождут.

Марья Ильинична была чудаковатая старая ветеринарша, жившая в деревне неподалеку. И все обитатели охраняемого дачного поселка возили к ней своих приболевших питомцев. Никто лучше нее не умел обращаться с животными. Даже самые злые собаки у нее становились мирными, словно она знала какой-то заговор.

К счастью, Марья Ильинична оказалась дома.

— А, Михаил Петрович! Рада вас видеть! Что стряслось?

— Да вот, Сидор лапу распорол.

— Ну-ка, ну-ка, да как глубоко! Ну ничего, мы сейчас промоем рану, мазь положим, повязочку сделаем. Дня через три снимете повязку. Если будет плохо заживать, уж не поленитесь, привезите его еще разок!

— Непременно!

— Да уж я знаю, вы не поленитесь.

— Как вам удается делать такие повязки, что кот их не сдирает? Они всегда у него держатся.

— Не знаю, так получается.

— Потому что вы ветеринар от Бога! — искренне произнес Михаил Петрович и поцеловал старушке руку.

Она зарделась от удовольствия. Михаил Петрович всегда ей нравился. Он был хорошо воспитанный, в отличие от многих его соседей по поселку, и всегда держался подчеркнуто любезно, а при этом еще и хорошо платил.

— Михаил Петрович, знаете, у вас сейчас что-то очень важное в жизни происходит. Уж простите меня, старую, я никогда не лезу в чужие дела, но я вчера во сне вас видела.

— О, я польщен! — засмеялся он.

— У вас родится сын! Совсем скоро!

— Марья Ильинична, голубушка, какой еще сын?

— Я не знаю какой, но точно, что сын! Вы не смейтесь, я иногда вижу вещие сны.

Совсем старуха рехнулась, подумал он. С какой это стати ей видеть про меня вещие сны? Бред сивой кобылы! Вся страна помешалась на таких штуках, хоть вой!

Он щедро расплатился со старухой, попрощался и, осторожно взяв Сидора, пошел к машине.

— Мать умрет, а сын вам останется! — крикнула она ему вслед.

Господи, хорошо, что Вика уже не может родить. А с Мариной я еще не спал. Неужели Надюшка беременна? Может, поэтому в нашу последнюю встречу она произносила какие-то сентиментальные слова? Только этого мне не хватало! Настроение испортилось. А что, если Вика все-таки еще способна к деторождению, в конце концов, насколько я знаю, месячные у нее приходят регулярно, и она не жалуется на приливы, или что там еще бывает у баб при климаксе? Неужто она на старости лет решит родить мне сына? Нет, это Надюшка... В последние несколько месяцев других баб у меня не было. Тем не менее надо обязательно наведаться к Надюшке, она скажет, что беременна, и будет ждать моей реакции... Я не хочу... А вдруг речь шла о Марине? Вдруг она забеременеет от меня? Ерунда, надо быть осторожным, и ничего такого не будет. Мы оба не дети, и, думаю, ей второй ребенок тоже ни к чему. Мать умрет... Тьфу, что за черт! Старая баба, про которую говорят, что она «бзиканутая», невесть чего наболтала, а я и уши развесил, болван чертов!

Он отвез домой Сидора, сдал на руки жене и уехал. С дороги он позвонил Марине, но нянька сказала, что она на даче. Значит, поеду сейчас и застану ее врасплох. Наверное, не надо ничего говорить, а просто подойти и обнять... У него от волнения горло перехватило.

Он легко нашел улицу Советскую, дом семь. Почему-то в старых дачных поселках улицы упорно не переименовывают. За разросшимися у забора кустами дачи не было видно. Зато на обочине стоял вишневый «Рено». Он толкнул калитку и с отчаянно бьющимся сердцем шагнул в сад. Боже, как хорошо! Цветущая сирень, еще какие-то кусты, никаких клумб, грядок, дорожек и старый деревянный дом. Взглянув вправо, он увидал перед верандой небольшую лужайку, уставленную яркими, пестрыми стульями и креслами, в одном из которых спала Марина. На ней был черный в цветочек сарафан, а ноги прикрыты белой с зеленым тканью. Он подошел поближе. Она не проснулась. Ее дивные зеленые глаза были закрыты. Я хоть пойму, красивая она или нет... Красивая, черт возьми, еще какая красивая, а может быть, дело не в красоте, а в том, что она воплотившаяся мечта... Во сне лицо ее было совсем другим, каким-то беззащитным, что ли... Она слегка улыбалась. Он подошел совсем близко. Встал перед ней. Она вдруг открыла глаза.

— Ой! Как вы меня напугали! — Она даже за сердце схватилась. — Вы с ума сошли, разве так можно!

— Простите, я вас окликнул, но вы не услышали...

Просто подойти и обнять, как он планировал, не получилось.

— Что вам снилось, вы улыбались во сне.

— Мне снились вы.

Он опешил.

— Мне приснилось, что вы смотрите на меня и умираете со смеху.

— Я смотрю на вас и правда умираю, но не со смеху...

— Сядьте, что вы мне солнце заслоняете. Только не на стул! Возьмите кресло!

— Вы не пригласите меня в дом?

— Там невыносимо жарко, я включила отопление.

— Зачем?

— Чтобы дом просох. И потом, мне надо дошить...

И тут он вспомнил свой исландский сон.

— А что вы шьете?

— Занавеску, — ответила она.

И тут он действительно расхохотался. Она смотрела на него с недоумением.

— Что вы смеетесь?

Но он от хохота не мог даже ответить. Глядя на него, она тоже начала смеяться, и вот уже оба корчились от смеха, словно дети, и обоим казалось, что с каждым мгновением смеха преодолеваются гигантские расстояния, разделявшие их, и они все ближе и ближе друг к другу... Первой опомнилась Марина:

— Господи, в моем сне смеялись только вы, но, оказывается, это заразно... Смех без причины признак дурачины.

— Только у вас! У меня причина была!

— Хотите сказать, что я дура?

— Вот именно! Самая изумительная дура на свете!

— Это комплимент? Весьма сомнительный, я бы сказала!

— Ой, простите, дураком оказался я и, кажется, сморозил какую-то фигню...

— Ну и ладно, я не обижаюсь. Но все-таки почему вы смеялись?

Он рассказал ей сон. Она хмыкнула.

— Должна заметить, что наяву меня семейные трусы не возбуждают, — со смехом сказала она и вдруг покраснела. — О господи, я и вправду редкая дура... Зачем вы приехали?

— А вы не понимаете?

Она промолчала и взялась за свое шитье.

— Послушайте, перестаньте шить!

— Почему?

— Потому что если вы уколетесь, то можете опять заснуть, надолго, как Спящая красавица...

— Мне это не грозит!

— Почему?

— Потому что вы уже тут...

— Вы хотите сказать, что я уже тут и сразу разбужу вас поцелуем?

— Вот именно.

— Я готов.

Ей казалось, что это происходит не с ней, а в каком-то фильме. Она отложила шитье на соседнее кресло.

— Марина, я не знаю... Я, когда ехал сюда, думал, войду, сразу обниму, ни слова не говоря, а получилось не так...

— Вы оробели? — насмешливо осведомилась она.

— Нет, просто я понял, что это не главное...

Она посмотрела на него с интересом:

— А что, по-вашему, главное?

— Откуда я знаю? Я впервые в жизни чувствую себя с женщиной полным идиотом. Наверное, от страха совершить непоправимую ошибку, мне кажется, вы не прощаете ошибок...

— Да? Я произвожу такое впечатление? — серьезно спросила она. — Внушаю страх?

— Не страх, а... благоговение... — произнес он глухо, сам себе удивляясь. Это было слово не из его лексикона.

— Благоговение? Какая гадость!

— Почему?

— Мне не нравится внушать благоговение... Знаете, когда мы тут хохотали вместе, мне показалось, что...

— Вам показалось, что мы стремительно приближаемся друг к другу, и вдруг... снова отдалились, да?

— Что-то в этом роде.

— Значит, надо опять засмеяться.

— Легко сказать!

— Но и сделать нетрудно. — Он наклонился и пощекотал ее босую пятку. Она взвизгнула, дернула ногой, но он поймал ее ногу и поцеловал. Она затихла. Он снова пощекотал ее. Она завизжала. Он опять поцеловал.

— Пустите, у меня ноги в земле...

— Вы хотели сказать — грязные? — засмеялся он и еще раз поцеловал ей ногу.

— Михаил Петрович, не надо! — взмолилась она.

Он опустился на траву и положил голову ей на колени.

В этот момент дико завыла сигнализация.

Он вскочил. Это выла его машина. Они оба кинулись к калитке. Около «БМВ» стоял грязный, лохматый козел и почему-то с остервенением бодал заднюю дверцу.

— Ах ты сволочь! — закричал Михаил Петрович и бросился на выручку своей любимой машине.

Марина чуть не упала от хохота. Михаил Петрович храбро схватил козла за обрывок веревки и потащил прочь, отчаянно ругаясь.

Вскоре он вернулся. Марина осматривала нанесенные козлом повреждения.

— Ну как вам это нравится! Что за наглая скотина.

— Что вы сделали с животным? — смеясь, спросила Марина.

— Привязал к какому-то забору!

— Думаю, он сорвется и прибежит уже минут через пять.

— Одно слово — козел!

— Но все-таки он хоть и козел, но джентльмен. Мою машину не тронул. Видимо, это был социальный протест, ваша машина слишком дорогая, вот он и стал ее бодать!

— Он что, по-вашему, коммунист?

— Не исключено!

Оба опять покатились со смеху. Но лирический настрой был нарушен.

— Интересно, что я скажу в сервисе? Что меня козел забодал?

— Зачем? Скажите, что вас коммунисты камнями закидали, как пособника капиталистов.

— В моем детстве, кажется, в «Комсомолке» была такая постоянная рубрика «Капитал, его препохабие»!

— Вы врете!

— Клянусь честью!

— Не верю!

— Ах не верите? Хорошо, давайте заключим пари!

— Какое?

— Если я в течение недели представлю вам неопровержимые доказательства...

— То что?

— То вы исполните мое желание!

— Какое?

— Откуда я знаю, какое желание у меня возникнет в тот момент?

— А если вы проиграете?

— Я не проиграю, я уверен на сто процентов.

— Тогда это нечестно! Выходит, мне в любом случае придется исполнять ваше желание?

— Ну я же юрист, а мы, как известно, люди жуликоватые! — Он весело подмигнул ей.

— Знаю, знаю, приходилось сталкиваться. Жуликоватые и продажные. Ой, смотрите, коммуняка бежит!

Действительно, по дороге, воинственно блея, мчался знакомый козел. А за ним с хворостиной в руках неслась растрепанная девчонка.

— Стой, гаденыш! Стой, шныра! — орала она.

Козел на полной скорости пробежал мимо, но Михаил Петрович ловким движением успел снова схватить его за веревку и вручить ее подоспевшей девчонке.

— Ой, спасибо, дяденька! Такой неслух, все время хулиганничает.

— Да уж, смотри, как он мне машину отделал!

— Ой, дяденька, я не виновата, я его привязывала, он срывается, гад такой, — начала канючить девчонка, видно испугавшись, что «дядька» потребует с нее возмещения ущерба. — Только вы неправду говорите, он мимо пробежал. Я видала, вы сами небось тачку поуродовали, а теперь на скотину свалить хочете. Нечего машины везде где попало ставить, козлу и погулять уж негде, вон у одного забора две тачки стоят! — уже не своим голосом вопила девчонка. — Ни в каком суде не докажете, не было этого!

— А ну брысь отсюда! — тихо сказал Марина. — Ишь развопилась. Еще раз тут твоего козла увижу, коменданту пожалуюсь!

Девчонка, поняв, что ее просто гонят, не собираясь требовать возмещения ущерба, огрела козла хворостиной и, шмыгнув носом, крикнула:

— Мишка, айда домой!

Тут уж Марина и Михаил Петрович чуть не умерли со смеху.

— Куда ни кинь, везде Мишки, — покачала головой Марина, когда они немножко успокоились. — Раньше козлов все больше Борьками звали. Но вы просто несостоявшийся тореро. Так ловко ловите козлов!

— Это звучит почти как пьеса в стихах: «Вы ловко ловите козлов». — «Я вам их всех поймать готов!»

— Перестаньте, — взмолилась Марина, — я не могу больше смеяться, у меня живот уже болит.

— Кто бы мог подумать, что вы такая хохотушка!

— Я уж и не помню, когда столько смеялась.

— Честно говоря, я тоже. Но ведь это здорово!

— Не спорю.

— Марина, знаете что, давайте поедем куда-нибудь пообедать, а? Тут неподалеку есть очень приличный ресторанчик. Вы мне задолжали обед, помните?

— Помню. Я с удовольствием. Вот только надо занести все это в дом, — она показала на кресла и стулья.

— Я мигом!

— Погодите, я проверю, высохла ли краска. Да, все в порядке, можно заносить. Эти шведские краски — чудо! Если вам не трудно, занесите все на веранду, а я пойду переоденусь.

— Не надо! Вам так идет этот сарафанчик.

— Да нет! Я в нем никуда не поеду!

— Что с вами делать. Но обещайте, когда мы вернемся, вы снова его наденете.

— Я его краской заляпала.

— Это только придает ему пикантность.

Марина засмеялась и побежала в дом. Там было пекло. Она выключила отопление и открыла окно. Господи, господи, что же это делается? У меня сердце дрожит как заячий хвост. Я влюбилась, втюрилась, втрескалась. Мне еще ни один мужчина в жизни так не нравился. И он тоже в меня влюблен по уши. Надо поскорее отсюда уехать, а то одно неосторожное движение или слово — и я не устою. Вот если он сейчас войдет сюда, я не смогу сказать нет... А почему, собственно, я должна говорить нет? Да! Да! Все мое тело кричит да! И душа тоже... Она лихорадочно одевалась, а хотелось ей раздеться.

— Марина! Я все-таки испачкал руки! — крикнул Михаил Петрович. — Чем их оттереть?

— Я сейчас!

Она вышла к нему. На ней были джинсы и легкая серая блуза. Она слегка подкрасила губы, и ей это шло. Ей все идет, этой чертовке!

— Видите, один стул еще не совсем просох.

— Ерунда, сейчас ототрем.

Она смочила тряпочку скипидаром и оттерла ему палец. Когда она подняла глаза, он прочел в них такое откровенное, такое страстное, мучительное желание, что у него захватило дух. Он взял ее руки в свои:

— Марина!

— Мы можем ехать, — с трудом, словно у нее пересохло во рту, проговорила она. — Я готова.

И он заметил, как под тонкой тканью явно обозначились соски. Он смотрел на них как зачарованный. Он знал, что сейчас произойдет то, что перевернет вверх дном его жизнь. Это начинается настоящая любовь...

— Что вы так смотрите? — прошептала она.

— Вы не носите лифчик? — не придумал он ничего умнее.

— Вас это шокирует?

— Меня это восхищает, но тут столько пуговиц...

Она рассмеялась каким-то грудным смехом и вдруг через голову сдернула блузку. Он даже зажмурился от красоты, явившейся ему.

— Ну что ты стоишь как пень? — донесся до его сознания ее хриплый шепот.

Первый раз в жизни женщине пришлось его торопить. Но второго раза не потребовалось.

Они лежали рядом и оба делали вид, что спят.

Господи, что я наделала? Я была как сумасшедшая, вела себя просто непристойно, но это было сильнее меня. Наверное, у меня запоздалое развитие, только в тридцать восемь лет понять по-настоящему, что такое мужчина... Это было прекрасно, наверное, лучше не бывает... Но все же так нельзя... Мы же ничего друг о друге не знаем... Он, конечно, бабник, да еще какой... Ну и что? Какое мне дело до других баб, если сейчас он со мной? А что же дальше? Я теперь без него не смогу. А какое блаженство просто лежать с ним рядом, от него так хорошо пахнет... В нем нет ничего неприятного, совсем ничего. Мне все в нем нравится... Со мной такого не бывало...

Она тихонько подвинулась к нему поближе. Он блаженно и сонно что-то промычал и обнял ее. Он чувствовал себя опустошенным и абсолютно счастливым. Но тут в блаженной полудреме ему вспомнилось предсказание «бзиканутой» ветеринарши. Мать умрет, а ребенка тебе оставит. А ведь мы не предохранялись, даже не вспомнили об этом... Может, конечно, у нее спираль или еще что-то, может, она успела проглотить таблетку, а я не заметил? Но этот вопрос надо прояснить. Иначе минуты спокойной не будет. Зачем мне сын без нее?

— Марина!

— Да...

— Милая моя, мы ведь не...

— Не волнуйся, все в порядке, я после Мишки не могу иметь детей.

— Откуда ты знаешь, что я хотел спросить?

— Обычное дело, мужчины всегда спохватываются, когда уже поздно!

Его словно ударили пучком крапивы. У нее такой богатый опыт?

— Отвернись, я встану!

— С чего это? — засмеялся он.

— Ну пожалуйста.

— Хорошо!

Она легко вскочила, накинула свой сарафанчик. Вскоре она вернулась с растерянным видом.

— Я думала, у меня там есть бутерброды...

— Марина, маленькая, прости меня, старую сволочь! Я их сожрал. Проснулся голодный как стая волков и пошел по дому в поисках пропитания. Ну и набрел на эти жалкие два бутерброда. Прости, любовь моя, я поступил как последняя скотина! Ты голодна?

— Не то слово!

— Тогда вставай, едем ужинать! Вот ни к мне не удается покормить тебя обедом. Зато мы поужинаем! Тебе обязательно сегодня возвращаться домой?

— А тебе?

— Я что-нибудь придумаю!

— Сейчас я ни о чем не могу говорить, я умираю с голоду!

Они опять расхохотались. Не слишком ли весело начался наш роман, подумала Марина. А впрочем, может, никакого романа и не будет. Откуда я знаю, что он завтра не сделает мне ручкой, прости, дорогая, все было чудесно, но у меня своя жизнь... Правда, непохоже, но кто его знает... Нет, я не хочу... Лучше сразу самой порвать с ним. Как говорят немцы, «Einmal ist keinmal — Один раз не считается», а главное — держать его подальше от Мишки, чтобы у ребенка не было дурацких надежд и иллюзий. Я ведь еще никого по-настоящему не любила, а так хочется... Мало ли что мне хочется! Да этого все хотят, все женщины по крайней мере, но ведь выпадает далеко не каждой. Нельзя забывать ни на секунду, что важнее Мишки нет для меня никого. Странно, что оба они Мишки...

— Ты о чем задумалась, маленькая?

— Да так...

Он привез ее в уютный загородный ресторанчик, где был однажды с каким-то приятелем.

— Я чувствую себя варваром, — смеясь, сказал Михаил Петрович. — Почти мародером. Сожрать последний бутерброд у любимой женщины... Ужасно. Но ты сама виновата. — Он так посмотрел на нее, что она вспыхнула и залилась краской. Он заметил это и умилился — Какая ты красивая, недаром я столько лет не мог тебя забыть... Марина, Марина, Марина... Знаешь, мне недавно один хороший человек сказал, что мою женщину обязательно должны звать Мариной.

— Почему?

— Потому что я занимаюсь морским правом.

— Он дурак, этот ваш хороший человек?

— Отнюдь! Просто он сохранил определенный романтизм. А ты что же, совсем неромантичная особа?

— Наверное, нет. Я слишком много раз видела, чем оборачивается романтизм...

— Ты во всем ищешь оборотную сторону? Сразу переворачиваешь доставшуюся медаль?

— Пожалуй, да.

— И сейчас? — спросил он с замиранием сердца.

— И сейчас, — жестко ответила Марина.

— И какая же оборотная сторона у нашей любви?

— Это не любовь, Михаил Петрович, это секс.

— Может быть, для тебя... — с горечью произнес он. — Но это поправимо. Ты полюбишь меня, я убежден. Я этого добьюсь. А я, да будет тебе известно, практически всегда добиваюсь своего.

— Вы и так уже добились...

— Ну если чуточку напрячь память, то нельзя будет сказать, что я был чересчур настойчив. Видишь, как я деликатно выражаюсь.

Она опять вспыхнула. Какая прелесть, думал он, она не слишком искушена в делах любви... И она ее боится. Да, да, именно боится любви. Обожглась, наверное... Ничего, я сумею с этим справиться.

Они накинулись на еду. Господи, думала Марина, он, как паук, плетет паутину из своего обаяния, а я, глупая муха, уже барахтаюсь и не могу вырваться... Нет, я вырвусь. Я обязательно вырвусь.

— Расскажи мне о себе, — попросил Михаил Петрович, когда они утолили первый голод. — Я хочу все о тебе знать...

— Зачем это? Чтобы нащупать уязвимые места?

— Господи боже мой, что за мысли! — огорчился он. — Ты разве не понимаешь, что когда любишь...

— Это когда любишь! — отрезала Марина.

— Ну что с тобой? Почему ты не веришь, что тебя можно любить? Я, наверное, полюбил тебя еще восемнадцать лет назад, с первого взгляда. Я все эти годы тебя помнил, если хочешь знать, я везде инстинктивно искал тебя, напоминания о тебе...

— Искал меня в бесконечном множестве других женщин?

— Отчасти это так, — улыбнулся он. — Известно же, что Дон Жуан всю жизнь находился в поисках идеала. Вероятно, и со мной так... А пять лет назад, например, я подобрал на улице кота, у которого точь-в-точь такие глаза!

Она грустно усмехнулась. Каждое его слово помимо ее воли проникало в душу. Так хотелось поверить, так тянуло к нему... Но нельзя, нельзя! Ничем хорошим это не кончится.

— Скажи, а кто тот человек, с которым ты была на свадьбе?

— А, Игорь...

— Он твой любовник?

— Да!

— Но ты его не любишь.

— Я этого не говорила!

— Не обязательно все говорить, достаточно было на вас посмотреть. Тебя что, мучает совесть, что ты ему изменила?

Вот уж ничуточки, подумала Марина. Но промолчала.

— Он тебе не подходит. Он ненадежный.

— С чего вы взяли?

— Ну вот, опять на «вы»! Не надо от меня отдаляться, Марина. Скажи лучше, мы сможем остаться вместе до утра?

— Нет, я не смогу...

— А ты позвони, объясни, что у тебя еще много дел, зачем лишний раз таскаться в город?

— Не могу, Мишка будет меня ждать...

— Он прекрасно уснет...

— Нет, и вообще, я устала.

— Тогда тем более нельзя ехать в город. Еще уснешь за рулем.

У него в кармане запищал мобильник. Он нахмурился:

— Алло!

— Миша, прости, что беспокою! — раздался голос Булавина. — Но у нас очередное ЧП. Наш сухогруз арестован в Марселе!

— О черт!

— Ты там небось со своей кралей, но уж извини, дело прежде всего.

— Но что я могу сделать ночью?

— Через три часа летишь нашим самолетом в Марсель!

— Спасибо! Чрезвычайно рад!

— Все понимаю, сочувствую, обещаю возместить свободные дни, но сейчас совсем нет времени. Ты где? Машину прислать?

— Да! Через час на дачу!

— О'кей!

— Любовь моя, прости, мне надо срочно вылетать в Марсель!

Слава богу, подумала Марина. Но ничего не сказала.

— Прости меня, родная, но...

— Что ж, я понимаю. Дело есть дело. Поехали скорее.

Она нисколько не расстроилась, с горечью подумал он. Но все его мысли были уже в Марселе. Он представлял себе, что там все может оказаться очень непростым.

Они молча доехали до дачи. Он поцеловал ее долгим, нежным поцелуем.

— Родная моя, я вернусь через несколько дней и... Может быть, за это время ты успеешь по мне соскучиться!

И, пересев в свой пораненный козлом автомобиль, он умчался. А Марина побрела в темный дом. На душе скребли кошки. Она проверила окна, привела в порядок постель, вымыла кружку, из которой пила кофе. Все это она делала машинально, в голове не было ни одной мысли. Так же машинально она заперла дом и села за руль. В машине пахло им... Она открыла окна и тронулась с места. Выехав на шоссе, набрала скорость, и вот уже от запаха не осталось и воспоминания. Все правильно. Был — и нету! Выветрился.

Михаил Петрович пробыл в Марселе четыре дня. В редкие свободные минуты он вспоминал Марину и чувствовал прилив сил. Он и на сей раз сумел уладить дело наилучшим образом. Это благодаря ей, она меня вдохновляет. Хотя за это время ни разу мне не приснилась. Надо купить ей какой-нибудь подарок, и мальчику тоже. Как у него блеснули глаза, когда он увидел ладью с викингами. Что бы такое купить ему здесь? Пожалуй, какой-нибудь парусник... Я в детстве обожал парусники! С моим маленьким тезкой все понятно, а вот что купить ей? Что-нибудь очень дорогое, красивое, какое-нибудь колечко... Нет, черт побери, она не носит никаких украшений... И может послать меня... К тому же еще, чего доброго, расценит такой подарок, как плату... Тьфу, глупости, она же умница и прекрасно понимает, что я влюблен в нее как... Странно, про женщин говорят «влюблена как кошка». А влюблен как кот... Ерунда какая-то. С кем же у нас сравнивают влюбленных мужчин? Не могу вспомнить. Говорят, влюблен как сумасшедший, влюблен по уши, как... как... Как кролик? Нет, трахается как кролик! Совсем не то. Хотя с ней я готов трахаться именно как кролик. Скорей бы увидеть ее, прижать к себе... Влюблен как... Как кто же? Маленькая Туська говорила про одного мальчика в первом классе, что он влюблен в нее «как дикий обезьян». Вот это точно, я влюблен в нее как дикий обезьян. Надо ей сказать, она засмеется, и на левой щеке обозначится ямочка, я хочу целовать эту ямочку... Что же все-таки ей подарить такое красивое и изящное... За несколько часов до отлета он пошел по магазинам. Купил Мишке роскошный парусник, а Марине бледно-зеленый шелковый шарф от «Эрме»...

Она наверняка сумеет оценить этот подарок. Надо только спрятать подарки в отдельный пакет и оставить в сейфе на работе. А то однажды с ним произошла идиотская история. Он привез одной даме, довольно полной, красивейшую блузку. Погода тогда была нелетная, он прилетел с большим опозданием, весь измочаленный, и просто рухнул в постель. А утром увидел эту блузку на теще! Оказалось, что Вика решила разобрать его чемодан и, обнаружив там кофту гораздо большего размера, чем ее, сообразила, что вещь предназначалась матери. Милейшая Нина Евгеньевна была немного смущена и даже как-то украдкой спросила: «Миша, ты уверен, что привез эту блузку именно мне?». Ему ничего другого не оставалось, как клятвенно заверить тещу в том, что конечно же он купил блузку для нее. Слава богу, сейчас уже нет нужды привозить из-за границы тряпки. Он вообще любил делать подарки, а теперь ему страшно понравилось радовать смешного маленького тезку. Он с восторженно блестящими глазами станет расспрашивать, как называется тот или иной парус, и Михаил Петрович сможет с полным знанием предмета все ему объяснить. Он в детстве даже сам мастерил парусники вместе с отцом. У них в квартире от этих парусников некуда было деваться. Мать с сестрой категорически отказывались стирать с них пыль, возложив эту докучную обязанность на мужчин. А когда отец заболел, все эти парусники пришлось продать, и хорошо еще, что нашелся покупатель, чудаковатый английский журналист. Тогда на эти деньги отцу покупали безумно дефицитные и дорогие лекарства. Но они не помогли. А чудаковатый англичанин потом женился на Линке. Прожили они всего два года и разошлись. Что там у них вышло, Михаил Петрович и по сей день не знал, Лина никогда не говорила об этом, а мать подозревала, что Сэм на поверку оказался гомосексуалистом.

Москва встретила его пронзительным холодом и дождем. Вот тебе и весна! Скоро лето, а холод собачий. Но, наверное, в такую погоду Марина не потащила сына на дачу. Значит, можно будет поехать с ней туда, там было так хорошо... От этих мыслей кружилась голова. Позвонить ей или нагрянуть без звонка, с подарками, как Дед Мороз? Марине надо еще купить цветов. Тогда она не сможет выставить меня, ей будет неудобно... Да, лучше без звонка!

Булавин был в отъезде, они связывались по телефону. Тот дал Михаилу Петровичу возможность отдохнуть недельку. «Если, конечно, не будет форс-мажора! Поезжай с женой на Кипр или еще куда, а хочешь, я ей скажу, что опять послал тебя в командировку, и ты отчалишь со своей неюной кралей?» «Я бы с радостью, но, боюсь, еще не время. Так что насчет отпуска поговорим потом!»

Покончив с делами на фирме, он позвонил домой и предупредил, что вернется поздно.

— Миша, что с твоей машиной? — спросила Вика. — На ней какие-то странные вмятины...

— Знаю, но откуда они взялись, понятия не имею, — с трудом сдерживая смех, ответил он. Кому же в голову взбредет, что «БМВ» пострадал от козла Мишки? — Ничего, я завтра займусь этим.

Он побрился у себя в кабинете и на всякий случай набрал номер Марины. А вдруг все-таки она на даче? Но трубку сняла нянька. Он, изменив голос, попросил Ивана Ивановича.

— Ошиблись номером, — буркнула нянька.

Лифт не работал. Он легко взбежал на третий этаж. Позвонил. Сердце билось где-то в горле.

— Кто там? — раздался нянькин голос.

— Михаил Петрович. Откройте, прошу вас!

Дверь приоткрылась.

— Это вы? — показалась голова Алюши..

— Добрый вечер, Александра Ивановна!

— А никого нету.

— Марина еще не пришла?

— Так уехала она.

— Уехала? — У него упало сердце. — Куда уехала?

— Так в Турцию.

— А Миша?

— И Миша. Из-за него и поехала. А вы, гляжу, с цветочками...

— Ох да, возьмите цветы, прошу вас!

— Да мне-то зачем?

— А мне что с ними делать?

— Жене свезите. Обрадуется небось.

— Скажите, Александра Ивановна... Ах да, у меня тут и для вас подарочек есть, вот, конфеты... очень вкусные... А это для Миши... — Он протянул старухе высокую коробку с парусником.

— Это чего?

— Подарок для мальчика. Поставьте к нему в комнату... Он приедет, обрадуется.

— Ишь, бедолага, всем подарочки привез, а никого нету. Ладно уж, заходи, чаем напою, если не побрезгуешь со старухой-то чай пить.

— Спасибо, — почему-то обрадовался он.

Она впустила его, взяла из рук подарки.

— Проходи на кухню, я сейчас. Есть хочешь или только чайку?

— Чайку, если можно.

— Можно, отчего ж нельзя, а вареньице употребляешь?

— Спасибо, с удовольствием.

— Вот тут вишневое и абрикосовое.

— А Марина какое любит?

Старуха внимательно на него взглянула и опять полезла в буфет:

— Вот! Марино любимое... Специально для нее делаю, деликатес!

Он понял, что сердце Алюши смягчилось.

— Крыжовник? Обожаю крыжовенное варенье!

— Да не просто крыжовник, а в каждую крыжовину вишня запихнута! Вот уж канитель так канитель, но мне на Марю никаких трудов не жалко.

— О, как вкусно! В жизни такого не пробовал! — искренне восхитился Михаил Петрович.

— Твоя жена такого не варит?

— Моя жена вообще варенья не варит. Теща, правда, варит, но на такое она не способна! Чудо! Царское варенье!

— Его так и зовут «Царское варенье»!

— А вы конфеты откройте, Александра Ивановна, я их во Франции для вас купил специально!

— Ишь ты, надо же, удостоилась на старости лет! — засмеялась она, но явно была очень довольна. — Я их лучше для Мишки припасу. Он приедет, тогда и откроем.

— Александра Ивановна, пожалуйста, эти конфеты для вас. А Мише я куплю любые, какие он захочет! Ешьте и не думайте прятать.

— Нешто и вправду попробовать? Ладно, уговорил. Ты, я гляжу, любого уговоришь. Вернее, любvю! Только смотри, я Марю в обиду не дам. Не погляжу, что ты мне конфеты привез, глазоньки-то выцарапаю, если Марю мою обидишь!

— Меньше всего на свете я хочу ее обидеть!

— А дети у тебя есть?

— Есть. Дочка. Ей уже двадцать три года. Замужем побывала, развелась.

— А внучков тебе не принесла?

— Нет пока.

— Сколько тебе годков-то?

— Пятьдесят один.

— Старый уж, а с виду не скажешь. Седина в бороду, выходит, а бес в ребро?

— Нет, Александра Ивановна, это не то... Мы с Мариной недавно познакомились, но я люблю ее уже много лет, даже сам не понимал, что это любовь...

— Это как же? — заинтересовалась старуха.

— Я ее впервые увидал восемнадцать лет назад. Увидал и на всю жизнь запомнил. Никогда не забывал... А тут случайно на чужой свадьбе встретил — и пропал... Совсем голову потерял... Видите, ничего от вас не скрываю.

— Ну и чего теперь? Какие твои намерения? Поматросить и бросить? — недобро прищурилась старуха.

— Да Бог с вами! Я люблю ее. Скажет она мне — брось все, я брошу!

— Ишь какой скорый! У тебя сколько жен-то было?

— Всего одна.

— Но баб наверняка немерено, и неизвестно еще, сколько детей по свету посеял...

— Ничего об этом не знаю, может, и есть где-то, но... — Он беспомощно развел руками. — Александра Ивановна, умоляю вас, расскажите мне о Марине! Я же почти ничего о ней не знаю, а хочу знать все...

Она смерила его долгим взглядом, отправила в рот французскую конфету и сказала:

— Я тебе только одно расскажу, ты тогда поймешь, какая она. Но это будет про меня... Потому что про другие дела я ничего говорить не стану.

— Я весь внимание.

— Жила я с мужем, хорошо ли, плохо ли, но жила, на заводе работала, квартира у нас была, сына рóстили, все как у людей. Сын вроде нормальный парень был, выпивал маленько, но не пьянствовал. Работящий, тихий, чего еще надо? Потом муж умер — на заводе покалечился, и вскорости прибрал его Господь. Это я теперь так говорю, я раньше ни в какого Бога не верила, нас так рóстили — нету Бога, и все тут. А видать, все же есть... Виталька, сын-то мой, женился, невестку в дом привел, сперва она мне глянулась, справная такая девка, все в руках горит, уважительная, мамой меня называла... А только, гляжу, Виталька мой выпивать начал, да уж не выпивать, а пить по-серьезному. Я тревогу подняла, а Светка-то, невестка моя, все говорит: ничего, мама, не страшно, он так расслабляется, очень тяжело жить стало, вот он и хочет забыться. Ну что долго говорить... Напился он однажды, подрался, да и убил человека спьяну... Ну, ясно, в тюрьму попал. Мы со Светкой жили с себя тянули, чтобы посылки ему таскать — одно, другое, третье... Потом в колонию его отправили. А тут завод наш встал. Зарплату не платят, живи как хошь... Вот однажды Светка мне и говорит, она как раз к Витальке в колонию съездила: мама, если дать хорошую взятку, Витальке срок скостят, сперва на химию переведут, а потом уж и вчистую отпустят, у него убийство-то непредумышленное было... А где ж денег-то на взятку добыть, спрашиваю? Она и говорит: квартиру давайте продадим, у меня уж и покупатель есть. А где ж, говорю, сами-то жить будем? Вы к сестре в деревню езжайте, там и поживете пока. В деревне и без зарплаты с голоду не помрешь. А я у брата пока поживу. Не то без мужика в доме мы скоро ножки протянем. Теперь-то понимаю, что дурость это все была, моя дурость, да ее подлость... А еще Виталька из колонии пишет: «Выручайте, помру я тут...» Ну и согласилась я квартиру продать. Светка все на себя взяла, с покупателем договорилась, за справками носилась, я ей доверенность подписала. Короче, продала она квартиру — да с деньгами и смылась. Виталька в колонии, я на улице... Поехала к сестре в деревню. Прожила у нее две недели, а она возьми и помри, язва у ней прободилась. А племяннички мои меня и выставили. Езжай, мол, откуда приехала. Денег на дорогу до Москвы дали, и все. Приехала я, дура старая, вышла на Комсомольскую площадь, а куда идти — один Бог знает. Решила все ж таки на завод свой податься, но там все глухо. Товарку свою бывшую, Татьяну, нашла, а у той у самой дела хуже некуда. Ночь я у ней переночевала, а утром она и говорит: одна тебе, Алюша, дорога. В домработницы. Ребятенка чужого нянчить. При нем и жить будешь, и кормиться... А у меня, у дуры, такое мнение было — на чужих работать вроде как зазорно. Рабочая, видите ли, гордость. Но кушать-то хочется, на вокзале ночевать я уж стара, да и вообще, хоть все и плохо, а помирать неохота еще. И вот иду я по улице, смотрю — скверик, села на лавочку, а на другой лавочке женщина, бледная, худая, замученная, но одетая хорошо, во всем заграничном, дорогом, ребятенка малого перепеленывает. И вот как Боженька мне что-то шепнул... Я к этой женщине обратилась. Зачем, мол, ребенка на сквере пеленаешь? А она мне: оставить его не с кем, а пить-есть надо, продукты в Москве не так просто купить, вот и приходится с собой таскать. А он уж все пеленки прописал. Я говорю: ты одна, что ли, живешь? Одна, отвечает. Ну я храбрости набралась и говорю: хочешь в няньки к тебе пойду, только за кров и пропитание? И рассказываю ей, что со мной приключилось. Она меня с улицы взяла, ребенка доверила, да еще и деньги платить стала, как облегчение вышло. Потом, как сменяла свою квартиру и мужнину вот на эту, комнату мне выделила, прописала... Вот с тех пор и нет у меня никого дороже. А сына моего в лагере убили... Вот такая история. Теперь понимаешь, почему я за Марю с Мишкой глотку кому хошь перегрызу?

— Да, досталось вам...

— Маря вот меня хотела тоже в Турцию взять, чтобы я на старости лет море увидела... Да тяжело мне уж в чужие страны-то кататься. И потом, квартиру бросать боязно.

— Но Марина не говорила, что собирается в Турцию, она вроде бы на дачу переехать хотела.

— Докторша наша, Инна Николаевна, посоветовала Мишке к морю поехать после ангины-то...

— А куда в Турцию они поехали?

— Не знаю я.

Тут зазвонил телефон. Алюша схватила трубку:

— Алло! Слушаю! А, Игорек, здравствуй, здравствуй. Все в порядке, ни в чем не нуждаюсь, спасибо тебе. Да не знаю! Ладно, а ты чего сам ей не позвонишь? Ну ладно. До свидания. Вот Игорек тоже интересуется, куда именно Маря уехала. А разве я запомню эти турецкие названия?

У Михаила Петровича стало легче на душе. Значит, она там без своего Игоря, вдвоем с Мишкой... Но где ее искать? Хотя зачем искать, она же явно этого не хочет. Если бы хотела, позвонила бы мне на мобильник, сказала бы, что уезжает...

А Марина в это время сидела на балконе отеля и думала, что, наверное, все сделала правильно. И Мишке полезно пожить у моря, и она приведет в порядок нервы перед тяжелой работой, которая ей предстоит... А может, лучше отказаться под каким-нибудь благовидным предлогом? Порекомендовать им, например, Ольгу Колышкину. Классный декоратор! Ведь иначе я буду вновь и вновь сталкиваться с ним. При одной только мысли о нем по телу пробегала дрожь... Я боюсь его, боюсь себя, когда я с ним...

— Мам, я есть хочу! — явился на балкон Мишка. Всего третий день мы тут, а у него уже совсем другой вид! Я очень правильно поступила, приехав сюда. Главное для меня — Мишка!

— Господи, немедленно в ванную, посмотри, на кого ты похож!

— Ну мам, я есть хочу!

— Мишка, без разговоров, чем дольше будешь препираться, тем позже поужинаешь! Я не желаю появляться на люди с такой чумазой мордой.

— Так это ж не твоя морда чумазая!

— А по-твоему, твоя морда — не моя морда? Чужая, да? Рядовой Зимин, разговорчики в строю! Шагом марш!

— Есть!

Мишка исчез в ванной. В дверь постучали. Она вздрогнула. Они еще не успели обзавестись знакомыми. Неужто он меня нашел? Она распахнула дверь. На пороге стоял Сева с большим пластиковым пакетом в руках.

— Боже мой! Откуда ты? — обрадовалась Марина.

— Маришечка, золотце мое, я знал, что ты всегда мне рада! На этом свете немного людей радуются мне...

Очередная любовная драма, поняла Марина, нежно обнимая старого, верного друга.

— Но как ты меня нашел?

— О, кто ищет, тот всегда найдет, это с детства моя любимая песенка! Я искал, мне хотелось излить тебе душу, вот я и нашел...

— Тебе Алюша сказала? — насторожилась Марина.

— Брось, твоя Алюша золотая старуха, однако насчет турецких отелей крайне непросвещенна. Крайне! Но я же знаю, Маришечка, каким турагентством ты пользуешься! В ванной плеск, там отмывается наш маленький принц?

— Да, весь выгваздался... А где ты остановился?

— Натурально тут же, только на другом этаже. Скажи, ты мне рада?

— Я тебе очень, очень рада!

— Я привез вам с Мишкой подарки. Там есть вкусности, и красивости, и ароматности!

— Вкусности и ароматности — это более или менее понятно, — засмеялась Марина, — а вот   асивости...

— Посмотришь потом, я разрешаю. Вы еще не ужинали, надеюсь?

— Собираемся!

— Тогда припрячь подарки, а то Мишка налопается конфет перед ужином.

Едва Марина успела спрятать подарки в шкаф, как из ванной выскочил Мишка:

— Сева! Откуда ты? Вот здорово, что ты приехал! Будешь учить меня плавать баттерфляем, ты зимой обещал!

— Я всегда выполняю свои обещания, не то что некоторые, — тихо добавил он.

После дня, проведенного на море и плотного, вкусного ужина, Мишка буквально рухнул. Марина даже не успела распаковать подарки, как он уже спал. А они с Севой сели на балконе — выпить джину с тоником.

— Маришечка, я хотел рассказать тебе об очередном любовном разочаровании, но вижу, тебе тоже есть о чем мне рассказать. Кто он?

— Господи, Севка, как ты догадался?

— Ласточка моя, это несложно... У тебя стали такие глаза... И потом, все самцы провожали тебя недвусмысленными взглядами... Они же сразу чуют, что у женщины кто-то есть, и слетаются как мухи на мед.

— А я ничего не заметила.

— Маришечка, кто он? Достойный претендент или такой же никудышник, как твой Игорек?

— Севочка, я не знаю...

— Ты от него сюда сбежала?

— Ну в общем, да. Ладно, бог с ним. Расскажи, что у тебя стряслось? Почему ты с Лазурного Берега махнул в Турцию?

— Ах, Маришечка, он оказался совершенным негодяем... Я столько для него сделал, а он... Нашел себе итальянского барона, ему, видите ли, хотелось иметь дело с титулованной особой!

— А ты не сказал ему, что ты сам из князей?

— Ах, кто нынче в России не из князей? К тому же этот барон давал ему кататься на своем «Порше». Я был безумно несчастен! Даже хотел покончить с собой, но потом подумал: у меня есть любимая подруга, она нуждается еще в моей помощи. И я не могу быть таким эгоистом... Вот если ты найдешь надежного мужчину, тогда я сочту себя свободным...

— Прекрати эти глупости! Ты всегда мне будешь нужен! Ты умеешь появиться именно тогда, когда это необходимо. И вообще, я не знаю никого лучше тебя!

— Тогда расскажи, кто твой объект? Он красив?

— Не знаю... Но очень хорош. — Заговорив о Михаиле Петровиче, Марина вдруг поняла, что ей безумно хочется говорить о нем. И она рассказала старому другу все.

— Знаешь, Маришечка, в этой истории есть известное изящество, — задумчиво произнес он. — Какая-то несовременная поэтичность и в то же время некая обреченность...

— Обреченность? Почему? Потому что он женат?

Сева грустно покачал головой:

— О, я обожаю тебя, Маришечка, но ты, пожалуй, чересчур... как бы это поизящнее выразиться...

146

Как говорят французы, тер-а-тер... У тебя слишком конкретный и неромантический склад ума. Говоря об обреченности, я имел в виду, что вы обречены друг на друга... Это, что называется, божественное предопределение. И мне знаешь что еще понравилось? История с котом, у которого якобы твои глаза... Очаровательная деталь! Слушай, я хочу с ним познакомиться.

— Это еще зачем?

— Маришечка, ты думаешь, я стану отбивать у тебя любовника?

— Да ты что, мне такое и в голову не приходило, — рассердилась Марина.

— Ну и слава всевышнему! Я хочу понять, что он за человек, ты же знаешь, я хорошо разбираюсь в людях!

— Оно и видно, — проворчала Марина.

— Ты не дала договорить! Я хорошо разбираюсь в людях, когда дело не касается моей любви. Влюбляясь, я, как всякий тонко чувствующий человек, теряю голову.

— По-моему, ты слишком часто ее теряешь.

— Что делать, такова моя природа, я влюбчив. А вот про тебя этого не скажешь. Но на этот раз твои чувства все-таки сильно задеты. Я не прав?

— К сожалению, прав. Но ничего хорошего это не сулит, и я решила, что лучше держаться от него подальше.

— Позволь, а как же твоя работа?

— Я подумываю предложить им вместо себя Колышкину.

— Только через мой труп! Я не позволю тебе сделать такую чудовищную глупость. Колышкина без-

147

вкусна и вульгарна. К тому же она истеричка. Я отказался от этой работы только в твою пользу, а не в пользу какой-то Колышкиной. Не смей даже думать, иначе нанесешь мне смертельное оскорбление. Ты сделаешь эту работу. В конце концов, если не захочешь иметь дело с этим типусом, скажи ему об этом прямо, и все. Он же цивилизованный, интеллигентный человек, насколько я понял, к тому же тонко чувствующий.

— Ладно, там будет видно, а пока у меня еще почти десять дней свободы! И я хочу насладиться жизнью!

— Вот это правильно, жизнью надо наслаждаться всегда, несмотря ни на что!

Михаил Петрович был расстроен. Марина сбежала. Она, конечно, вернется, но ведь не скоро, а ему хотелось видеть ее сейчас, сию минуту. Можно, наверное, обратиться к Гусеву. Она безусловно предупредила его о своем отъезде и, возможно, даже сообщила, куда именно едет, но очень не хотелось посвящать этого Данилу-мастера в такие подробности своей жизни. Придется набраться терпения и жить надеждой. Надежда! Поеду-ка я сейчас к Надюшке, давно собирался, но то одно, то другое, давно пора узнать, не беременна ли она, а то мало ли что... С предсказаниями «бзиканутой» надо быть осторожным. Он купил шампанского, белого шоколаду и цветов. Попытался дозвониться, но у нее было все время занято. Одинокая женщина обожала поболтать по телефону. Значит, она дома. Поеду без звонка. Хотя он всегда думал, что лучше бы этого не делать. Но Надюша открыла ему и расцвела:

— Миша! Какой сюрприз! Куда ты пропал?

Как хорошо, что есть место, где тебе всегда рады, подумал он. Женщина без фанаберий — это утешает.

— Жаль только, ты не предупредил, у меня в холодильнике пусто. Ну ничего, чем-нибудь я тебя все-таки накормлю. Садись, рассказывай, что новенького, как дела? Выглядишь неважно, устал, да? — Она обняла его, поцеловала. Это было неинтересно, совсем неинтересно. К тому же у ее поцелуя был вкус мятной жвачки. Он испугался этих своих ощущений. Раньше ему все нравилось в Наде. Неужто он так отравлен этой зеленоглазой ведьмой? Нет, дудки, не позволю ломать мне кайф!

— Надюша, а давай мы куда-нибудь сходим поужинаем.

— Поужинаем? — опешила она. — С чего это вдруг? Мы же никогда никуда не ходили?

— Так почему бы не нарушить эту традицию? Я давно уж думал, отчего мы с тобой нигде не бываем?

— Миша, что с тобой случилось?

— Почему ты так реагируешь? Я думал, ты обрадуешься.

— Я обрадовалась. Но удивилась. Хорошо, я сейчас переоденусь, и пойдем. Ты на машине?

— Нет. Я только сегодня прилетел из Марселя.

— И сразу ко мне? Я тронута.

Что-то в ее тоне не нравилось ему. Легкая ирония, что ли.

— Одевайся поскорее, я есть хочу.

— А куда мы пойдем?

— Да тут неподалеку я видел ресторан, кажется, «Синяя птица».

— «Синий фламинго»? Отвратное заведение.

— Хорошо, давай поедем куда-нибудь в другое место.

— Миша, а может, все-таки останемся дома? Я что-нибудь приготовлю, я так соскучилась...

Но мысль остаться сейчас с Надей, то есть неизбежно лечь с ней в постель, вдруг испугала его. При таком настроении я могу оконфузиться. Я ее совершенно не хочу.

— Да нет, поедем, я тут как-то был в ресторане «Шинок», прелестное местечко. Там посреди зала, как бы за окошками хаты, настоящий скотный дворик, живые куры, козы, индюки, и даже корова!

— Какая гадость!

— Почему гадость? — удивился Михаил Петрович.

— Там, наверное, воняет навозом!

— Да боже упаси! Чистота идеальная! И очень вкусно кормят.

— Я не хочу ужинать с видом на коровьи лепешки!

— Хорошо, поедем в другое место, — раздраженно ответил он.

— А чего ты злишься? Сам не знаешь, зачем приехал, да? И срываешь на мне зло? Вот что, Миша, иди-ка ты к чертям собачьим!

Теперь опешил он.

— Что ты сказала? — переспросил Михаил Петрович, не веря своим ушам.

— Что слышал! Иди к чертям собачьим!

— Надя, что с тобой?

— Мне надоело, Миша, просто осточертело быть идеальной любовницей. Не хочу больше.

— Надя, ты беременна? — осенило его.

— Ничего я не беременна! Я просто хочу нормальной жизни.

— У тебя появился кто-то другой?

— А хоть бы и так! Имею право!

— Ну безусловно. Я даже рад этому. По крайней мере, моя совесть будет чиста. Повторяю, я очень за тебя рад. Ну в таком случае я пойду...

— Но ты же умирал с голоду!

— Ну и что? Тоже мне проблема. Зайду в первый попавшийся ресторан и поем. Слава богу, в Москве сейчас ресторанов более чем достаточно. А может, все-таки сходим вместе, отметим начало твоей новой жизни?

Она растерялась. Видимо, ожидала от него другой реакции.

— Да нет, не нужно. Не ходили мы никуда, не стоит и начинать. Я только дам тебе совет, Миша. Когда ты заведешь себе новую любовницу, хоть изредка води ее куда-нибудь, иначе ваши отношения просто задохнутся. Любви, даже самой преданной, все-таки нужен воздух.

— Ты, наверное, права. Извини меня, если можешь, но ты ведь никогда об этом не говорила. Я просто не думал... Извини. Я искренне желаю тебе счастья. До свидания, Надя. Мне было хорошо с тобой.

Он ушел. А Надя разрыдалась. Да, у нее появился другой мужчина, он предложил ей руку и сердце, и она приняла его предложение... Но любила-то она Мишу! А он просто и искренне пожелал ей счастья... И кажется, даже вздохнул с облегчением. Мерзавец! Сколько лет я на него потратила, а он, скотина, мне счастья желает... Вот если б он начал орать, даже если бы ударил меня, тогда я прогнала бы Эдика, а теперь, назло Мишке, выйду замуж и буду счастлива! И рожу сына! Он все огорчался, что

151

у него нет сына, но никогда даже не подумал, что я смогу родить ему... Наверное, надо было родить, тогда бы он приполз ко мне. Но что может быть омерзительнее, вот так ловить мужчину... К тому же это еще никому не приносило счастья. А я вот рожу от Эдика и буду счастлива, назло всем. Может, он еще пожалеет обо мне... Неужели он никогда меня не любил? Да он, скорее всего, вообще не умеет любить. Ну ничего, он сейчас в таком возрасте, когда влюбляются в молодых. Очень желаю ему безнадежно влюбиться и страдать от нелюбви, ревности и бессилия... А я еще молодая, у меня все впереди!

Как странно, в душе не было ни обиды, ни горечи, только облегчение. Баба с возу... А ведь она права, наши отношения действительно задохнулись в безвоздушном пространстве. Она умная женщина, а я, конечно, изрядная скотина. Ну что ж, надеюсь, она меня простит. Я хочу только одну женщину в мире. И еще хочу есть. Он зашел в первый попавшийся ресторанчик, что-то съел, увидел там высокую, статную блондинку, которая теоретически должна была бы ему понравиться, и она посмотрела на него зазывным взглядом, а он отвернулся. Если уж «мисс Универсум» меня не завела, что говорить об этой... Нет, надо ехать домой, к жене. Дома есть еще и Сидор, хоть посмотрю в его зеленые глаза... Он усмехнулся, вспомнив, как удивилась нянька, когда красавица Клипсидра вдруг вскочила к нему на колени и начала ласться и мурлыкать...

— Ну надо же! Никогда она к чужим не ласкается, первый раз такое, видать, мужика в тебе почуяла...

152

Он взял такси и поехал домой. Войдя на участок, с удовольствием вдохнул свежий воздух. Завалюсь сейчас спать, может, приснится Марина...

— Наконец-то! Где тебя носит? — недовольным тоном спросила Вика. — И почему ты отключил телефон?

— Просто забыл его зарядить. Извини. Замотался страшно.

— Ужинать будешь?

— Нет, спасибо, я поел в кафе.

— И теперь у тебя будет изжога.

— Почему? Там вполне прилично кормили. Почему обязательно надо ждать какой-то гадости от жизни, что за позиция?

— О, ты уже раздражен, желчь разливается после твоего приличного кафе.

— У меня не разливается желчь, — медленно закипая, проговорил Михаил Петрович. — Я, по-твоему, желчный старик, да?

— Слушай, отстань, а? Я хочу посмотреть телевизор!

— А где Сидор?

— Дрыхнет в Туськиной комнате. Он теперь ее занял.

— А как Туська?

— Со мной не разговаривает.

— Господи, вам обеим не надоело? — поморщился он. — Ладно, я завтра с ней сам поговорю! А где Нина Евгеньевна?

— Уехала в Москву, у ее подружки юбилей, они вместе пекут пироги. Слушай, иди спать, ты не в настроении, а я хочу телевизор посмотреть, можешь ты это понять?

— Вполне! Спокойной ночи.

Вика не ответила. Он пошел в спальню. Там по-прежнему пахло отвратительными новыми духами. Ей совершенно наплевать на меня, что ли? Ведь это такая мелочь — поменять духи. Ну что ж, тем лучше! Он взял пижаму, халат, тапочки и пошел наверх, в Туськину комнату. Там на кровати свернулся клубочком Сидор.

— Привет, старик, придется потесниться.

Кот открыл свои хрустальные глаза, выгнулся и замурлыкал. Михаил Петрович почесал пушистое полосатое пузо. Сидор весь извертелся от восторга. Вот Сидор мне действительно рад. Когда Михаил Петрович лег, Сидор устроился рядом, глядя на любимого хозяина Марининами глазами.

— Хочешь, старик, жениться на Клипсидре, а? Красивая, зараза!

Мяу, ответил кот.

— Хочешь? Вот и умница. Попробую тебе это устроить.

Утром он сперва не сообразил, где проснулся, потом все вспомнил. И первым чувством было огромное облегчение от разрыва с Надей. Выходит, я давно тяготился этими отношениями, но не отдавал себе в этом отчета. Теперь я уже наполовину свободен.

Он встал и тихонько вышел на лестницу. Похоже, Вика еще спит. Он спустился и вышел в сад, чтобы совершить утреннюю пробежку. Когда он вернулся, на крыльце стояла Вика.

— Привет! — сказал он.

— Что это за демонстрация? Почему ты ушел спать к Туське?

— Потому что меня тошнит от твоих духов, я уже говорил! Только и всего.

— Может, тебя и от меня тошнит? — недобро прищурилась Вика.

— Смени духи, и все будет нормально, — пожал он плечами.

— Не понимаю, раньше ты никогда не обращал внимания на духи. Это смахивает на капризы беременных женщин.

— Поскольку я не женщина, то вряд ли это следствие беременности. Извини, я хочу принять душ.

— Завтракать будешь?

— Естественно.

Когда он вышел на веранду, Вика сидела за столом, причесанная, одетая, подкрашенная.

— Ты едешь в город? — спросил он.

— Да, а ты?

— Пока нет, вероятно, поеду позже, надо дождаться звонка. Налей мне кофе.

Они завтракали молча.

— Мишка, ты что, влюбился? — неожиданно спросила Вика.

— Я? Влюбился? Что за чепуха?

— Да ладно, я же тебя знаю! У тебя делается такой отсутствующий взгляд... Интересно только в кого, а Надюшу что, побоку?

— Что? — опешил он. — О чем ты говоришь?

— Неужто ты настолько наивен, что полагаешь, будто я не знаю, что у тебя есть Надюша? Она меня вполне устраивала. Интеллигентная, чистенькая, приличная, скромная. То, что надо, одним словом!

Он сидел как громом пораженный.

— А теперь я несколько обеспокоена. Кто там у тебя завелся? Она хотя бы здорова? Ты уверен, что у нее нет СПИДа? Где ты ее добыл?

— Господи, Вика, ты с ума сошла!

— Слушай, давай покончим с враньем, а? Я все про тебя знаю, ну, может, что-то упустила, но в основном... Не веришь? Хорошо! Я просто назову имена. Кроме Надюши была еще Лиза, переводчица, Лариса, художница, Нина, певичка, Маргарита, скромная учительница, Дагмара, журналистка... Хватит или еще назвать?

— Ты что же, частного детектива нанимала за мной следить?

— Господи, зачем? У меня свои методы.

Он смотрел на нее с ненавистью, она на него — с презрением.

— И, зная все это, ты продолжала жить со мной как ни в чем не бывало?

— Но ведь и ты, блядуя с ними со всеми, продолжал жить со мной как ни в чем не бывало!

— Скажи, пожалуйста, а зачем ты собирала все эти сведения, а?

— Чтобы быть в курсе, чтобы знать, чего ждать от той или иной связи...

— А тогда для чего ты мне сейчас все это рассказала?

— Чтобы ты не тешил себя иллюзиями... Я ведь все равно узнаю.

— Неужели ты не чувствуешь, что, пытаясь унизить меня, ты чудовищно унижаешь саму себя? Ты вообще стала удивительно грубой душевно...

— С тобой огрубеешь!

— Ну так ушла бы от меня, в чем проблема? Дочка взрослая. Если все так ужасно, то зачем? Из-за денег? Ты думала, я перестал бы давать тебе деньги, или... Я не понимаю!

— А представить себе, что я тебя любила, ты не можешь?

— Ну почему же? Я тоже тебя любил, мы прожили вместе бог знает сколько лет, и хорошо ведь прожили, по крайней мере, я так считал до сегодняшнего дня.

— Ничего себе! А все эти бесконечные бабы?

— Это не в счет!

— Да? А Надя, с которой ты валандался лет семь? Тоже не в счет?

— А ты сама-то не изменяла мне?

— Нет!

— Не поверю!

— Это твои проблемы.

— Предположим. Но что же теперь? Для чего этот разговор? Хочешь развестись? Изволь. Я возражать не буду. После всего этого жить вместе невозможно, по-моему!

— Как бы не так! Я для того и завела разговор, чтобы ты понял: развод тебе не светит! Хоть бы ты умирал от любви! Блядуй сколько хочешь, но семью не трогай.

— Ты называешь это семьей?

Он вышел и хлопнул дверью.

Вика пожала плечами и допила свой кофе.

Никуда он не денется. Повозмущается, а потом еще будет извиняться. Он слишком большой сибарит, чтобы ломать привычную, удобную жизнь.

— Мам, а что такое «голубой»?

Марина вздрогнула.

— Голубой? Это цвет, можно подумать, ты не знаешь.

— Про цвет я как раз знаю. А когда про человека говорят, что он «голубой», это плохо?

— Кто и про кого говорит?

— Ну я на пляже слышал, какие-то тетки сказали про Севу, что он очень красивый, но, к сожалению, «голубой».

— А, это они имели в виду, что он... незагорелый.

— А почему они сказали «к сожалению»?

— Потому что с загаром Сева был бы еще красивее.

— Мама, ты считаешь меня полным дураком?

— То есть?

— «Голубой» — это что-то плохое, я знаю, я по телику тоже это слышал.

— Глупости. Помнишь мультфильм «Голубой щенок»? Что ж тут плохого? Голубой небосвод... Крутится-вертится шар голубой...

— Мама! Это нечестно!

— Мишка, ну я правда не знаю.

— Хорошо, тогда я спрошу у Севы...

— Еще не хватало!

— Тогда объясни ты.

Марина задумалась. Кажется, придется ему объяснить, но, так сказать, в щадящем режиме.

— Ладно. Только обещай, что никому ничего не скажешь!

— Клянусь Клипсидрой!

— Это серьезно. Тогда слушай. Ты знаешь, что такое любовь?

— Конечно! Это когда люди влюбляются друг в дружку.

— Правильно. Но обычные мужчины влюбляются в женщин, а «голубые» — в мужчин.

— И все?

— И все.

— Тогда я, значит, тоже «голубой».

— Что? — ошалела Марина. — Что ты сказал?

— Значит, я тоже «голубой», потому что я влюбился в дядю Мишу.

— Господи ты боже мой, Мишка, ну что ты несешь!

— Нет, правда, он такой клевый! Знаешь, он мне про свои путешествия рассказывал... Если бы ты слышала! И карточки показывал. Он там был со страусом, с термитами...

— Как — с термитами?

— Ну снялся на фоне термитника.

— А!

— И еще с жирафами... А на Амазонке он видел даже анаконду и сказал, что здорово испугался, потому что ему показалось, что она какая-то бесконечная... Когда мужчина признаётся, что он чего-то испугался, значит, он действительно храбрый и умный. А такие, которые говорят, что ничего не боятся, они вруны и хвастунишки.

— Ты сам до этого додумался? — погладила по голове сынишку Марина.

— Нет, мне так Сева объяснил.

— Понятно.

— Мам, а тебе дядя Миша нисколечко не нравится?

— Да нет, он, кажется, неплохой... — дрогнувшим голосом ответила Марина. Черт бы побрал этого героя-путешественника — уже успел приворожить мальчишку. Ну ничего, я вовремя слиняла...

— Ма, а он еще к нам придет?

— Поживем — увидим!

Марина уже знала от Алюши, что он приходил, принес какие-то подарки, но сыну решила этого не говорить, а то все оставшееся время он будет думать об этом мачо. А может, все-таки прав Сева и в нашей встрече есть какое-то предопределение?

— Мам, пошли на пляж!

— Иду!

Марина сидела под зонтиком, Мишка с какой-то девочкой строил замок из песка. Тут она заметила Севу, он как раз выходил из воды. Какая жалость, подумала Марина, такой мужик пропадает. Красивый, умный, талантливый, добрый, и вот пожалуйста — «голубой». Сколько женщин мечтает о принце, а принц достанется не им. Обидно за нашу сестру, черт побери. То же самое она ощущала в юности, когда смотрела старые фильмы с Жаном Маре.

— Маришечка, о чем ты думаешь? — подошел к ней Сева.

— Да ни о чем, просто расслабляюсь. Вода теплая?

— Двадцать градусов.

— Нормально. Значит, и Мишке можно купаться. Хорошо, черт возьми. Сидишь, ничего не делаешь, ни о чем не думаешь, все тебе подают...

— Но долго ты так не выдержишь, я ж тебя знаю.

— Да ну, в Москве сейчас столько проблем навалится...

— Даже больше, чем ты можешь себе представить.

— Ты о чем?

— О том, что тебе не будут давать проходу мужики.

— Брось!

— Нет-нет, ты ведь не замечаешь, как они на тебя облизываются. Ты очаровательная женщина, но в последние годы как-то потухла, а сейчас в тебе зажегся этот огонек — и они слетаются как мухи на мед. Здесь-то свободных мужиков не так много, а что начнется в Москве! Хотя и здесь... Вон смотри, роскошный экземпляр движется к тебе, как ледокол к полюсу!

— Где?

— Да вон!

Но «ледокол» проплыл мимо. Это был смуглолицый красавец лет двадцати пяти.

— Севочка, ты меня любишь и явно переоцениваешь!

— Как же мне не любить тебя, Маришечка? Я вот в глубочайшем унынии примчался к тебе, не прошло и недели, я выздоровел, и все благодаря твоей нежности. У тебя чудесная, нежная душа. Только это мало кто понимает. Всех вводит в заблуждение холодный взгляд. Они не знают, что это защитная маска, мимикрия... И я высоко ценю твоего нового воздыхателя, или как ты сама его определяешь, за то, что он сумел все это в тебе разглядеть.

— А может, он разглядел во мне что-то совершенно другое? — засмеялась Марина.

— Может быть... Может быть...

— Севочка, я иду купаться!

— Иди, я пригляжу за Мишкой.

В первое мгновение вода показалась холодной, но уже через минуту Марина с наслаждением плыла сначала кролем, а потом перевернулась на спину.

Когда-то в юности она занималась плаванием и даже имела разряд. Ах, как хорошо, солнце пригревает, оно еще незлое, и море освежает, не то что в прошлом году на Крите. Там был просто ад! Да еще это кошмарное путешествие в пещеру Зевса, по загаженной ослами узкой и скользкой горной тропе... Она такого страху натерпелась, что и вспоминать противно. Мишка, правда, был в восторге. Хорошо, что он тут познакомился с детьми и целыми днями играет на воздухе. А вечером падает в постель и засыпает. У него уже совсем другой вид, загорел, поправился, глазки блестят. Маленький мой... Марина перевернулась и поплыла к берегу. Нашла взглядом Севу. Он стоял и разговаривал с каким-то мужчиной, а рядом вертелся Мишка. Кадрится Севка, что ли? И вдруг у нее екнуло сердце. Мужчина, с которым разговаривал Сева, был до ужаса похож на Михаила Петровича. Глюки, решила она. Откуда ему тут взяться? Просто я влюблена, и он уже всюду мне мерещится. Вот так же было, когда я влюбилась в Питера. Он тоже всюду мне мерещился... Ну и что хорошего из этого вышло? Но она не успела докончить свою мысль. Сева махал ей рукой: иди, мол, скорее. А Мишка бросился к ней с криком:

— Мама, мама, дядя Миша приехал!

У нее сжалось сердце и заболел живот. Неужели он все-таки меня нашел?

— Мама! Ну скорее же! — вопил Мишка.

А Михаил Петрович стоял как вкопанный. Он даже шага навстречу ей не сделал. Мишка уже тащил ее за руку.

— Михаил Петрович, вы смотрите на нее как на Афродиту, выходящую из пены морской. Ох, а ведь

162

она Марина, морская... Как я мог не подумать об этом раньше, море и в самом деле ее стихия!

«Голубой» он, что ли? — как сквозь дымку пробилась мысль. Но он тут же забыл обо всем. Шагнул к ней:

— Марина, я приехал... Я не мог...

— Как вы меня нашли?

— С трудом, но это неважно...

Под взглядом Мишки и Севы они не могли кинуться друг другу в объятия.

Но Мишка с Севой куда-то исчезли.

— Марина, родная моя... — Он погладил ее по щеке. — Что ты со мной сделала, почему исчезла?

— Я испугалась...

— Меня?

— Себя.

— Я хочу тебя обнять, а тут так много народу... Пойдем куда-нибудь...

И хотя ей безумно хотелось остаться с ним наедине, но материнские чувства оказались сильнее.

— А где же Мишка?

— Его увел этот красавец... Он «голубой», что ли?

— Да, это мой лучший друг.

— Я сперва чуть не умер от ревности, когда Мишка нас познакомил. Боже мой, как я счастлив тебя видеть... Дай хотя бы руку.

— Где ты остановился?

— Здесь же...

— Как хорошо...

— Ты вся дрожишь... Замерзла?

— Нет...

— Это из-за меня?

— Да.

— Господи, что же делать?

Он поднял с лежака полотенце и набросил ей на плечи.

Они сели рядышком на лежак, боясь даже придвинуться друг к другу.

— Марина, я хочу быть с тобой... Нет, ты не думай, всегда быть с тобой, как говорится, в горе и в радости, понимаешь?

— Нет.

— Давай поженимся!

— Как это?

— Обыкновенно... Я разведусь с женой, и мы поженимся, я люблю тебя, я это отчетливо понял, вся моя прошлая жизнь оказалась трухой... Я так больше не хочу... Ты согласна, скажи мне.

— Но мы же ничего друг о друге не знаем... Это странно...

— Что ты хочешь знать? Спрашивай, я расскажу... А Мишка так меня встретил, он просто визжал от радости... Знаешь, я всегда мечтал о сыне, я буду хорошим отцом...

— Миша, на тебе случайно не семейные трусы? — внезапно спросила она.

Он вытаращил глаза.

— Что?

— Ты можешь снять брюки?

— Господи, зачем? — перепугался он.

— Пойдем в море, я хочу тебя поцеловать.

Он с облегчением расхохотался. Обнял ее, прижал к себе.

— Я люблю тебя больше всего на свете.

— Не надо...

— Почему?

— Это все так скоропалительно, мне страшно...

— Ничего не надо бояться. И еще... Мишке нужен отец, мужчина рядом, он скоро станет совсем большой.

— Я не знаю... Он для меня все... Я, наверное, не смогу... Я так давно живу одна... И вообще, я плохая жена... Я люблю свою работу...

— Да на здоровье! Люби все, что ты любила раньше, и еще люби меня.

— Я, кажется, уже...

— Что?

— Люблю, — еле слышно прошептала Марина.

Они по-прежнему сидели рядышком на лежаке, и уже миновал момент, когда обоим казалось, что сейчас они взорвутся от страсти. Просто они и так ощущали себя единым целым.

— Мама! Сева сказал, что пора уходить с пляжа, а то вы сгорите!

— Да-да! — спохватилась Марина. — Михаил Петрович, идемте, уже очень жарко становится...

— Я даже не искупался... Впрочем, неважно, еще успею.

— Дядя Миша, а вы в пинг-понг играете?

— Играю. Не очень классно, но пристойно.

— Сразимся?

— Ну ты, наверное, чемпион!

— Нет, но играю, говорят, нехило! У вас своя ракетка есть?

— Откуда? Я не собирался играть!

— Тут клевые ракетки дают! Идемте прямо сейчас!

Михаил Петрович беспомощно посмотрел на Марину. Она улыбалась.

— Годится, тезка! Пошли! А то мама наверняка будет принимать душ, наводить красоту, в общем, заниматься скучными женскими делами, а мы с тобой пока сыграем.

Они ушли. К Марине сразу подошел Сева, деликатно державшийся в сторонке:

— Маришечка, я одобряю! Великолепный экземпляр!

— Севка!

— Да нет, ты не так поняла. Просто он мне понравился. Он тебе подходит!

— Он предложил мне выйти за него замуж...

— Он не женат разве?

— Женат, конечно.

— Ах, с другой стороны, кому и чему это когда-нибудь мешало? Женат — разведется. А ты, кстати, тоже не разведена. Но разве это имеет значение? Поживите пока вместе. Зачем спешить с регистрацией? Может, через полгода вы возненавидите друг друга... Хотя не думаю, в вас есть что-то, не знаю даже, как поизящнее выразиться... что-то общее, что-то очень гармоничное, что ли. Вы замечательно сочетаетесь внешне при полном несходстве красок, изумительно дополняете друг друга. Впрочем, я еще успею проверить свое мнение... ты ведь не станешь сторониться меня в его присутствии?

— Севка, что ты несешь? Когда я тебя сторонилась?

— А тебе еще никто не намекал, что Мишку лучше держать от меня подальше? — с горечью спросил Сева.

— Намекали, ну и что? Мне на это глубоко плевать!

— Ты настоящий друг, Маришечка, и я хочу, чтобы ты знала: Мишка мне как родной сын, а ты как сестра.

— Севочка, я знаю. Не надо ничего объяснять, поверь, я считаю тебя лучшим другом, да ерунда, не считаю, а ты и есть мой лучший друг.

— Маришечка, я бы с удовольствием увез куданибудь на денек Мишку, но боюсь, тут могут пойти разговоры, ты же понимаешь... зачем зря подставляться... Тебя могут не понять.

— Не в этом дело, — улыбнулась Марина, — просто Мишку сейчас не оторвешь от...

— Не очень удобно, когда оба Мишки, да? Называй старшего Майклом, и дело с концом.

— Вот еще!

— Ты пойдешь за него замуж?

— Сева, я ничего не знаю, я чувствую себя так странно... Все настолько неожиданно...

— Да почему неожиданно? Я, например, был уверен, что он тебя разыщет, Мишка мне все уши прожужжал, какой это герой-путешественник...

— Меня пугает эта Мишкина восторженность, я не хочу, чтобы он разочаровался.

— А сама разочарований не боишься?

— Еще как боюсь! Я вообще вдруг поняла, что у меня сейчас самое сильное чувство — страх!

— Ну, Маришечка, волков бояться — в лес не ходить. Ты доверяешь моей интуиции?

Она молча кивнула.

— Мне кажется, что все у тебя с ним будет прекрасно, просто великолепно, в нем есть что-то настоящее, по крайней мере, мне так показалось по первому впечатлению. Ну хватит болтать, иди приведи себя в порядок, скоро обед, Мишка, наверное, уже умирает с голоду.

Марина медленно побрела к себе в номер. Невероятно, даже поверить трудно, что Михаил Петрович, Миша, здесь, в этом отеле, что в любой момент я могу увидеть его, подойти, прижаться, услышать его запах... И не только здесь, в Турции, но и вообще... Выйти за него замуж, наконец... А хочу ли я этого? Хотеть хочу, но главное для меня — хорошо ли это будет для Мишки? Не избалует ли он ребенка, чтобы завоевать его? Это же самый простой и даже примитивный способ — завалить подарками, тем более что денег у него, по-видимому, достаточно... И вообще... Он же все-таки чужой... Я совсем его не знаю. Он так легко расстается с женой из-за нескольких встреч с совершенно чужой женщиной. Или он не ощущает меня чужой? По его словам, он все эти годы меня помнил, даже кота завел с моими глазами... Это забавно...

Она, как всегда, думала стоя под душем, потом вытерлась и хотела одеться, но тут в дверь постучали. Она накинула халатик.

— Мам, открой!

Она распахнула дверь. За Мишкиной спиной стоял Михаил Петрович.

— Ой, я не одета, простите! — Она поймала на себе его взгляд, такой жадный и откровенный, что у нее закружилась голова и ослабли ноги.

— Мама, дядя Миша сказал, что я классно играю в пинг-понг, правда, дядя Миша?

— Истинная правда, у него зверская подача!

— Ну и кто выиграл?

— Два-два! Мы бы еще сыграли, но пришел Сева и сказал, что пора обедать! А ты еще не одета!

168

— Марина, я доставил вам сына... Вы позволите мне за обедом присоединиться к вам?

— Ну разумеется, не сидеть же вам одному.

— Вам четверти часа хватит, чтобы собраться?

— За глаза! — закричал Мишка. — Мама вообще все быстро делает!

— А ваш номер далеко? — охрипшим голосом осведомилась Марина.

— Нет, по коридору налево и за угол, триста шестнадцать. Но я за вами зайду, можно?

— Да, спасибо.

Он ушел.

— Мам, ты знаешь, он, оказывается, привез мне из Марселя парусник! Угадай, как он называется?

— Откуда ж мне знать?

— Ну мама, подумай, па-рус-ник из Мар-се-ля, тебе это ни о чем не говорит?

— О чем мне это должно говорить, не понимаю!

— Мам, ты что, забыла? Кто жил в Марселе?

— Мишка, ну не помню я, сдаюсь!

— В Марселе жил Эдмон Дантес! А парусник как называется?

— О господи, «Фараон», что ли?

— Наконец-то!

— Подумаешь, велика важность забыть «Графа Монте-Кристо»!

— Мам, а ты рада, что дядя Миша приехал?

— Главное, что ты рад.

— Нет, скажи, ты рада?

— Ну, в общем, да...

— Мам, он клевый! Мне кажется, мой папа был такой...

Марина промолчала, только потрепала сына по волосам и чмокнула в макушку.

— Мам, дядя Миша обещал покатать меня на яхте, если ты разрешить. Ты разрешаешь?

— Что он еще тебе обещал?

— Съездить в аквапарк, прокатиться на банане! — восторженно докладывал Мишка.

— На банане ты уже катался с Севой.

— Ну и что? Сева не в счет! С ним неинтересно.

— Не выдумывай, ты же был в восторге.

— А с дядей Мишей я буду в офигительном восторге, понимаешь?

О господи, он уже совершенно околдовал мальчишку. С этим надо что-то делать.

— Я, кажется, сваляла грандиозного дурака, мама.

— Ты о чем, Вика? — рассеянно отозвалась Нина Евгеньевна, занятая огромным сканвордом. Она чувствовала, что дочь чем-то озабочена, но сама задавать вопросы не хотела. Теперь Вика наконец созрела для разговора.

— Мишка опять влюбился, и, боюсь, на сей раз это может плохо кончиться...

— И кто эта женщина?

— В том-то и беда, что я пока не выяснила. Рано или поздно я, конечно, все узнаю, но боюсь, как бы не было слишком поздно...

— По-твоему, на сей раз это серьезно?

— Боюсь, что да... И к тому же я сделала страшную глупость, я сказала ему, что знаю обо всех его прежних бабах...

— Вика, ты сошла с ума! — огорченно сжав пальцами виски, простонала Нина Евгеньевна. — Разве можно говорить мужчине такие вещи? А ты что, действительно знала обо всех его бабах?

— Представь себе!

— Но зачем тебе это было нужно? Ты что, собирала о них сведения?

— Можно сказать и так, — криво усмехнулась Вика. — Надо всегда знать противника, понимать, с кем имеешь дело и чего можно ожидать от той или иной бабы. Между прочим, именно благодаря этому мы прожили столько лет!

— Господи, Вика, но ведь это ужасно! К тому же ты тоже не образец супружеской верности, отнюдь.

— Ну и что? А по-твоему, я могла бы выдержать эту жизнь? Я бы давно превратилась в полоумную истеричку. А так я знала: он мне изменяет — я ему. Но все эти мужики были мне не больно-то нужны, я всегда любила этого мерзавца, и теперь еще люблю, но сейчас мне страшно, мама. Я растерялась... Он куда-то уехал, вероятно с ней, но куда, я пока не узнала...

— Вика, перестань! Не надо ничего узнавать, не надо! Ты, конечно, чудовищно сглупила, признавшись ему... Скажи на милость, а тебе бы понравилось, если б ты вдруг узнала, что за тобой много лет вели слежку? Отвратительно, недостойно! Мне за тебя стыдно!

— Ах, мама, это все интеллигентское чистоплюйство, у жизни свои законы, и довольно суровые.

— Брось, это старая ошибка — цель далеко не всегда оправдывает средства! Я понимаю, ответить ударом на удар — тут есть определенная логика, но устанавливать слежку за мужем гнусно, а уж сообщать ему об этом — просто верх идиотизма! И Миша будет совершенно прав, если уйдет от тебя! Он, несмотря на свои похождения, хороший, порядочный человек, в конце концов, все мужчины полигамны, но то, что сделала ты... Непростительно!

— Мама, что непростительно, хотелось бы понять, то, что я, как говорится, держала всегда руку на пульсе, или то, что ему об этом сказала?

— Первое — низость, второе — глупость, и ваш брак обречен.

— Это мы еще посмотрим! В конце концов, он всегда возвращался ко мне от всех своих баб, это ведь так удобно — иметь хорошо налаженный дом, крепкую семью, уверена — никуда он не денется! Не такой уж он охотник до смены жен, иначе не прожил бы со мной двадцать семь лет. А теперь ему уже пятьдесят один, опасный возраст, если начнутся передряги с разводом, с разделом имущества, а уж тут я ни копейки не уступлю, то его запросто может хватить инфаркт, и он останется в семье, кому он, больной, нужен...

— Господи помилуй, Вика, во что ты превратилась? Подумай, что ты несешь? Мне стыдно за тебя, за себя, я, старая идиотка, всегда считала ваш брак удачным. Это не брак, это катастрофа, настоящая катастрофа! Ах, Вика, я в отчаянии!

— Брось, мама, это все слова, слова, слова, как говорил Гамлет, а суть в том, что у меня не выдержали нервы и я проболталась. Хоть ты меня не мучай, а то Туська от меня воротит нос, муж куда-то смылся, если еще и ты...

— Что касается Туськи, я целиком на ее стороне, ты вела себя с ней грубо и бестактно...

— Замолчи, мама, сию минуту замолчи! Выходит, я одна во всем виновата, а вы все святые, одна я дура, а вы умные. Конечно, осуждать легко, а помочь никто не хочет, вот покончу с собой, будете знать! Горючими слезами обольетесь! Этот старый кобель бросит вас без копейки, уйдет к молодой сучке — и привет! Идеальный папочка, идеальный зятек! Вы еще увидите, какой он идеальный! Ты бы слышала, что он мне на прощание крикнул, этот интеллигент хренов!

— Интересно, что уж такое он мог сказать, чтобы тебя так поразило? Ты же сама обожаешь крепкие выражения.

— Ты хочешь знать? Изволь! Он пихнул меня и заорал: «Я не знал, что всю жизнь прожил с такой паскудой!» Лучше б он меня просто обматерил, а то словечко какое выбрал... Мама, ты что?

Нина Евгеньевна корчилась от смеха.

— Мама, в чем дело?

— Вика, ты помнишь «Будденброков»? Там Пер-манедер на прощание обозвал Тони паскудой... И она была фрапирована! Но то Любек девятнадцатого века, а это Москва двадцать первого... Ну ты меня насмешила!

— От твоих литературных реминисценций можно спятить, и всегда в самый неподходящий момент!

— Наоборот, ты уже улыбаешься, значит, момент самый подходящий. Вика, девочка, у тебя же всегда хватало ума и чувства юмора, что с тобой на этот раз стряслось?

— Не знаю, наверное, я просто выдохлась...
Сколько можно терпеть?

— Хочешь, дам тебе совет?

— Интересно какой?

— Достаточно примитивный! Уйди от него первая!

— Так он вроде уже ушел...

— Не думаю. Это был порыв гнева, как говорится. Он остынет, неизвестно ведь, есть у него другая женщина или он просто куда-то скрылся, чтобы тебе насолить...

— И что?

— Он вернется, вот увидишь, а тут ты ему и скажешь: так, мол, и так, давай разведемся поскорее.

— А если он согласится?

— Тогда, по крайней мере, ты сохранишь лицо, развод произойдет вроде как по твоей инициативе. Он упоминал о разводе?

— Пока нет.

— Вот видишь. Ты рано впала в истерику. Все еще, может, утрясется, хотя, если честно, я бы предпочла, чтобы вы разошлись. Это уже будет не жизнь. Подумай обо всем, деточка. Ты еще красивая женщина, может, и устроишь свою жизнь заново, вон Георгий все время тебе звонит, он крупный ученый, твой ровесник, моложе Миши. Думаю, если бы ты захотела, уехала бы с ним в Америку на годик-другой, переменила жизнь... Поздние браки со старой любовью бывают весьма удачными...

— Мама, ты его видела?

— Видела! Милый человек, с хорошим лицом, его немножко привести в божеский вид, приодеть, и будет еще вполне импозантный мужчина, в таких делах многое зависит от женщины. И если у Миши не случится так называемой великой любви, то, думаю, он обязательно к тебе вернется, если ты будешь правильно себя вести.

— Правильно — это как?

— Достойно, интеллигентно, без этих кошмарных идей о разделе имущества, без воплей «копейки не уступлю!», чтобы у него превалирующим чувством было не отвращение, а уважение и даже, может быть, благодарность за столь неожиданную для него в этой ситуации простоту неприятной процедуры...

— Значит, ты считаешь наш развод чем-то неизбежным?

— На мой взгляд, Вика, единственное, что способно сохранить ваш брак, это быстрый и безболезненный развод.

— Мама, ты обожаешь парадоксы! — поморщилась Вика, хотя понимала, что мать кое в чем права. — И ты думаешь, он сам не станет делить имущество?

— Убеждена, он все оставит тебе и Туське! Разве что машину свою заберет. Ну еще, возможно, Сидора.

— Ну, положим, Сидора я ему не отдам! Ох, мама, какая же я дура!

— В чем дело?

— Я, кажется, поняла...

— Что ты поняла? Вика, не молчи, что ты такое поняла?

— Кажется, я поняла, кто эта баба! Я сама ему ее показала! Помнишь, мы ездили на свадьбу? Вот там он ее и встретил...

— Очередная блондинка под два метра ростом?

— Отнюдь. Среднего роста брюнетка с глазами точь-в-точь как у Сидора...

Михаил Петрович проснулся один в своем номере с ощущением абсолютного незамутненного счастья, какое бывало только в детстве, в первое утро летних каникул, когда впереди целых три месяца свободы. За окном светило солнце, плескалось море, а в номере неподалеку спала самая лучшая в мире женщина и ее маленький сын...

Вчера вечером, когда Мишка лег спать, Михаил Петрович дрожащим от страсти голосом спросил:

— Ну теперь ты сможешь пойти ко мне?

Она покачала головой:

— Нет. Я его одного не оставляю.

— Но он же спит!

— А если проснется? Испугается чего-то, а меня рядом не будет.

— Но он же большой мальчик!

— Все равно. Я слишком хорошо помню, как страшно было в детстве просыпаться одной... Какие только ужасы в голову не лезли...

— А почему ты просыпалась одна?

— Потому что моей маме было наплевать на меня и мои страхи, потому что она превыше всего ставила свои собственные удовольствия и развлечения. Я так не могу. Прости.

— Мне не за что тебя прощать, я уважаю твои материнские чувства, хотя мальчика надо воспитывать по-другому, наверное.

— По-другому я не умею.

— И что же, мы никогда не сможем здесь побыть наедине? — замирая от огорчения, спросил он.

— Ну почему же, утром Мишка носится с другими детьми, они же тут все под присмотром... Да и Сева...

— Он славный, этот Сева, только мне его почему-то жалко, он производит впечатление бесконечно одинокого человека. Он тебе очень дорог, да?

— Он мой лучший друг.

— А подруги у тебя есть?

— Практически нет, была одна очень близкая подруга, она умерла несколько лет назад, другая живет в Аргентине, а так... есть, конечно, приятельницы... А у тебя много друзей?

— Трудно сказать. В последние десять лет жизни всех разбросало. Один мой близкий друг живет в Австрии, другой в Америке... Я очень много работаю, есть коллеги, с которыми приятно проводить время, есть приятели, с которыми я пускаюсь в путешествия, хотя их, пожалуй, можно считать друзьями...

Они сидели вдвоем на балконе, в комнате мирно спал Мишка.

— Марина, ты так и не ответила мне, ты выйдешь за меня замуж?

— Зачем так спешить, мы же не знаем друг друга. И потом, я не разведена, это довольно сложно сделать...

— Я тоже еще не разведен, но разве это имеет значение? Мы же можем быть... можем жить вместе. Давай попробуем?

Помолчав, она ответила:

— Я не имею права на такие пробы, я же не одна. Если у нас с тобой ничего не получится, мы оба это переживем, а для Мишки это будет страшная травма, он и так уже заявил мне, что ты самый клевый и, наверное, его папа был именно таким...

У Михаила Петровича к горлу подступил комок.

— А я всегда мечтал о таком сыне, так почему у нас должно что-то не получиться, Марина?

— Черт его знает, а может, и в самом деле получится? — тихо проговорила она.

И вот сейчас, утром, жизнь казалась ему безоблачно прекрасной. Часа через два, после завтрака, Марина обещала прийти к нему, и при мысли об этом у него замирало сердце и сладко сосало под ложечкой, не говоря уж о других, чисто мужских ощущениях.

Он вскочил, решив, что пробежку тут стоит заменить хорошим заплывом. На пляже в этот ранний час было еще безлюдно. Он с наслаждением бросился в воду, по-утреннему гладкую и чистую, распугивая стаи мелких рыбешек. Ах, хорошо! Кто бы мог подумать, у меня все рухнуло, впереди еще полная неопределенность, а я, как идиот, радуюсь жизни, солнышку, морю, свободе... А может, самое из всего этого ценное — свобода? Может, стоит понаслаждаться ею подольше? Но зачем мне свобода без Марины? И без Мишки? Нет, это любовь... Та самая поздняя любовь, когда седина в бороду и все прочие банальности... Перед Викой моя совесть теперь чиста как стеклышко, протертое специальным составом, который на днях рекламировали по телевизору. «Смотрите на мир новыми глазами!» Вот я смотрю и вижу... Севу. На берегу стоял Сева и, похоже, поджидал его.

— Привет! — помахал ему Михаил Петрович.
— С добрым утром! Как вода?
— Отлично! Очень бодрит!
— Михаил Петрович, можно вас на два слова?
— Ну разумеется!

— Михаил Петрович, я уезжаю, а Маришечка еще спит, не хочу ее тревожить. Думал оставить ей записку у портье, но вот увидел вас...

— Вы уезжаете так внезапно? Что-то случилось? Может, я могу чем-то помочь?

— Можете. Будьте внимательны к Марине и к мальчику, не заставляйте их страдать. Хотя я уверен, вы хороший человек, может быть, именно тот, кто им нужен, они очень одиноки.

— А вы, часом, не из-за меня решили уехать?

— О нет, просто благодаря вашему приезду я смогу осуществить свою давнюю задумку... Я не хотел бросать Маришечку одну... Но коль скоро вы здесь...

— Не волнуйтесь, Всеволод Александрович, я о них позабочусь. Хотя мне жаль, что вы уезжаете, и Марина наверняка огорчится.

— Еще два слова: Михаил Петрович... Марина мне призналась вчера, что вы хотите жениться на ней...

— Мечтаю!

— А если все у вас сладится, вы не станете возражать против нашей с ней дружбы?

— Помилуйте, Всеволод Александрович, я же цивилизованный человек, — воскликнул Михаил Петрович, — у меня нет на этот счет никаких предрассудков!

— Спасибо, Марина очень много для меня значит...

— Как и вы для нее, я уж это понял.

Они обменялись крепким рукопожатием. И Сева быстро ушел.

— О господи, Миша, это ты?

Он оглянулся. Перед ним стояла близкая приятельница его жены.

— Танечка, какими судьбами?

— До чего ж я рада тебя видеть! А Викуша тоже здесь? Или ты тут греховодничаешь?

— Именно! Именно греховодничаю! А потому надеюсь на твое молчание!

— О, мое молчание дорого стоит, Мишенька!

— И сколько же?

— Надо подумать, чтобы не продешевить! Но предварительно хочу взглянуть на даму сердца. Впрочем, что это я, дамой сердца у тебя всегда была и остается Вика, а тут дамы совсем другой части тела, да?

Ему вдруг стал нестерпимо противен этот разговор, этот тон, никогда прежде не раздражавший его, а сейчас вызвавший приступ мутной тошноты, и он резко сказал:

— Танечка, твои труды будут напрасны, я ушел от Вики, я здесь с будущей женой и сыном, так что... Извини, мне пора, рад был повидаться!

Он поспешно ушел. Вот и все! Корабли сожжены! Не сомневаюсь, что через полчаса Вика уже будет знать все. Ну не через полчаса — через полтора. Вполне возможно, Вика примчится сюда. О господи, все было так хорошо, и вот вам пожалуйста... Хотя в последнее время Татьяна редко виделась с Викой, у них там вышло какое-то недоразумение... Может быть, она и не станет звонить Вике... Или, наоборот, поспешит известить подругу о нависшей над ней опасности... Хотя нет, я ведь так определенно сказал, что ушел от Вики, собираюсь жениться... И еще о сыне... Она может решить, что Мишка и вправду мой сын. Черт побери, а какое мне, собственно, дело, кто там что решит? Я хочу, чтобы

Мишка был моим сыном, и плевать мне на все остальное с высокого дерева. Какое у нас там самое высокое дерево, кажется, гигантская секвойя? Так вот, плевал я на все с гигантской секвойи!

И, очень довольный принятым решением, он побежал к себе. Бреясь перед зеркалом в ванной, он думал: все-таки не зря меня называют везунчиком. Разве не фантастическое везение встретить женщину, которую не мог забыть целых восемнадцать лет, и встретить подряд три раза! Это же истинная неизбежность! Не обрати Вика мое внимание на женщину с Сидоровыми глазами там, на свадьбе, я встретил бы ее на следующий день на дороге, и уж точно узнал бы, а если допустить, что и в тот раз тоже прозевал бы ее, то уж на фирме куда ей было от меня деться? Надо, кстати, ей это объяснить...

И еще повезло, что Надюша меня послала... И что у Марины есть сын... Неужели в пятьдесят лет можно чувствовать себя таким же счастливым, как в двадцать? Оказывается, можно, еще как можно!

А вот Марине в это утро было страшно. Она тоже ощущала и понимала, что в их встрече есть что-то фатальное, хотя вообще не любила этих слов... А еще боялась резких перемен в жизни. Дважды она резко меняла свою жизнь, и оба раза ей приходилось тяжко. Бог любит троицу, что ли? Да нет, я просто сумасшедшая, о чем я думаю? Видела мужика всего несколько раз, переспала с ним, потому что нестерпимо захотелось, и все, хватит. Да он, скорее всего, и сам уж отказался от своей безумной затеи или же откажется, когда еще разок со мной переспит. Успокоится и одумается... А как же я? Что я? Я же не хочу выходить замуж, менять свою жизнь... Или хочу? Хочу, очень хочу, но страшно боюсь. Ведь именно от страха перед ним я сюда и сбежала, а он меня нашел... Кстати, интересно, как он меня нашел? Сева действовал через турфирму, а этот как? Этот... Никакой он не этот! Миша, Мишенька, как хочется прижаться к нему, поцеловать... Господи, что со мной? Я забыла эти ощущения... Но мне еще рано их забывать, мне только тридцать восемь... Как эта гадина Нора сказала: самый трахучий возраст... Тьфу, даже вспоминать противно!

— Мама, я проснулся! Привет!

— Привет! Выспался?

— Ага! А дядя Миша еще не приходил?

— Он, наверное, спит без задних ног, твой дядя Миша, — засмеялась Марина.

— Да ты что! Он сказал, что встает рано, бегает... Я тоже хочу бегать!

— Бегай, кто тебе мешает, но для этого сначала надо встать!

— Уже встал!

— Встал, тогда беги!

— Куда? К дяде Мише?

— Да нет, пока в ванную, завтракать пора, я есть хочу, умираю!

— А дядя Миша?

— При чем тут дядя Миша? Мы что, без дяди Миши уже и позавтракать не можем?

— Можем, но не хочем!

— Мишка, что это за «не хочем»?

— Мам, ну я же нарочно, так наш дворник Унуков говорит...

— Ну если дворник!

Мишка помчался в ванную, а Марина вышла на балкон, глянула вниз и сразу увидела Михаила Петровича. Он стоял и смотрел на их балкон. Заметив Марину, расплылся в улыбке и помахал ей. Мамочки, что же это со мной творится... Она сделала ему знак подняться, он просиял. Через две минуты она уже открыла ему дверь.

— С добрым утром, любовь моя, — шепнул он.

В этот момент Мишка выскочил из ванной:

— О, дядя Миша! С добрым утром! А мама говорила, вы еще спите!

— Нет, что ты, я уже плавал минут сорок! Да, Марина, Сева просил передать вам записку, он уехал...

— Уехал? С чего это вдруг? — Она развернула записку: «Маришечка, дорогая, прости за внезапный отъезд, так получилось, но оставляю тебя, как мне кажется, в надежных руках. Поверь моей интуиции, это то, что тебе нужно. Я еду в Рим и в Венецию, на днях позвоню. Нежно целую, твой Сева». Ничего не понимаю, он никуда не собирался. Он вам ничего не объяснил?

— Нет.

— Вы его ничем не обидели?

— Боже сохрани, с какой стати?

— Дядя Миша, я тоже хочу по утрам с вами бегать! Мама не возражает.

— И я не возражаю! — радостно засмеялся Михаил Петрович. — Только здесь я не бегаю, а плаваю.

— Я могу и плавать с вами!

— Договорились!

— Ну все, идемте завтракать, — прервала их разговор Марина.

— Миша, только у меня одно условие, — выйдя в коридор, заявил Михаил Петрович. — Утренние заплывы требуют много энергии, поэтому ты должен мне обещать, что будешь спать после обеда.

У Мишки вытянулось лицо.

— Мама меня не заставляет...

— Дело твое, — с улыбкой пожал плечами Михаил Петрович.

— Я все равно не засну!

— Поплаваешь сорок минут без остановки, еще как заснешь! Весь отель своим храпом перебудишь.

Марина с трудом сдерживала смех. Она прекрасно поняла маневр любовника. Совершенно ясно, что отделаться от Мишки после завтрака — дело абсолютно безнадежное. А два часа после обеда будут в их распоряжении... И Мишке не обидно... Молодец!

Действительно, Мишка как приклеенный ходил за старшим тезкой, даже на Марину они почти не обращали внимания, лишь иногда она ловила на себе полный обожания взгляд Михаила Петровича, и всякий раз сердце у нее обрывалось от восторга пополам со страхом. Она сидела под тентом, читала какой-то журнал, совершенно ничего не понимая...

— Простите, ради бога, — обратилась к ней пожилая симпатичная женщина, расположившаяся в шезлонге рядом с ее лежаком, — я просто не могу налюбоваться вашим сыном и мужем. Им так хорошо вместе!

Марина в ответ только улыбнулась.

— Мальчик у вас очаровательный. Вылитый отец.

Марина опять улыбнулась. Посмотрела на сына и вдруг тоже заметила определенное сходство. Надо же, действительно есть что-то общее... Волосы, например, правда, Михаил Петрович седой, а Мишка по-детски белокурый, даже линия подбородка похожа... Чего только не бывает на свете...

— Мам, ты почему не купаешься? Жарко же, идем скорее!

После обеда Михаил Петрович твердо сказал:

— Миша, спать!

— Как — спать? Почему? Я же сегодня не плавал с утра! Я не пойду, не желаю!

— Дело хозяйское, но завтра никаких заплывов!

— Дядя Миша, это нечестно!

— Кто обещал не капризничать, вести себя по-мужски?

— Я, — тяжело вздохнул Мишка. — А вы тоже спать будете?

— Взрослым спать вредно, они от этого толстеют! Мы с мамой пойдем погуляем. Вечером мама тебя одного не оставляет, а днем вполне можешь поспать в одиночестве. Ты же мужик!

— Ладно, — опять тяжело вздохнув, согласился Мишка. — А читать можно, если я не засну?

— Читать можно, но лежа в постели, раздетым, иначе отдых неполноценный!

— А Инна Николаевна говорит, что читать в постели вредно!

— Это наш детский врач, — тихо объяснила Марина.

— Надо же, а я всю жизнь читаю лежа, иначе какой кайф? — огорчился Михаил Петрович. — Можешь тихонько включить телевизор, но я думаю, ты будешь спать без задних ног!

— Это мы еще посмотрим!

Под присмотром матери и Михаила Петровича Мишка разделся и юркнул в постель.

— Отдыхай, друг!

Они вышли в коридор. Там было пусто. Он схватил ее за руку и повел. У Марины подкашивались ноги. Он взял ее на руки.

— Что ты делаешь?

— Как что? Ношу тебя на руках, а что еще делать с любимой женщиной?

— Можно придумать что-то еще, — еле слышно прошептала она.

— Я уже придумал.

ЧАСТЬ ВТОРАЯ

Они второй месяц жили вместе, одной семьей. Михаил Петрович переехал к Марине. Вопреки ожиданиям, Виктория Антоновна приняла это достаточно легко.

— Я подумала, Миша, что, пожалуй, так будет лучше, видимо, наш брак действительно себя изжил, но давай сохраним все же человеческие отношения. Как-никак двадцать семь лет прожито, дочка у нас...

— Господи, Вика, я так тебе благодарен! Я, разумеется, все оставлю.

— Миша, бери все, что считаешь нужным.

— Я возьму только машину, конечно же свои книги, зачем тебе юридическая библиотека, правда? И еще я хотел бы взять Сидора!

— Ради бога!

— Спасибо, Вика.

Он смотрел на нее с удивлением. Что это с ней? Ему вдруг почудился какой-то подвох за этим олимпийским спокойствием жены, но, впрочем, она же все-таки интеллигентная женщина из хорошей семьи, и такое поведение куда больше пристало ей, чем вульгарные скандалы и мелочные дрязги. Видимо, она справилась со своей ревностью, толкавшей ее на неблаговидные поступки и разговоры. Тут, конечно, не обошлось без влияния милейшей

Нины Евгеньевны. Ну что ж, в очередной раз спасибо ей.

— Миша, ты очень торопишься с разводом?

— Да нет, никакой спешки, мы еще поговорим об этом.

— Видишь ли, я сама хотела бы поскорее развестись, у меня есть кое-какие планы...

— Замечательно! В таком случае немедленно займемся этим.

Сидор влюбился в Клипсидру с первого взгляда. Но она и близко его к себе не подпускала, била лапой по морде, шипела, и вообще, чувствовала себя оскорбленной вторжением этого чужака. Зато Михаила Петровича она всячески привечала, сразу признав в нем главу семьи. Сидор ревновал хозяина к этой зазнайке со странными ушами. А еще ему очень понравилась Алюша. От нее всегда так вкусно пахло, она никогда не забывала его покормить, не проходила мимо, не приласкав, и говорила приятным, уютным голосом: «Ну надо же, какой хороший кот! Весь в хозяина, а глазки совсем как у Мари нашей!» И чесала за ухом. Да и вообще, если бы не эта заморская нахалка с такой восхитительно гладкой шерсткой, ему бы жилось неплохо. На участке здесь было куда вольготнее, чем на прежней даче, и в спальню его тут пускали... В общем, жить можно, если бы еще хозяин почаще с ним разговаривал и чесал пузо. Остальные почему-то чесали за ухом, а хозяину, видимо, не приходило в голову объяснить им...

Михаилу Петровичу старая дача тоже нравилась гораздо больше элегантного дома в элегантном саду. И тесная спальня, где у кровати на полу лежал трогательный деревенский половичок, напоминавший детство.

Каждое утро они с Мариной вместе ездили на работу, а вечером вместе возвращались. Она со страстью рассказывала ему все, что произошло за день. Он даже не всегда вникал в смысл ее слов, просто наслаждался тем, что рядом сидит любимая женщина, которая спешит поделиться с ним своими заботами. А на даче их встречал Мишка, которого Михаил Петрович полюбил всей душой.

— Михаил Петрович, скажи мне, старина, — спросил как-то Булавин, — ты что же, теперь из бонвиванов перешел в стан примерных мужей? Надолго ли?

— Надеюсь, до конца моих дней.

— О, это серьезно! Знаешь, смотрю на тебя и даже завидую, это, выходит, любовь? Вот не думал, что ты на такое способен, друже, преклоняюсь. Она, правда, интересная женщина, ничего не скажешь, рад за тебя, душевно рад. Ты и вообще-то жизнерадостный тип, а сейчас и вовсе... Молодец, одно слово!

Мишка был просто на седьмом небе! Ну еще бы, в доме появился настоящий мужчина, путешественник, можно сказать, герой, который знает столько интересных вещей и может объяснить все на свете. Они давно уже перешли на «ты» и тесно сдружились. Михаил Петрович никогда не отмахивался от мальчика, никогда не говорил: отвяжись, мне некогда. Ему и самому было интересно с Мишкой, мальчик это понимал и очень ценил.

Алюша тоже была довольна. А вот Марину терзали сомнения и страхи. Что я наделала, часто думала она, поддалась страсти, разрушила его семью, наверняка нажила себе множество врагов и завистниц, я уже ловлю на себе недоброжелательные взгляды на фирме, какие-то девушки иногда словно бы невзначай забегают на мой этаж и смотрят с любопытством и осуждением, а кое-кто даже с жалостью: мол, не раскатывай губешки, долго он с тобой не проживет. Секретарша Михаила Петровича, Инна Борисовна, всегда подчеркнуто вежлива, но я чувствую, она меня ненавидит. Она, конечно, тайно влюблена в шефа, с прежней женой мирилась как с неизбежностью, а меня на дух не переносит. Мне, конечно, плевать на них, но и Миша ведет себя немного странно... Он, казалось бы, молится на меня, обожает, но до сих пор не познакомил ни с матерью, ни с сестрой, ни с дочерью. Ну дочь, наверное, сама не хочет... А матери и сестре неужели не интересно на меня взглянуть, понять, почему Миша ради меня порушил свою жизнь? Или он сам не хочет? Стесняется меня? Или их? Или заранее знает, что я им не понравлюсь, и так оберегает меня? А вот Булавин, кажется, меня одобрил, во всяком случае, смотрел с большим интересом... Гусев держится со мной подчеркнуто дружелюбно, но не пытается больше заигрывать, и слава богу... Все эти мысли посещали ее только в отсутствие Михаила Петровича. При нем она забывала обо всем, расцветала и чувствовала себя счастливой. А уж когда

190

она видела, как Мишка и Михаил Петрович упоенно играют в бадминтон, разбирают Мишкины марки или возятся с парусником, она просто таяла. Но радости хватало ненадолго, все пересиливал страх.

Вот и сегодня они вдвоем куда-то уехали, таинственно переглядываясь, видимо, готовят ей сюрприз... Суббота и воскресенье были самыми счастливыми днями. Погода стояла жаркая, Марина сидела в саду с французским каталогом тканей, и в который уж раз пыталась решить, на какой из трех фирм остановить свой выбор...

— Маря! Телефон! — закричала из кухни Алюша. Она никогда не отвечала по мобильнику, а городского телефона в доме не было.

— Иду!

Михаил Петрович с Мишкой возвращались домой очень довольные. У них было важное дело — купить стол для пинг-понга. Они долго и обстоятельно выбирали, обсуждая достоинства и недостатки той или иной модели. Это ведь только на непосвященный взгляд все столы одинаковые. Но наконец выбор был сделан, стол куплен.

— Миша, когда его привезут?

— Ты же слышал — завтра!

— А как ты считаешь, мама обрадуется?

— Почему бы ей не обрадоваться? — засмеялся Михаил Петрович. — Пинг-понг дело хорошее, мама, кстати, вполне сносно играет, я в Турции видел, так что... Слушай, мороженого я не предлагаю, нам может влететь, а вот кофе с пирожными можем себе позволить, как ты считаешь?

— Я лучше чай буду!

— Заметано!

Они заехали в венскую кондитерскую.

— Если все будет нормально, может быть, на Новый год мы втроем махнем в Вену, вот там пирожные — с ума сойти!

— Ты любишь пирожные? Разве мужчины любят пирожные?

— Почему же нет? Они ведь такие вкусные! Я всегда любил сладкое.

— А какие твои самые-самые любимые пирожные?

Михаил Петрович задумался.

— Наверное, обсыпные эклеры, я их с детства обожаю.

— Ой, правда? Я тоже больше всего люблю обсыпные эклеры! Со сливочным кремом?

— Естественно, со сливочным. Я один раз купил, а крем оказался из взбитых белков с вареньем, такая пакость!

— Миша, а можно я тебя спрошу...

— Спрашивай!

— Миша, у тебя есть мама?

— Есть.

— Как ее зовут?

— Татьяна Григорьевна. А что?

— А почему ты нас с ней не знакомишь?

— Да ни почему, просто времени не было. Я обязательно вас познакомлю и с мамой и с сестрой, просто в самые ближайшие дни! Уверен, вы найдете общий язык. Ты совершенно правильно задал вопрос, приятель. А еще вопросы есть?

— Ага!

— Валяй!

— Можно я тебя буду папой звать? — хриплым от волнения голосом произнес Мишка и выжидательно уставился на старшего тезку.

У Михаила Петровича от умиления защипало в носу.

— Разумеется! Разумеется, можно, малыш! Но только все-таки надо спросить у мамы...

— У мамы? Зачем? Это же наше с тобой дело.

— Оно, конечно, так, но...

— Какое может быть «но»?

— Видишь ли, у тебя ведь был родной папа, мама его любила, и ей может быть неприятно...

— Нет, ей не может быть неприятно!

— Почему ты так считаешь?

— Потому что теперь она любит нас, тебя и меня, и ей, наоборот, будет приятно, что у меня есть папа и этот папа — ты... А моего папу я совсем-совсем не помню, я даже карточки его никогда не видел, у мамы ни одной не осталось... И вообще, она не любит про него говорить...

— Наверное, ей до сих пор больно...

— Нет, теперь уже не должно быть больно, теперь она тебя любит.

— В логике тебе не откажешь, — улыбнулся Михаил Петрович. — Что ж, сынок, теперь я твой папа, с этим не поспоришь!

Черт побери, просто сцена из какого-то слюнявого фильма, но в жизни и впрямь пробирает до слез... Он посмотрел в глаза мальчику, в них читался такой восторг и такая любовь, что он не удержался, обнял Мишку, прижал к себе и сглотнул подступивший к горлу комок.

Когда же они сели в машину, Мишка сказал:

— Папа, знаешь, я, наверное, объелся пирожными.

— Живот болит? Или тошнит?

— Нет, просто я сейчас съел бы соленый огурчик.

— Мишка, друг! — пришел в восторг Михаил Петрович. — Я и сам думаю, где бы огурчик раздобыть! Может, заедем на рынок, а?

— Давай!

Они ходили вдвоем по рынку и пробовали огурцы.

— Пап, вот эти суперские! — объявил наконец Мишка.

— Согласен, берем! Слушай, а мама любит соленые огурцы?

— Она любит малосольные!

— Значит, купим ей малосольных.

— А еще мама любит ноготки! — сказал Мишка при виде торговки с яркими, оранжевыми букетами.

Они купили целый ворох ноготков.

— Хорошо, что ты мне сказал... Слушай, а что еще она любит?

— Еще она любит семечки.

Купили и семечек.

— А что любит Алюша?

— Зефир в шоколаде!

Так хорошо, что даже страшно, думал Михаил Петрович на обратном пути. Только бы ничего не случилось... Да ерунда, почему обязательно должно что-то случиться? «Мать умрет, а сын тебе останется!» Так вот что имела в виду «бзиканутая» ветеринарша! Марина умрет? У него все внутри оборвалось. Глупости, почему она должна умереть, молодая, здоровая, цветущая женщина? Я бы своими руками удавил эту чертову старуху. Я же теперь не смогу жить спокойно. Сын мне уже достался, и что же? Жить все время, умирая от страха за любимую женщину? Это какой-то кошмар! Не зря, видно, в Средние века таких старух сжигали... Он прибавил скорость.

— Пап, а «БМВ» лучше, чем «Мерседес»?

— Да нет.

— А ты «мерс» не хочешь купить? Или он слишком дорогой?

— Просто я люблю «БМВ», а почему, сам не знаю.

— А ты на «Феррари» катался?

— Катался. Но это спортивная машина, в ней не слишком удобно.

— Зато круто! Пап, а ты, когда в путешествие соберешься, меня возьмешь?

— Так я пока не собираюсь. Я, Мишка, в эти путешествия пускался не просто так...

— А как?

— Ты, наверное, еще не поймешь... Бывает, иногда такая тоска на человека нападает, хоть волком вой...

— А почему?

— Откуда я знаю, от усталости, может быть, от однообразия жизни.

— Ничего себе! Это у тебя однообразная жизнь? Ты куда только не ездишь в командировки, и вообще!

— Ну, во-первых, так было не всегда, а во-вторых... Да я, Мишка, и сам не знаю...

Они подъехали к даче. Посигналили. На крыльцо вышла Алюша.

— Привет! — крикнул Мишка. — А мама где?

— Умчалась твоя мама!

— Куда? — в один голос воскликнули новоиспеченные отец и сын.

— Не докладывалась, — проворчала Алюша. — Кто-то ей позвонил, она сорвалась и уехала.

Михаил Петрович расстроился и испугался. Что такое могло случиться?

— Она ничего мне не передавала? Записку не оставила?

— Нет! Сказала, что скоро вернется.

— Пап, позвони ей на мобильник!

— Да она так торопилась, что забыла мобильник на столе, — сообщила Алюша.

Значит, все-таки что-то случилось. Марина вовсе не рассеянная и не забывчивая дамочка. У него вдруг почва ушла из-под ног. Я без нее не могу, я должен хотя бы знать, где она, что с ней... Если она вернется целая и невредимая, я ей объясню, что так нельзя... Что же могло стрястись? Родственников у нее нет, подруг тоже... А что, если она помчалась к какому-нибудь мужчине? Если это Сева, то еще полбеды... Но если не Сева... Я же вижу, как мужики на нее смотрят... Вот на днях, когда мы ужинали в «Обломове», этот смазливый певец, забыл, как его... он чуть из штанов не выпрыгнул, все глаза проглядел... Что это со мной, я, кажется, ревную? Почти незнакомое чувство, когда-то очень давно я ревновал свою первую женщину, просто по молодости и глупости, а с тех пор никогда... Притворялся иной раз ревнивым, чтобы не обидеть жену, но вот эта сосущая тревога, этот страх мне раньше были неведомы... Это, наверное, все-таки не столько ревность, сколько именно страх, вызванный идиотским предсказанием... А ведь это предсказание —

полная чушь, вдруг радостно сообразил он. «Бзика-нутая» сказала «сын родится», а Мишка ведь уже давно родился, десять лет назад! А больше Марина не может иметь детей! Ура! Все это чепуха на постном масле, и плевать я хотел на все предсказания с гигантской секвойи! У них теперь все так говорили, и Мишка и Марина, им очень нравилось это выражение. А Мишка прав, как я мог не познакомить до сих пор Марину с мамой и Линкой? Да и с Туськой надо их познакомить, обязательно! Марина, наверное, обижена на меня, но молчит... А Мишка молодец, правильный мужик растет...

— Пап, ты чего, расстроился, что мамы нет?

— Я уже соскучился по ней, да вот еще думаю, что надо действительно познакомить вас с моей мамой... Вот прямо сейчас ей позвоню — и назначим день! Где там мой мобильник?

Мишка принес ему телефон и деликатно вышел из комнаты. Михаил Петрович давно уж не звонил матери, твердо зная, что, если ей что-то понадобится, она его всюду разыщет. Почему я все-таки ей не звонил, боялся, что ли? Некрасиво, неприлично, как ни посмотри...

— Алло, мама?

— Наконец-то, пропащая душа!

— Прости, я так замотался...

— Да уж, так замотался, что не заметил, как семью поменял. Честно говоря, ты меня удивил! Ну и как тебе живется, Миша?

— Хорошо, мама... Так хорошо, что даже страшно... — добавил он негромко.

— Однако ведешь ты себя по меньшей мере странно, чтобы не сказать неприлично.

— Да-да, я знаю, поэтому и звоню... Мама, я хочу тебя познакомить с Мариной...

— Так ее зовут Марина? Спасибо, что хоть имя сказал!

— Мама, я целиком и полностью признаю свою вину! Как мы это сделаем? Может быть, ты приедешь с Линкой к нам?

— Ну уж нет, лучше, как говорится, вы к нам! Давай прямо завтра, благо воскресенье, приезжайте к обеду. У тебя, говорят, и ребеночек новый завелся? Интересно посмотреть.

Эти слова почему-то показались Михаилу Петровичу обидными.

— Мама, если бы ты знала, какой это парень! Знаешь, как он свою кошку назвал?

— И как же? — усмехнулась Татьяна Григорьевна.

— Клипсидра!

— Действительно, вундеркинд! Миша, если мы все решили, то я с тобой прощусь, сейчас начнется «Своя игра»!

— Хорошо, завтра в три мы приедем! — сказал он, а про себя добавил: если ничего не случится!

Прошло уже часа три, он весь извелся, когда наконец к воротам подкатил вишневый «Рено».

— Марина! — кинулся он навстречу. — Что случилось? Разве так можно?

Она была бледная, расстроенная.

— Прости, Миша, такая дурацкая история, я впопыхах забыла мобильник...

— Но куда ты ездила? Я чуть с ума не сошел!

Она благодарно обняла его, поцеловала.

— Понимаешь, мне позвонила Римма...

— Какая еще Римма?

— Римма Львова, мы у нее на свадьбе встретились, помнишь?

— Но ты разве с ней знакома? С какой стати она тебе звонит? Что ей нужно? — почему-то разволновался Михаил Петрович.

Марина рассказала ему о своем общении с Риммой на свадьбе.

— И это все?

— Да, девочка прониклась ко мне доверием и в трудную минуту позвонила, что тут такого?

— Что у нее стряслось?

— Ее бросил муж.

— Господи, бедняжка! — воскликнул Михаил Петрович, чувствуя, что краснеет. — А что она от тебя-то хотела?

— Миша, она еще ребенок совсем... Он ее бросил, а она не знает, как об этом сказать родителям... Боится...

— Глупости какие, отец в ней души не чает!

— Но он не хотел, чтобы она выходила за этого парня. Римма настояла на своем, а дело вон как обернулось, ей стыдно, тяжко, одиноко...

— И она не нашла никого, кроме тебя, на роль жилетки?

— Не нашла. Миша, почему ты сердишься?

— Я не сержусь, просто я волновался... Я все время волнуюсь, когда тебя нет рядом... Ну так что ты ей посоветовала, чем смогла помочь?

— Чем тут поможешь? Просто поговорила с ней, дала возможность выплакаться, излить душу, постаралась объяснить, что жизнь с уходом мужа не кончается...

— И она вняла твоим словам?

— Кажется, да.

— Между прочим, парень, похоже, не вовсе подонок, если ушел от такой жены, ведь ее отец страшно богат и влиятелен, а он прожил с ней всего несколько месяцев и вряд ли успел хорошо поживиться... Она очень горюет?

— Это не совсем то... Она говорит, что отчасти даже рада освобождению... Что быстро поняла — они не любят друг друга, но все же его уход был для нее ударом, но, пожалуй, горем это назвать нельзя... Там все сложнее...

— Тогда за каким чертом ты ей понадобилась?

— Миша, девочке одиноко, плохо, уязвлено самолюбие — это главное, а мать, насколько я поняла, ей тут не помощница, даже наоборот... Ну все, я больше не хочу об этом говорить. Ну потратила я на Римму несколько часов, мне их совсем не жалко, потому что если бы не Риммина свадьба...

— Ерунда, я уже объяснял тебе, что мы бы все равно встретились. Лучше поцелуй меня, я тут извелся...

— Погоди, а куда это вы с таким таинственным видом сегодня исчезли? Что затеяли?

— Завтра узнаешь!

— Миша!

— Знаешь, я хотел тебя предупредить... Мишка теперь зовет меня папой. Это была его инициатива.

Марина грустно улыбнулась.

— Ты не возражаешь?

— Нет, если ты действительно хочешь стать ему отцом.

— Да, кстати, завтра мы обедаем у моей мамы! Мне здорово влетело за то, что я столько времени тебя от нее скрывал.

— Значит, смотрины, — усмехнулась Марина. — Мне надо не ударить в грязь лицом.

— У меня умная мама, она сразу поймет, какое ты золото. А я не спросил, Римма знает о нас с тобой?

— Не имею понятия. Скорее всего, не знает, а я ничего пока говорить не стала, было бы бестактно в этой ситуации хвастаться своим счастьем.

— Значит, ты счастлива, — расплылся в улыбке Михаил Петрович, вполне отдавая себе отчет в том, что улыбка вышла глуповатая.

Несмотря на почтенный возраст, семьдесят два года, Татьяна Григорьевна Максакова была еще красивой, подтянутой, энергичной женщиной. Всего два года назад она наконец вышла на пенсию и теперь вовсю наслаждалась жизнью. Благодаря помощи детей она ни в чем не нуждалась, ходила по театрам, концертам, выставкам, следила за собой и была в курсе всех культурных новостей и событий. «Добираю на старости лет то, что упустила в молодости из-за семьи и работы. Это и есть счастливая старость!» — любила говаривать она в кругу своих знакомых. Умение радоваться жизни в полной мере Михаил Петрович унаследовал от нее. Но сейчас Татьяна Григорьевна была озабочена всерьез. Завтра Миша приведет свою новую жену, да еще с ребенком! Нужно достойно ее принять, чтобы не обидеть сына, но как это сделать? Что это вообще должно быть? Семейные посиделки? Светский визит? Надо ли звать еще кого-то или не стоит? Но Лину надо позвать в любом случае! И она позвонила дочери.

— Линуся, свершилось! Завтра Мишка приведет свою...

— Да неужели? — холодно отозвалась дочь. — С чего вдруг?

— Понял, вероятно, что это уже становится неприличным.

— И на том спасибо!

— Надеюсь, ты придешь?

— Можешь не сомневаться! Мне просто невтерпеж увидеть, из-за кого Мишка так спятил, что бросил семью. Вика говорит, что в ней нет ничего особенного, только глаза, как у Сидора! По-моему, это какое-то извращение, сродни зоофилии.

— Лина, что за глупости ты говоришь!

— Я пошутила. И вообще, мне страшно жалко Вику... Столько лет терпеть все его штучки, баб, приступы тоски, идиотские экспедиции, чтобы на старости лет остаться одной...

— Она тоже не святая, поверь мне!

— Мама, ты что, свечку держала?

— Нет, но я кое-что знаю. К тому же Туська мне сказала, что у нее уже есть претендент, какой-то американец...

— Он не американец, просто работает в Америке.

— О, это уже детали, и вообще, речь сейчас не о Вике...

— Ты тоже считаешь, что она уже пройденный этап?

— К сожалению, так считает Миша, а он все-таки мой сын...

— Ну понятно, мама, а Туську ты позвать не хочешь?

— Туську? Мне это в голову не приходило. Миша про нее ничего не говорил, вероятно, он планирует как-то отдельно это сделать... Он же понимает, что Туська априори настроена недоброжелательно и его девушке будет тяжело...

— Девушке! Ну ты и скажешь, мама!

— Лина, ты прекрасно поняла, что я хотела сказать. Нет, для начала сами на нее посмотрим, а там уж...

— Значит, это будет семейный обед в узком кругу? Даже Мину не позовешь?

Мина была соседкой и закадычной подругой Татьяны Григорьевны, к тому же непревзойденной кулинаркой.

— Ну какой семейный обед без Мины! Она же добрейшая душа, никого никогда не обидит.

— Чего нельзя сказать обо мне.

— Лина, я тебя прошу! Ведь, судя по всему, нам с этой женщиной придется и дальше иметь дело...

— Мне необязательно!

— Ты же всегда была дружна с братом!

— Да, но он сам все поломал...

Она проецирует на себя эту ситуацию, ее тоже оставили два мужа, и она прекрасно понимает чувства брошенной жены. Не могу ее за это винить, подумала Татьяна Григорьевна.

— И все-таки, Лина, я прошу тебя на первый раз обойтись без эксцессов, обещай мне! Если она тебе не понравится, промолчи, бога ради, лучше сошлись на какие-то дела и уйди пораньше.

— Ну вот еще, до Мининого торта я ни за что не уйду, и не говори, что дашь мне его на вынос! Кстати, они придут вдвоем или приемыша тоже притащат?

— Лина, как тебе не стыдно! И вообще, если хочешь знать, Миша сказал, что счастлив так, что даже страшно...

— Еще бы не страшно! Ему пятьдесят один, он здорово истаскался по бабам, а она еще довольно молодая, и кто знает, какие у нее сексуальные аппетиты. Вот Мишка и трясется, что она начнет от него бегать, если он окажется не на высоте.

— Лина, что за цинизм? А вдруг это настоящая любовь?

— Какая любовь? Одинокая баба с ребенком захомутала очень небедного мужичка, вот и вся любовь!

— Линка, нельзя быть такой злой, это женщин старит!

— Ничего, у меня гены хорошие, мне никто моих лет не дает.

— Будешь такой злючкой, через несколько лет все это на морду вылезет.

— Ладно, мама, сейчас не во мне дело. В котором часу завтра состоится эта сакраментальная встреча?

— В три.

Марина проснулась ни свет ни заря с отвратительным ощущением предстоящего экзамена. Но рядом спал Миша, ее Миша, и ради него этот экзамен надо выдержать. И ради маленького Мишки тоже. Ну почему я все время что-то должна? — вздохнула она и тихонько встала. Накинула халат и вышла на крыльцо. А хорошо утром на даче! Она присела на ступеньки, хотя из сада тянуло сыростью.

— Маря, чего не спишь? — раздался сзади тихий голос Алюши. — Да не сиди так, простынешь. Вставай, вставай, идем на кухню, соку выпьешь. Или молочка, а? Молочко-то у Нюши больно хорошее. Миша твой любит.

— Нет, я соку...

— Ну пей свой сок. И чего не спится под бочком у мужа?

— Не знаю, что-то я, кажется, заигралась, Алюша...

— Да какая ж тут игра, Маря, это дело такое... Мне кажется, лучше тебе не сыскать.

— Мне лучше и не надо, — улыбнулась Марина, — просто мне почему-то все время страшно. И Мишка вот уж начал его папой звать...

— Так слава богу. Я на них гляжу — сердце радуется. И тебя он любит, чего тебе еще надо?

— Ничего не надо, просто я как-то не привыкла... А сегодня еще мы к матери его поедем, как там все будет...

— Давно пора! Чего там может быть? Ты женщина справная, сама работаешь, сынка ее любишь, чего еще матери хотеть? Не волнуйся, я гляжу, ты все время расслабиться не можешь...

— Ты права, почему-то не могу... Все жду какой-то гадости, а почему, сама не знаю. Я ведь верю, что Миша меня любит, и Мишку тоже, а расслабиться не могу...

— Господь с тобой, так нельзя, Маря! И ты вот еще что... Разводом займись. Миша вон уж сразу развелся, а ты все тянешь чего-то... Ты разведись, поженитесь с Мишей-то, сразу спокойнее тебе будет. А еще лучше повенчайтесь в церкви, не помешает.

— Ты же вроде неверующая, Алюша! — улыбнулась Марина.

— Я теперь и сама не знаю... Может, и есть Бог-то... Он мне тебя в такую минуту послал...

— А мне — тебя!

— А теперь вот тебе мужика золотого посылает... Я тебе по секрету скажу... Тут на днях я ему драников нажарила, он сказал, что ему бабушка его драники пекла, ну я и сделала... Так не поверишь, руку он мне поцеловал... Вот на старости лет удостоилась... Не побрезговал, руки-то у меня, чай, не барские... Значит, так его мать воспитала, и ты ее не бойся, она хорошая, у плохой матери такой сын не вырастет.

Почему-то простая, хотя и несколько сомнительная логика Алюши в самом деле успокоила Марину. В конце концов, Миша более чем взрослый человек. Ну даже не понравлюсь я его матери, он же не станет любить меня меньше, а я нелюбовь свекрови как-нибудь уж переживу, что ж поделаешь. Главное, чтобы Мишку никто не обидел, хотя новый отец его в обиду не даст. Так чего бояться?

Часов около двенадцати к воротам подъехал грузовик. Марина вышла на крыльцо.

— Советская, дом семь? — сверился с квитанцией молодой парень в фирменном комбинезоне. — Максаков Михаил Петрович есть?

— Ура! Папа, приехали! — завопил невесть откуда появившийся Мишка.

— Что это такое? — ахнула Марина, когда двое грузчиков вытащили из грузовика что-то большое и плоское.

— Пинг-понг, мама! Папа купил тебе пинг-понг! — ликовал мальчик.

— Мне? — засмеялась Марина. — Всю жизнь мечтала!

— Ты что, не рада? — огорчился Мишка.

— Ну что ты, конечно, рада, просто я не ожидала...

— Где ставить стол будем?

— Позови папу!

— Папа! Папа! — огласил округу истошный вопль.

Тут же появился Михаил Петрович и быстро указал, куда следует ставить стол. Выяснилось, что они с Мишкой уже приготовили подходящее место за домом, а Марина и не заметила, занятая своими страхами.

Когда рабочие уехали, Мишка сказал:

— Папа, а ты знаешь, что эти дядьки про маму сказали? Баба — закачаешься! Вот!

Марина расхохоталась, а Михаил Петрович нахмурился.

— Мам, давай сыграем, а? Надо же обновить стол!

— Да что ты, нам пора собираться, мы же едем в гости к Мишиной маме. Беги умойся, причешись, надень чистые шорты и синюю рубашку.

— Мам, скажи, а она теперь будет моей бабушкой?

— Нет.

— Почему?

— Мне трудно это объяснить, я просто не знаю, как получится... Как вы друг другу понравитесь, может, ты и сам не захочешь, чтобы Татьяна Григорьевна была твоей бабушкой...

— Ты думаешь, она противная?

— Ничего я не думаю. Только прошу тебя — веди себя прилично, не шуми и не вздумай называть ее бабушкой.

— Ма, я что, болван совсем? Или малютка дурацкая? Сам понимаю. А папу папой можно называть?

— Думаю, да. Папа же тебе разрешил...

— Ну и ладно! Хотя вообще-то бабушку иметь тоже бы неплохо, наверное... У меня ж ни бабушки, ни дедушки ни одного, а у Леньки Тимофеева две бабки, два деда, да еще два папы!

— Это уж перебор, столько человеку не нужно, — засмеялась Марина. — Тебе теперь тоже грех жаловаться, мама, папа, и Алюша вполне сойдет за двух бабушек и одну тетку.

Мишка убежал в дом. Марина пошла за ним. Михаил Петрович, свежевыбритый, пахнущий одеколоном, сидел в качалке на веранде и читал газету.

— Маричка, ты еще не готова? Нам скоро ехать! Надо еще купить цветов, вина...

— Миша, я не знаю, что мне надеть.

— А что хочешь, я лично обожаю тебя во всех видах.

— Так то ты лично, а я не знаю...

— Волнуешься?

— Конечно.

— Тогда надень то, в чем чувствуешь себя вольготнее...

— Вольготнее всего я чувствую себя в этом сарафане.

— Это уж чересчур, — засмеялся он и привлек ее к себе. — Не бойся, маленькая, никто тебя не съест. Я уверен, вы с мамой найдете общий язык.

Он тоже волнуется, поняла Марина. Впрочем, и я бы на его месте волновалась.

— Лина, не хватай со стола куски!

— Миночка, я хочу есть, а тут такие ароматы!

— Наберись терпения, твой брат человек пунктуальный и придет ровно в три.

— Ах, боже мой, Миночка, как будто ты не знаешь, что мужики существа зависимые и несамостоятельные. Вика была пунктуальна, и Мишка тоже, а может, эта мадам всегда опаздывает на два часа. Тогда и мой братец начнет опаздывать.

— Не выдумывай! И вообще, ты постепенно превращаешься в мужененавистницу.

— За что их любить? Существа второго сорта!

— Вот даже как? — засмеялась Мина Оскаровна, маленькая, пухленькая, на удивление уютная женщина. — То-то я смотрю, мужики у тебя не переводятся...

— Да это же так, для подзарядки...

— Для чего? — не поняла Мина Оскаровна.

— Для подзарядки. Как заряжают, к примеру, сотовый телефон, вот и я пересплю с мужиком, вроде и подзарядилась... А больше они ни на что не годятся.

— А любовь?

— И ты туда же! Какая там любовь? Где ты ее видела?

— Вот сегодня надеюсь увидеть. Где там твоя мать запропастилась?

— Марафет наводит. Хочет сразить Мишкину пассию своей молодостью.

— Что ты иронизируешь? Танюша и вправду удивительно моложава, ей никто ее лет не дает. Не то что я. Я уже старушка, хоть бодрая пока, слава богу, а Танюша у нас просто немолодая дама. Чувствуешь разницу?

— Немолодая дама — это я, а мама пожилая, — со смехом уточнила Лина.

— О чем это вы тут судачите? — спросила, входя в комнату, Татьяна Григорьевна.

— Танечка, ты выглядишь сногсшибательно!

— Да, мама, это факт! Кстати, уже без трех минут три.

Мина Оскаровна подошла к окну.

— Приехали! — возвестила она.

Дамы выбежали на балкон.

Первым из машины выскочил Мишка.

— О, ребеночек уже большой! — отметила Лина. — А вот и мадам. Надо же, росточком не вышла, Мишке до плеча еле достает, и то на каблуках. Раньше он любил жердей.

— Не выдумывай, Вика совсем не жердь, — напомнила Мина Оскаровна.

Михаил Петрович сразу заметил оживление на балконе. Но не подал виду и ничего не сказал, чтобы не пугать Марину. Роскошный букет роз доверили нести Мишке. Марина хотела купить лилии, но Михаил Петрович настоял на розах. «Мама всем цветам предпочитает розы». В лифте он шепнул Марине:

— Маленькая, не бойся и плюй на все с гигантской секвойи!

К середине обеда Марина успокоилась. Татьяна Григорьевна очень ей понравилась. Она вела себя непринужденно, была приветлива, внимательна и весела. Мина Оскаровна излучала радушие и совершенно влюбила в себя Мишку. Лина, правда, держалась холодновато, но вежливо, этого вполне достаточно, без ее любви мы прекрасно обойдемся, решила Марина и окончательно успокоилась. Обед был фантастический, Марина искренне всем восхищалась, а уж когда Мина Оскаровна подала свой знаменитый торт, восторгу не было предела. В семь часов, сытые, довольные, они покинули гостеприимный дом, условившись, что в следующие выходные дамы приедут к ним на дачу на шашлыки.

— Ну вот видишь, все прошло отлично! — ликовал Михаил Петрович. — Мама и Мина от тебя в полном восторге, не говоря уж о Мишке! Мина просто глаз с него не сводила! Ты успокоилась?

— О да, вполне!

— Ну что вы скажете? — спросила Лина, едва гости вышли за дверь.

— Мне она понравилась! — сразу заявила Татьяна Григорьевна. — Она немного зажатая, но это естественно в такой ситуации, хуже было бы, если б она вела себя, как теперь говорят, отвязанно. А мальчик просто очаровательный.

— А как Миша ее любит, вы заметили? — вздохнула Мина Оскаровна. — Он на нее не надышится. Дай им Бог счастья. И как быстро у них все сладилось...

— Боже, ну нельзя же быть такими наивными! — сердито воскликнула Лина.

— Что ты имеешь в виду? — сбрасывая с ног туфли на высоких каблуках, спросила Татьяна Григорьевна.

— Вы что, верите в эту идиотскую легенду? Ах, как романтично! Восемнадцать лет неземной любви! Это все липа, лажа полная!

— Линочка, никто не говорил о неземной любви, но, видимо, все-таки та встреча на речном трамвайчике была судьбоносной...

— Боже мой, Мина, нельзя столько смотреть телевизор! — раздраженно перебила ее Лина. — Ты еще скажи, что это было пафосно! Или культово! Кошмар какой-то! Неужели вы все приняли за чистую монету? Наивные души! Это же идиотские сказки для олигофренов в стадии дебильности!

— Лина, веди себя прилично! — одернула ее мать.

— Ну нет, с меня хватит, я и так уж весь обед вела себя прилично, в надежде, что вы тоже все поймете!

— Да что такое мы должны были понять? Скажи уж наконец, если тебя так распирает!

— Вы мальчишку видели? Это же вылитый Мишка в детстве! У них давняя связь, она прижила от него мальчишку, а теперь сумела округить моего братца, вероятно именно сыграв на его желании иметь сына. Он его уже папой зовет, заметили? Это неспроста! И назвали мальца тоже Михаилом, в честь папочки.

— Ну знаешь ли, Михаил такое распространенное имя... — как-то испуганно пролепетала Мина Оскаровна.

— Мама, а ты что молчишь? Неужели не видишь сходства?

— Ну некоторое сходство есть, но не такое уж разительное. Вероятно, отец мальчика был того же типа, что и Миша. По-видимому, Марине нравятся мужчины именно этого типа, только и всего!

— Чепуха!

— Ну допустим, что ты права. Тогда скажи на милость, за каким чертом в наше время выдумывать всю эту романтическую чепуху? Почему бы прямо не сказать: так, мол, и так, мы давно любим друг друга, у нас растет сын и мы наконец можем быть вместе?

— Откуда я знаю, почему они это делают? Мало ли что у них за соображения, может, эта Марина хочет поиметь что-то от своего заграничного мужа или у нее какие-нибудь квартирные проблемы...

— Лина, почему ты во всем видишь только корыстные мотивы? — спросила Мина Оскаровна.

— А вы видели эту особу? Холодная, как ледышка, наверняка расчетливая и корыстная стерва. Мне жаль Мишку, старый дурак, попал как кур в ощип, уж она его ощиплет будь здоров!

— Пока что я вижу, что общипала его Вика, он забрал только книги и кота и пошел в примаки к любимой женщине, — резко прервала дочь Татьяна Григорьевна.

— Вика ничего не требовала!

— А ей и требовать не пришлось! Миша как порядочный человек оставил ей все, хотя мог бы, к примеру, разделить квартиру или вовсе оставить Вике дом, а квартиру взять себе, так нет, он еще и Туське квартиру купил!

— Тоже мне квартира! Просто клетушка! Мог бы что-нибудь получше для единственной дочки подыскать. Небось ему эта ведьма зеленоглазая не позволила.

— Линка, ты чего так бесишься? — поинтересовалась Татьяна Григорьевна. — Можно подумать, это ты его брошенная жена!

— Просто мне жалко Вику, жалко Туську... Я их люблю, я к ним привязана...

— Ну и на здоровье! Я тоже люблю Туську, но она вовсе не несчастная, обделенная падчерица. А Марина мне понравилась. Она любит Мишу, я это почувствовала. И то, что ты тут наплела, — чепуха! Все, закрываем тему! Лично я собираюсь на следующей неделе поехать к ним на дачу! Мина, ты со мной поедешь?

— Поеду, отчего ж не поехать...

— Я тоже поеду! — заявила Лина. — Хочу посмотреть, как теперь живет братец.

Вскоре Лина ушла.

— Танюша, я очень огорчена, Линочка так озлоби-
лась...

— Наверное, у нее климакс, раньше она такой не
была! Уверена, она первым делом бросится звонить
Вике, рассказывать о своих дурацких предположе-
ниях...

— Это в общем понятно, они дружат столько лет...
Послушай, Таня, а где у тебя Мишины детские фотографии?

— И ты туда же! Глупости все! Я мать, я бы сразу заметила, если б они были так уж похожи... Говорю же,
это просто один тип, не более того.

Лето подходило к концу. Через неделю предстоял
переезд в город и какой-то новый этап в жизни. Михаила Петровича он даже немного пугал. Летом все
иначе. Большинство друзей и знакомых в разъездах.
Далеко не все знают о переменах в его жизни, кое-
кто неизбежно отсечется, будет на стороне Вики.
«Партия первой жены» — так называла это Татьяна
Григорьевна. Вот, к примеру, его сестра уже вступила
в эту партию, и что можно с этим поделать? Хорошо
еще, что у Марины мало друзей, собственно, кроме
Севы, их и нету. А тот вообще куда-то сгинул. Самому ему было в общем-то плевать, как говорится, кто
не с нами — скатертью дорожка, но он боялся причинить лишнюю боль Марине. Туська тоже его огорчи-
ла. Она всегда раньше обижалась на мать, но сейчас
безоговорочно приняла ее сторону, даже не пожелала
познакомиться с новой семьей отца и встречалась с
ним в кафе, держась более или менее нормально, пока речь не заходила о Марине и Мишке. Тут она за-

мыкалась, поджимала губы и делала вид, что не слышит его.

— Миша, она просто ревнует, как ты не понимаешь, — говорила Татьяна Григорьевна, когда он жаловался ей. — Не беспокойся, это со временем уляжется, утрясется. Особенно если она сама уведет чужого мужа.

— Мама, что ты говоришь, Марина меня не уводила, я сам ушел.

— Миша, как ты не поймешь! И Вика, и Туська, и даже Линка всегда будут считать, что тебя увели, окрутили, на чем-то поймали... Это инстинкт самосохранения, не более того.

— Особенно у Линки, — хмыкнул он.

— Не обращай внимания, мало ли что бабы болтают, живи спокойно.

Слава богу, хоть мама на моей стороне, думал он. Иначе было бы плохо. А маме всегда можно пожаловаться, не говорить же об этом с приятелями или, тем паче, с Мариной. А вот своим непроходящим страхом за Марину он не мог поделиться ни с кем. Она же дни и ночи пропадала на фирме, завершая работу. На десятое сентября было назначено торжественное открытие нового этажа. Марина не любила, когда он поднимался к ней, даже сердилась.

— Целому дураку полработы не показывают? — смеялся он.

— Не в этом дело, просто я боюсь, ты начнешь давать советы и можешь сбить меня с толку.

— Никогда не позволил бы себе давать профессионалу дилетантские советы, за кого ты меня принимаешь?

— Миша, ну пожалуйста!

— Я не буду ни на что смотреть, просто поцелую тебя. Когда ты рядом, я все равно ничего не вижу, не волнуйся, маленькая.

Как-то он столкнулся в лифте с Гусевым.

— Михаил Петрович, только сейчас заходил наверх, к Мариночке Аркадьевне. Она просто чудеса там сотворила. В таких офисах хочется не только хорошо работать, но даже и жить! Вы видели кабинет для переговоров в узком кругу? А булавинские апартаменты? Шедевр, истинный шедевр! Честно говоря, я даже не ожидал...

— Меня туда не допускают, — развел руками Михаил Петрович.

— Она и меня бы с удовольствием оттуда выставила, — засмеялся Гусев. — Думаю, скоро Мариночка Аркадьевна станет самым модным декоратором в Москве.

Михаил Петрович передал Марине слова Гусева и видел, что она довольна. В последнее время они не всегда вместе ездили на работу и с работы. Это его огорчало, он волновался, считая ее не слишком надежным водителем. В его жизни появилось много поводов для волнений, зато какой радостью было слышать истошный вопль Мишки:

— Ура! Папа приехал!

И выслушивать сообщения о событиях дня:

— Папа, ты знаешь, Сидор наплевал на Сидору с гигантской секвойи! Он завел себе трехцветную кошку, она у Салтыковых живет, хорошенькая. У них, наверное, будут котята! Тетя Настя сказала!

— Кто такая тетя Настя?

— Тетя Настя Салтыкова! Она говорит, что котята должны получиться красивые... Папа, я вот хотел сказать... Мама, наверное, забыла...

— Слушаю тебя!

— Насчет собаки... Она мне еще весной обещала, когда дачу в наследство получила, что возьмет
собаку...

— Видишь ли, сын, это довольно сложный вопрос...

— Почему – сложный?

— Потому что теперь у нас в доме кошка и кот.

— Ну и что? Кошки, между прочим, прекрасно
уживаются с собаками, сам, что ли, не знаешь? Ты не
думай, я с ней буду гулять сколько надо, я все сам буду делать... Ну пожалуйста, папа!

— Мишка, а ты уже решил, какого именно пса хочешь?

— Конечно! Золотистого ретривера! Папа, это такие собаки! Они добрые, умные, а красивые какие!

— Хорошо, я учту. Но давай договоримся. Мы за-
ведем ретривера, но не сейчас.

— А когда? — Голос у Мишки упал.

— Ближе к весне.

— Почему?

— Понимаешь, мы с Сидором теперь тоже будем
жить у вас, и надо нам всем как-то обжиться. Неизвестно ведь еще, как твоя Клипсидра будет вести себя в
городе, на своей исконной территории, понимаешь?
Мне тоже надо привыкнуть к новому месту, и маме с
Алюшей к нашему с Сидором присутствию, а тут еще
маленький породистый щенок, который потребует
массу хлопот, будет писать и какать на каждом шагу.

— Нет, я его сразу приучу к улице!

— Чудак-человек! Породистых щенков месяцев до
шести-семи нельзя выводить на улицу.

— Почему?

— Потому что они могут легко подцепить какую-нибудь заразу. Поэтому мы сделаем так. Возьмем в начале февраля двухмесячного щенка, и к моменту переезда на дачу он уже достаточно подрастет, чтобы выпускать его в сад. К февралю уже и мы с Сидором приживемся в доме...

— Папа, ты разве у нас еще не прижился? — сочувственно глядя на новоиспеченного отца, спросил Мишка. — Тебе у нас плохо?

— Да что ты, Мишенька, мне так хорошо, как никогда раньше не было, но просто надо понять, как мы будем жить в городе, где разместить мои книги, где Сидор будет справлять свои надобности. Жизнь, сынок, надо устраивать удобно, чтобы всякие мелкие неудобства не отвлекали людей от главного.

— А что главное?

— Одним словом не скажешь... Но одно я тебе твердо обещаю — ретривер у тебя будет, только наберись немного терпения.

Мишка закрыл глаза, сделал очень глубокий вдох и немного погодя объявил:

— Уже!

— Что — уже?

— Терпения набрался!

До чего же золотой парень достался мне в сыновья. И тут же вспомнил: «Мать умрет, а сын тебе достанется!» Это становилось кошмаром его жизни.

Пятого сентября Михаил Петрович улетел в Роттердам.

— Боюсь, Маричка, твой триумф пройдет без меня, — огорченно сказал он. — Но я не могу не поехать.

— А ты надолго?

— Дней на десять, может быть. Сделаю все от меня зависящее, чтобы управиться побыстрее, но не уверен, что это получится. Прошу только об одном: береги себя, езди осторожненько и не выключай мобильник. Носи его всегда с собой, не оставляй где попало, как ты любишь.

— Хорошо, — засмеялась Марина. На самом деле ей хотелось плакать. От обиды, что день ее торжества пройдет без любимого человека, и от растроганности его заботой и такой явной, несомненной любовью, что она перед ней даже терялась... Ее никогда никто так не любил, разве что Алюша. Отца она не помнила, а мать больше всех на свете любила себя. И Марина решила, что без Миши просто не пойдет на это дурацкое торжество. Она все сделает, а они пусть празднуют без нее. К тому же у нее и платья соответствующего нет. Не было времени этим заняться. Вот и хорошо, что зря не потратилась, туда абы в чем не придешь.

Однако, как любил говаривать Даниил Александрович, «человек предполагает, а босс располагает!». Гусев и слышать не желал о том, что она не придет.

— Ну и что, что Михаила Петровича нет? Извините меня, Мариночка Аркадьевна, но, по большому счету, Михаил Петрович в этом деле сбоку припека! Это ваша работа! Наконец, это просто непрофессионально и, если уж на то пошло, неприлично! Вы обязаны быть! Я было заикнулся Булавину, так он просто сказал, что я дурак и, если вас не будет, с меня голову снимут! Мне это надо? Нашли всадника без головы!

— Даниил Александрович!

— Мариночка Аркадьевна! Вы что, решили теперь быть просто мужней женой? Гладить рубашки Михаил Петровичу? Он, конечно, великий юрист, интересный мужчина, наконец, просто хороший человек, но все же не стоит бросать работу, за которую платят такие бабки, это раз, и которая может принести вам европейскую известность – два. Европейскую – это как минимум! Я совершенно убежден, Мариночка Аркадьевна, что новые заказы поступят прямо на нашем вечере. Там будет масса модной публики.

– Это меня и пугает.

– Вы боитесь? Золотая моя! – умилился Гусев. – Ничего не бойтесь! Обещаю, я буду с вами неотступно! Ну не кобеньтесь!

– Черт с вами! – сдалась Марина.

– Придете?

– Приду, что ж делать!

– Умничка! Золотце! Я в вас не ошибся, вы не можете так легко отдать человека на заклание!

– Это смотря какого человека! – засмеялась Марина.

– Но не меня?

– Не вас!

– Знаете, тут многие наши вас осуждают, а многие просто завидуют, это я про баб, конечно. Мужской состав фирмы единодушно вами восхищается!

– Так уж и единодушно?

– Не слышал ни одного негативного отзыва от мужиков.

Этот разговор взбодрил Марину. До десятого ей еще предстояло немало сделать, и она задержалась на работе допоздна. А когда уже ночью подъехала к дому, у нее мелькнула крамольная мысль: хорошо, что Миши нет, можно не думать, как я выгляжу, не улыбаться, не разговаривать, а просто завалиться спать.

Я отвыкла от мужчины в доме, а заново еще не привыкла. На даче все было как-то проще, легче... Мишка и Алюша спали, и она сразу пошла в душ. Потом легла в постель и подумала: хорошо, спокойно, никто не трогает. Но среди ночи проснулась как от толчка, увидела, что Миши нет рядом, и ее охватила такая тоска, что она вскочила, забегала по комнате. Я его люблю, я не могу без него!

Девятого утром Гусев спросил:

— Мариночка Аркадьевна, за каким чертом вы сегодня приперлись?

— То есть как? — опешила Марина.

— Все же готово. Осталось только расставить цветы, но это уже завтра!

— Нет, я должна еще все обсудить с флористом, как вы себе это представляете, я столько работала, а теперь пущу все на самотек?

— Тише, не надо на меня кричать, я и так уж еле жив! Дело в том, что Инга Ильинична попала в больницу и свежие цветы завтра вам придется расставить самой...

Марина посмотрела на него как на придурка:

— Так что ж вы молчали?

— Не смотрите на меня как солдат на вошь! Я сам узнал об этом четверть часа назад и еще не успел уложить в голове эту информацию. А вообще, я хотел, чтобы вы сегодня занялись вашими женскими штучками.

— Какими еще штучками?

— Ну платье там, туфли, косметика, то, се, я знаю? А завтра раненько утречком приехали бы сюда, занялись цветами. К обеду управитесь, и у вас до девяти времени будет еще вагон и маленькая тележка.

— Цветы хоть заказаны?

— Разумеется!

— Когда их доставят?

— Поначалу думали — к десяти, но надо раньше? Будут раньше!

— Я чувствую, меня тут кондрашка хватит, — покачала головой Марина.

— Ха, ее хватит кондрашка! А меня? Меня кондрашка каждые два часа хватает! Давление зашкаливает, пульс бешеный, в животе, простите за подробность, бурчит, даже булку сжевать некогда, а вас я сам, по своей инициативе, отпускаю сегодня на все четыре стороны! А все зачем? Чтобы вы завтра сияли несравненной красотой!

— Даниил Александрович, зачем вам моя несравненная красота? Давайте я лучше чем-нибудь вам помогу, чтобы пульс так не частил, давление не зашкаливало, а?

— Нет, моя золотая, я не люблю, когда мне помогают, каждый должен заниматься своим делом! А ваше дело сегодня — завтрашняя красота. Да, вы, кажется, спросили, зачем она мне? Глупейший вопрос! В нашей фирме, прямо по Чехову, все должно быть прекрасно — и дизайн, и дизайнер! Все, отправляйтесь в салон красоты, к Валентино, к Диору, или куда там еще? Отдыхайте, одним словом, а я уж буду тащить свой воз!

Марине вдруг стало жалко, что ее работа с Гусевым кончилась. Иногда он казался ей круглым дураком, но, когда бы она ни обратилась к нему за помощью, он всегда быстро и оперативно делал все, что требовалось, и ни разу не пытался хоть что-то ей навязать. И она была ему благодарна, даже по-своему привязалась к нему.

А ведь и в самом деле надо заняться платьем, у меня ничего подходящего нет. В кои-то веки могу себе позволить по-настоящему шикарный туалет. Начала она с Валентино. Но ни одно платье ее не удовлетворило, а цены там были такие, что делалось дурно. Если уж платить бешеные деньги, то за идеал, за воплощенную мечту, а не за бренд. И тут она вспомнила, что года два назад столкнулась где-то со своей одноклассницей Людой Божок, которая как раз собиралась открывать свой бутик. Люда еще в школе потрясающе шила, а теперь стала модным модельером.

— Приходи, Марик, я тебе скидку сделаю. Люблю одевать женщин нормального роста! — сказала тогда Люда и дала Марине свою визитку.

Марина позвонила домой, попросила Алюшу отыскать в старой шкатулке визитку Людмилы Божок и прочитать адрес. Конечно, за два года магазин мог сто раз прогореть, закрыться или же переехать, но попробовать имеет смысл. Магазин был на месте. Марина сразу поняла, что дела у Люды, по-видимому, идут хорошо, но оформление витрины ей не понравилось. Я бы сделала лучше, подумала она, входя в магазин. Там никого не было, но на звон дверного колокольчика выглянула хорошенькая девушка лет двадцати.

— Добрый день! — улыбнулась она. — Могу вам чем-нибудь помочь?

— Можете! Мне нужно вечернее платье, причем не позже завтрашнего утра.

— Это не проблема, мы подберем что-нибудь из готового, у нас вещи как раз на женщин с вашей фигурой. Какое бы вы хотели?

— Мне нужно черное платье, достаточно строгое, но элегантное, лучше миди. А кстати, Людмилы Федоровны нет? Она меня приглашала...

Девушка сразу как-то подобралась. Ясно, это не с улицы покупательница.

— Как вас представить?

— Марина Зимина.

— Минуточку. — Девушка скрылась, и почти тут же навстречу Марине выбежала Люда. Она так растолстела, что Марина едва ее узнала.

— Марик! Ты? Как я рада! Сподобилась! Выглядишь отпадно, а меня видишь как разнесло? Ужас! Ничего не помогает! Какие-то гормональные изменения, прямо кошмар, и еще, как назло, все время хочется сладкого, прямо сплю и вижу во сне пирожные. Ничего не жру, а толку никакого. Как я рада, ты не представляешь! Как жизнь-то? Замуж вышла?

Марина почему-то постеснялась сказать, что да, вышла, хоть пока и неофициально. Но Люда, задавая вопросы, не ждала ответов, пока дело не касалось профессии.

— Тебе нужно вечернее платье? Нет проблем! Сейчас подберем, а на худой конец сошьем, мы такие, мы все можем! Какие пожелания?

Марина повторила ей то, что уже сказала продавщице.

— Прости, Марик, а что за оказия, можно узнать?

Марине было приятно, что кто-то еще помнит ее школьное имя — Марик. И она решила пригласить Люду на завтрашнее торжество. Гусев разрешил ей позвать четырех человек. Она пока никого не звала.

— Люда, у меня завтра торжественный день... — Она объяснила все бывшей однокласснице.

— Задача ясна. Но пойти, увы, не смогу. День рождения у мамы. Ну что ж, займемся делом. Дай я на тебя посмотрю не как школьная подруга, а как портниха... Я ведь, в сущности, все равно портниха, как ни обзывай — модельер, кутюрье, дизайнер одежды, будь они все неладны. Разве с такой жопой и сиськами бывают кутюрье? Ни фига. А портнихи сколько угодно. Так вот, душа моя, черное платье это фигня! Надо белое!

— Не хочу я белое, не люблю!

— Чтоб ты что-то понимала!

— Людка, не дави на меня!

— Не собираюсь! Хочешь черное, получишь черное. Роза, принеси... Хотя нет, я сама. У меня есть два отличных черных платья.

Первое платье Марине совершенно не понравилось, оно было вычурным и ей не шло. А вот второе оказалось то, что надо. С довольно пышной юбкой, с открытыми плечами, оно напоминало наряды из фильмов начала пятидесятых.

— Мне нравится, Люда! — воскликнула Марина, оглядывая себя в зеркале.

— Да, ничего, — как-то вяло отозвалась та.

— Тебе не нравится? — насторожилась Марина.

— Почему? Мне все мои платья нравятся. А какие не нравятся, те я просто не пускаю в продажу. Но вот ты в этом платье мне не нравишься.

— Почему? — огорчилась Марина. Ей как раз все нравилось.

— Понимаешь, это не твой стиль... Тут надо либо все менять самым кардинальным образом — прическу, макияж, манеру держаться... Оно не твое, Марик, неужели ты не видишь?

В том, что не касалось ее собственной работы, Марину легко было сбить с толку, особенно если говорить доброжелательно и с апломбом, как Люда Божок.

— Конечно, поменять прическу и макияж несложно, сделать стрижку венчиком, завить кудерьки — и сойдет. Нет, Марик, мы еще поглядим, что у нас есть. Я сейчас.

Люда оставила ее в примерочной и ушла, унося с собой оба платья. Марина все-таки огорчилась. Платье ретро ей нравилось.

— Марик, не расстраивайся, — словно прочитала ее мысли Люда, даже не входя в примерочную. — У тебя же росту для этой пышноты не хватает, или уж надо каблуки сантиметров пятнадцать. А вот сейчас я тебе нашла ровно то, что надо! Только не ори, ладно?

Она вошла к Марине, неся на вешалке что-то белое.

— Людка, ты обещала на меня не давить!

— И не собираюсь! Ты только примерь. Не понравится, не бери.

Марина натянула на себя белое платье.

— О! У меня глаз — алмаз! Это твое!

Марина молча на себя смотрела. Люда оказалась права. Это платье словно создано для нее. Длинное, в пол, облегающее, с открытыми плечами и в то же время строгое, скромное, но сразу бросался в глаза класс этой скромности.

— Ну чего молчишь?

— Да, как говорит мой сын, суперское платье...
А такого же черного у тебя нет?

— Марик, ты совсем дура, да? При чем тут черное? Ты посмотри, как оно оттеняет твою смуглую кожу, а глаза! В черном все это потеряется. В черном ты будешь просто дама в черном, не больше. А в этом ты будешь ослепительна. Особенно если наденешь изумруды.

— Какие изумруды, ты смеешься? Я сроду никаких украшений не носила.

— Ничего, на твоей мощной тусовке будут всякие богатенькие, им сразу захочется увешать тебя изумрудами.

— Люда, я все понимаю, но мне как-то неуютно в белом, понимаешь?

— У тебя менструации?

— Нет.

— А, у тебя комплексы, да? Боишься привлечь к себе внимание, что ли? С комплексами надо бороться. Вот и начни с этого платья.

— Я не знаю...

— Хорошо. Не хочешь, не надо. У меня есть отличное зеленое платье, есть вишневое, хочешь примерить?

— Зеленое хочу.

Люда принесла зеленое платье и еще три черных. Марина все перемерила. И зеленое и одно из черных были ей к лицу, но не шли ни в какое сравнение с белым.

— Людка, ты хитрюга! Поняла, что после белого все будет не то...

— Я это поняла, как только тебя увидела, а все твои сомнения надо же было как-то развеять. Зна-

227

ешь, сколько закомплексованных баб я перевидала? Имя им легион! Кстати, знаешь Таню Болотникову, актрису? Я вот так же заставила ее купить красное платье, она ни за что не хотела, уверяла, что не любит красное и все такое, но я ее убедила, она в нем пошла на «Тэфи» и произвела фурор. С тех пор одевается только у меня и говорит, что теперь красный — ее любимый цвет. Ты ее себе представляешь? Она ведь рыжеватая и красного боялась как огня.

— Я обставляла ее квартиру.

— Подумать только, как свет мал! Актриса она так себе, но девка хорошая, ты согласна? Так что, берешь белое?

— Беру, наверное. — Марина все еще не могла решиться.

— Бери, Марик!

В сумке у Марины запищал телефон.

— Алло!

— Маричка, это я! Как ты там? Что делаешь? — Голос мужа звучал так нежно, что Марине сразу стало хорошо.

— Миша, я покупаю платье на завтра!

— Надеюсь, не черное?

— Белое! Очень красивое... Я все не могла решиться, а вот с тобой поговорила, и теперь знаю, что куплю его.

— Все, маленькая, не буду тебе мешать! Я очень скучаю.

— Кто это звонил? Ты вся зарделась? Любовник?

— Да, — решила не уточнять Марина. — Людка, ты скажи мне, как я в таком платье пойду? Надо ведь что-то сверху надеть.

— Вопрос правильный, между прочим. Пальто или плащ на такое платье не накинешь. У тебя есть часа полтора?

— Есть, а что?

— Ну, во-первых, платье надо чуть-чуть подкоротить, самую малость, а во-вторых, поскольку платье недешевое, прямо скажем, даже со скидкой, я, для почину, так сказать, сделаю тебе к нему в подарок пелеринку. А ты за это будешь всем, кто придет в восторг от платья, говорить, где ты его купила. Идет?

— Идет, хотя в таких случаях платья бесплатно дают.

— Дают, но звездам, а ты, Марик, пока все-таки не звезда, только не обижайся!

— Что я, дура, обижаться? Я себя звездой не считаю. Так когда прийти за платьем?

— Для верности через два часа, чтобы уж не дожидаться.

Марина вышла на улицу. Что бы такое придумать, чем занять два часа? Надо купить туфли к белому платью! С этой задачей она справилась мгновенно. На соседней улице располагался магазин, где она сразу увидела то, что нужно. На все про все ушло минут пятнадцать. Она решила сделать маникюр. Маникюрша была немолодая и неразговорчивая.

Людка сказала, что я закомплексованная... Наверное, она права. И еще — я все время чего-то боюсь. Сейчас это еще можно понять, у меня все так хорошо, что мне страшно... Но ведь мне давно страшно, я постоянно боюсь чего-то, боюсь за Мишку, за Алюшу, теперь еще за Мишу, все время воображаю себе какие-то ужасы... Боюсь, наконец, надеть на вечер светлое платье, и это при том, что я вовсе не уродка, я даже собственной любви боюсь... Вот услышала

Мишин голос, внутри все потеплело, и эта моя зависимость от него тоже внушает страх...

А ведь это глупо, это отравляет жизнь. Я и от людей прячусь, у меня нет подруг, я боюсь сближаться с людьми... Вот сблизилась было с Игорем, и что хорошего из этого вышло? Его мать терпеть меня не могла. И правильно, я ведь его в одночасье бросила... Она, наверное, рада... И вот сейчас... Я тоскую по Мише, но, как это ни дико, мне без него легче. Но теперь без него не получится из-за Мишки, у них такая любовь... Эта любовь мне тоже внушает страх, и в то же время я безумно боюсь, что она каким-то образом порушится. И все мои страхи с появлением Миши только обострились... Это от неуверенности в себе как в женщине. Вероятно, у меня невроз, надо бы сходить к психоаналитику, иначе я могу не выдержать... Но ведь все это глупости. У меня чудесный сын, чудесный муж, моя работа несомненно будет иметь успех, я еще молодая, здоровая, привлекательная, так почему я боюсь надеть белое платье? Бред сивой кобылы! Я его надену и произведу фурор, и плевать я хотела на все свои страхи и комплексы. Только так их можно победить, наплевав на них с гигантской секвойи!

В подарок Люда приготовила ей накидку с капюшоном из той же ткани, только ярко-бирюзового цвета.

Марина ахнула от неожиданности этого решения, но бирюзовый шел ей необыкновенно. А что, подумала она, я же не боюсь самых смелых сочетаний в интерьере, не побоюсь и этого. Я теперь вообще ничего не буду бояться. Я так решила.

На другой день с самого утра она поехала на фирму и занялась цветами. Это доставляло ей огромное удовольствие. Готовые, но еще ничем и никем не потревоженные помещения словно оживали, когда она расставляла в них сосуды с цветами, большие и маленькие, высокие и низкие, круглые, квадратные, самые разные. Эти вазы она заказывала сама и теперь убедилась, что все сделала правильно. С самого утра настроение было просто роскошное и когда наконец она, управившись со всем, позвала Гусева и все ему показала, он зааплодировал.

— Мариночка Аркадьевна, хотите начистоту? Вы просто феноменальная молодчина. Вообще-то я считал, что столько разных ваз — это бзик. И зачем делать их на заказ, тоже не мог понять, но сейчас снимаю шляпу! Все, отправляйтесь домой, отдыхайте и наводите красоту! Я пришлю за вами машину!

— Зачем?

— Мариночка Аркадьевна! Вы что же, хотите в вечернем платье садиться за руль? Недопустимо!

— Да, спасибо, вы совершенно правы!

— И я обещаю весь вечер быть вашим кавалером. Надеюсь, Михаил Петрович не вызовет меня на дуэль?

— Не знаю, не знаю, — засмеялась Марина.

Вечером, когда она наконец оделась, надушилась и вышла из комнаты, Алюша отшатнулась и достаточно неумело перекрестилась, а Мишка просто завопил:

— Мама! Супер! Улет, мама! Как жалко, что папы нет! Он бы просто охренел! Подожди, я тебя щелкну, чтобы папа видел!

Марина «купалась в волнах успеха». Никогда прежде ей не приходилось быть в центре внимания на столь многолюдном и модном сборище. К ней то и дело подходили люди, поздравляли, выражали восхищение ее работой, ее платьем, ее красотой. Гусев, как и обещал, держался поблизости, время от времени шепча на ухо, чьего именно внимания она удостоилась. У нее кружилась голова и слегка подташнивало от голода, ей никак не удавалось улучить минутку и хоть что-то съесть.

— Марина, у меня нет слов! — подошел к ней Булавин. — О вашей работе я уже говорил, она выше всяких похвал, я чрезвычайно доволен, но хочу еще сказать, что вы, оказывается, еще и феноменально красивы! Ай да Миша, глаз — алмаз! Впрочем, я всегда чуял, что он знает в женщинах толк! Ох, простите, я, наверное, что-то не то сказал! Мне очень жаль, что его нет здесь! Я хочу выпить за вас с Мишей! Дай Бог вам счастья. У вас, наверное, уже есть предложения новой работы?

— Да, — сияя, ответила Марина.

— Давайте хлопнем шампанского за вас! — Он взял с подноса два бокала.

Я сейчас упаду, если выпью, мелькнуло в голове у Марины, но она взяла бокал, чокнулась с Булавиным, отпила глоток, и тут кто-то тронул ее за плечо. Марина остолбенела. Рядом с ней стояла... Нора!

— Ты? — ахнула Марина. — Как ты сюда попала?

Нора выглядела отлично, в роскошном синем платье, которое ей очень шло. Она похудела, как-то подтянулась и помолодела.

— Маринхен, поздравляю, такой успех! Ты молодец!

— Что ты здесь делаешь? — ошеломленно спросила Марина, разом утратив счастливое расположение духа.

— Я здесь с Ханнесом, мы же помирились, и вот приехали в Москву, у него дела с этой фирмой, так что... Я, конечно, никак не ожидала тебя тут встретить, да еще и в роли триумфаторши... Ты, говорят, все-таки отбила того роскошного мужика, молодец, mein Liebchen. Я, между прочим, недавно видела Питера. — Она как-то многозначительно замолчала.

— Ну и что? Я уже подала на развод, этим занимается адвокат...

— Ну это мне неинтересно, я просто хочу сказать, что нет ничего тайного, что не стало бы явным, Маринхен! Так что...

Марина похолодела. Нора взглянула на нее с торжеством и отошла. Настроение упало до нуля. Вечер был безнадежно испорчен.

— Мариночка Аркадьевна, вы что-то побледнели, радость моя! — встревожился Гусев. — Идемте, надо хоть что-то скушать! А то шампанское со всеми пьете, а кушать не успеваете.

— Даниил Александрович, я хочу уехать, это удобно?

— Боже сохрани!

— Да почему? Все уже кончилось, а пить, есть и веселиться эти люди могут и без меня.

— Мариночка Аркадьевна, вас расстроила эта баба в синем? Вы ее знаете?

— Знаю, редкая сука!

— Я вас обожаю! Вам так идет ругаться, прелесть моя! Счастливец этот Максаков! Когда такая роскошная баба ругается, это до ужаса сексуально!

Он пьяный, сообразила Марина. Надо как-то от него отвязаться и поскорее уехать. Если машины нет, попрошу вызвать такси, не хочу больше здесь оставаться.

Но тут к ней снова подошла Нора. На ее губах играла восторженная улыбка.

— Маринхен, ответь на один вопрос? Это платье, откуда оно? Париж? Рим?

— Москва! — не разжимая губ, бросила Марина.

— Юдашкин?

— Тебе не все равно?

— Нет, конечно, я тоже хочу такое платье, где ты его заказывала? Оно просто изумительно! — воскликнула Нора. И каким-то мгновенным движением выплеснула Марине на платье бокал красного вина. — Ох, прости, я не хотела, я нечаянно! — с притворным ужасом залепетала Нора. — Ты не волнуйся, это отчистится, надо засыпать солью... — И она, словно бы желая стряхнуть с платья красную жидкость, только пуще размазала ее.

Марина застыла. Внутри все оборвалось. Все взгляды были прикованы к ней.

— Мадам, вы, однако, редкая тварь, — с вежливой улыбкой оттеснил Нору знаменитый киноактер Раевский. Он взял Марину под руку: — Идемте, я вас провожу... — Он быстро вывел Марину из зала. — Не огорчайтесь, то, что эта гадина сделала, довольно естественно. Вы были сегодня объектом зависти большинства женщин — и не благодаря деньгам мужей или любовников, а исключительно благодаря вашему таланту и красоте. Так что рассматривайте это пятно как знак вашего женского триумфа! Вы не за рулем?

— Нет... Надо вызвать такси...

— Ни в коем случае, я вас отвезу! Где вы живете?

— На Гиляровского.

— О, так мы соседи, я живу на Троицкой! Замечательно! Я только не понимаю, почему такая женщина одна...

— Муж уехал...

— Только не говорите, что тот тип, который весь вечер возле вас ошивался, ваш любовник.

— Ну что вы! Это сотрудник фирмы... Я вообще не хотела идти на эту тусовку, как чувствовала, что случится какая-то гадость...

— Да плюньте вы на это! Я уж вам объяснил... И вообще, относитесь к жизни легче, иначе захочется удавиться. Я давно это понял и теперь плюю на такие штуки... Мне тоже завидуют, да еще как! Со мной и не такое проделывали! А платье... Что платье, оно свою роль уже сыграло. Плевать на платье!

— Спасибо вам!

— Да не за что! Рад был помочь. Знаете, мой сын хочет открыть в Питере ресторан, вы бы не согласились его оформить? Я ему вас порекомендую! Вы не против?

— А что, в Питере нет своих декораторов?

— Наверняка есть, но мне очень понравилась ваша работа. Я видел, вы давали кому-то свои визитки, может, и мне дадите?

— Господи, ну конечно, я так вам благодарна, — пролепетала Марина, борясь с подступившими слезами.

— Ну вот и слезы на подходе, есть из-за чего плакать! Вы поймите, она это из зависти сделала.

— Да нет, дело не в платье, — всхлипнула все-таки Марина, — она воровка, мелкая, гнусная тварь, а я промолчала, ушла как оплеванная, надо было при всех дать ей сдачи...

— Вы чудачка, именно мелкие, гнусные твари и способны на такое. А вы — нет! Говорю же вам — наплюйте на это! С высокого дерева.

— Мой муж говорит — с гигантской секвойи!

— Да? Можно взять на вооружение?

— Пожалуйста, — сквозь слезы улыбнулась Марина. — Ой, мы уже приехали! Вот мой дом! Я так вам благодарна!

— Напрашиваться на чашечку кофе не имеет смысла?

— Ни малейшего, — всхлипнула Марина.

— Вы же сказали, муж в отъезде. Да я пошутил, не волнуйтесь.

— Я так и поняла! Еще раз спасибо, вы мне очень помогли. Вы хороший человек...

— Просто вы мне понравились. Спокойной ночи!

Марина пошла к подъезду. Ее всю трясло. То ли от нервов, то ли от холода. Погода менялась, поднялся ветер. Лифт не работал. Ну конечно, это уже, как говорится, до кучи. Она сразу увидела свет на кухне. Алюша не спит, ждет ее, что ли? Но навстречу не вышла. Марина заглянула на кухню. Алюша сидела за столом, подперев голову руками, и тихо плакала.

— Что случилось? — испуганно спросила Марина.

— Сидор пропал, — мрачно отозвалась Алюша.

— Как — пропал?

— Кабы знать! Только нигде его нету. Мы с Мишкой уж обыскались. Везде смотрели, по двору шастали, звали, кричали, ушел, поганец! Наша-то, барыня, все шугала его, он, видать, и обиделся, ушел. Хозяин опять же уехал, вот бедолаге и показалось, что он тут лишний... Жалко, хороший кот был, а уж как Миша твой расстроится, он же в нем души не чает. Наш-то Мишка уж обревелся весь, как это он папиного кота не уберег...

— Не плачь, мы завтра с утра объявления расклеим, а еще я слышала, есть какая-то фирма по розыску пропавших животных... А может, он сам придет. Нагуляется, есть захочет, придет...

— Ой, батюшки, что это с платьем? Чем ты его изгадила? Такое платье, каких денег стоит, а ты... Разве можно такой неряхой быть? — заворчала старуха.

Тут уж Марина не выдержала и разрыдалась.

Утром в доме царило уныние.

— Мам, можно я в школу не пойду? Лучше Сидора искать буду.

— Вместе пойдем, — вздохнула Марина.

Но сколько они ни бегали по окрестным дворам и переулкам, Сидора нигде не было.

— Наверное, он ушел на ту дачу, — мрачно произнес Мишка, когда они присели на лавочку в соседнем дворе. — Коты же иногда за пятьсот километров хозяев находят. Сидору у нас не понравилось, вот он и ушел. Он ведь раньше в городе не жил... Кошки, говорят, не к человеку привязываются, а к месту. Я же знаю, с кошками дружить нельзя. Собаки лучше. Но все равно, Сидора жалко. Мам, а папа...

— Что — папа?

— Папа тоже может... ну, как Сидор... уйти от нас? Марине хотелось завыть в голос.

— Откуда я знаю? — вырвалось у нее.

На глазах у Мишки выступили слезы.

— Нет, Мишка, папа не уйдет, папа же к нам по своей воле пришел, а Сидора насильно взяли...

— И потом, его еще Сидóра обижала, правда? А ты же папу не обижаешь?

— Нет, конечно. — Марина потрепала Мишку по волосам. — Не бойся, папа скоро приедет... Конечно, он расстроится из-за Сидора, но что же делать? А может, кот еще найдется, мы пообещали вознаграждение...

— Мама, а ты не можешь позвонить...

— Кому? Папе?

— Нет, папиной той жене...

— Это еще зачем?

— Ну сказать, что Сидор может вернуться, чтобы она тогда нам сообщила...

— Нет, Мишка, она даже разговаривать со мной не станет. Вот папа вернется, он ей позвонит. Ну, ладно, пошли домой!

— Маря, тебе уж телефон оборвали! Каждую минуту звонит! Они все чего, с цепи сорвались?

— Да кто звонил-то?

— Больше всех Гусев, тот уж раз пять звонил. И еще какой-то Раевский, и Люда Божок. Она просила сразу ей перезвонить. Ты знаешь, кто это?

— Знаю, конечно.

— Вот тут ее телефон, я записала.

— Неохота мне звонить, настроение не то.

— Маря, не распускайся, ты что? Разве ж можно. Жизнь-то твоя с этим платьем не кончилась. И вообще, не обращай ты внимания на эту падлу, воровку поганую.

— А Миша звонил? Я мобильник опять забыла — от расстройства.

— Нет, Миша не звонил, но позвонит еще, куда денется? Ты ему про Сидора-то скажешь?

— Пока нет. Вдруг он еще найдется?

— Тоже правильно. Ладно, Маря, мой руки, обедать пора.

Марина уж и не помнила, когда в будний день обедала дома. Но аппетита не было. И она просто, чтобы не огорчать Алюшу, пересилив себя, съела две ложки супа и малюсенький кусочек мяса.

— Маря, так нельзя, ты себя уморишь, и так уж с лица спала...

— Спасибо, не хочется.

Опять зазвонил телефон. Марина сняла трубку в надежде, что это Миша. Но звонила Люда.

— Представь себе, Марик, мне одна клиентка с утра закатила скандал, почему я ей не показала это платье! Я, говорит, сразу узнала твой почерк, представляешь? И еще она сказала, что тебя кто-то вином облил? Это правда?

— Увы!

— Ты еще ничего с платьем не делала?

— Пока нет.

— Тогда знаешь что! Привези его мне, у меня тут одна гениальная тетка есть, она любое пятно выведет! Срочно привози, пока пятно окончательно не въелось, давай, Марик, не сиди, жалко же такую красивую вещь! Я понимаю, тебе лень, не хочется, но вспомни, сколько ты за платье заплатила, хоть денег пожалей! Жду и никаких отговорок не принимаю!

— Людка, ты приставучая, как репей.

— Мне свою работу жалко, дура ты, не понимаешь? Если б твой роскошный интерьер кто-нибудь загадил, тебе разве не хотелось бы вернуть ему первозданный вид?

— Уговорила! Сейчас приеду!

— Вот и хорошо, съезди проветрись, а то сидишь тут... Смотреть на тебя скучно. Мобильник не забудь! — приговаривала Алюша.

— Да-да, спасибо!

Она отвезла платье Люде и в разговоре заметила, что витрина у нее оставляет желать лучшего.

— Вот-вот, мне тоже она не больно нравится. Да все руки не доходят, да и денег, честно сказать, свободных нет. Слушай, Марик, а что, если мы с тобой провернем бартерную операцию?

— То есть?

— Ты мне оформишь витрину, а я тебе за это сошью два шикарных платья из моей ткани, но по твоему выбору? Хочешь вечерние, хочешь для коктейля или деловые костюмы, а?

— Звучит заманчиво, надо подумать.

— Да чего тут думать? Соглашайся, Марик! Я ведь все равно с тебя теперь не слезу! Дело выгодное для обеих. И потом, мы сможем друг дружке клиентов поставлять, а с каждого клиента станем платить определенный процент. Чем плохо?

— Ну, Людка, ты на ходу подметки режешь! Только не считай меня все-таки полной кретинкой. Не спорю, два платья в обмен на витрину — предложение справедливое, а вот насчет процентов... Даже самое дорогущее платье не стоит столько, сколько, к примеру, оформление большого офиса или шикарной квартиры.

— Молодец, Марик, это ты с виду лохушка, а на самом деле ого-го!

— Нет, Людка, я совсем не ого-го, — вдруг вырвалось у Марины, — ты даже представить себе не можешь, что со мной творится. Все вроде бы у меня хорошо, даже прекрасно, но я живу как сжатая пружина и все время чего-то боюсь... А с тех пор как Мишу встретила, особенно. Вот казалось бы, живи и радуйся, все есть: сын, любовь, успех в работе, — а я живу в ожидании удара, на что это похоже? Я стала противной, злой, чувство юмора утратила... Не знаю, что со мной творится... Вот вчера решила начать новую жизнь, наплевать на все страхи, думаю, надену это сказочное платье, буду царицей бала, как говорится, и нá тебе...

— Марик, но платье, даже самое сказочное, даже мое, это чепуха! — сочувственно глядя на нее, проговорила Люда. — Расслабься, забудь, наплюй.

— Да не получается, Люда! Вот Миша сегодня еще не позвонил, я умираю от ужаса, что с ним что-то случилось...

— Так позвони ему сама, что за проблемы? У него мобила есть?

— Есть, но я не хочу звонить...

— Почему?

— Боюсь... Боюсь, что попаду в неподходящий момент и он как-нибудь не так мне ответит или не ответит вовсе, и я буду воображать всякие ужасы...

— А когда он не звонит, ты их не воображаешь?

— Воображаю, но так есть надежда, что он еще позвонит...

— Ты его любишь?

— Люблю, но и любви этой боюсь... Понимаешь, он из-за меня бросил семью... вообще все бросил... А прожил с женой двадцать семь лет!

— Подумаешь, большое дело! Марик, у тебя что, подруг нету?

— Нету, Людка, у меня только друг — Севочка Некрасов.

— Да он же «голубой»!

— Ну и что? Знаешь, какой это золотой человек? Сколько он для меня сделал, как помогал... А я, свинья эдакая, от любви к Мише со всеми своими страхами вчера даже не вспомнила о нем, а ведь именно Севка сосватал мне эту работу... Господи, надо ж быть такой неблагодарной скотиной!

— Слушай, Марик, что-то ты мне не нравишься! Может, тебе к врачу сходить, а? Я лично в это все не верю, но мои клиентки некоторые таскаются по психоаналитикам... На мой лично взгляд, самое милое дело — взять бутылочку, обязательно водочки, с хорошим закусончиком, сесть уютненько и поговорить по душам! Не нашенское это дело — психоаналитики. У нас вместо них — подруги! Очень помогает. Ты говоришь, у тебя нет подруг, вот и дошла черт знает до чего! Давай-ка, Марик, поедем сейчас ко мне, посидим, мы хоть и не близкие подруги, а все же давно знаем друг дружку, так почему ж нам не поговорить по душам? Мне тоже есть на что в жизни поплакаться... У меня с мужиками знаешь какая проблема? Вот попадается мне мужик, я в него влюбляюсь как полоумная и начинаю баловать... И ведь знаю, нельзя этого делать, а все равно... Люблю, жалею, хочу от всех неприятностей оградить, помочь чем можно, а они меня за это ногами пинают... Как тут быть? Я начинаю вникать в их жизнь, выслушивать их исповеди, они, сволочи, сначала и рады, вываливают на меня всю свою помойку, а потом спохватываются и меня же начинают ненавидеть... Я решила: все, рожу себе ребеночка и пошлю папашу ко всем чертям...

— И что?

— Выполнила программу, все получилось... Только ребеночек дауном оказался и прожил три года всего... Вот такие пироги! А ты говоришь... У тебя все хорошо, так радуйся этому, Марик, радуйся! У тебя сын здоровенький?

— Слава богу! Тьфу, тьфу, тьфу, чтоб не сглазить, — постучала по дереву Марина.

— Так прыгай от счастья, дура! Ленку Заозерскую помнишь?

— Конечно! Только я ее после школы ни разу не видела.

— А я с ней дружила! И знаю, у нее дочка в пятнадцать лет наркоманкой стала, умерла от передоза, а Ленка с собой покончила!

— Боже мой!

— Впечатляет? А Фариду Зарипову помнишь, уж какая красотка была...

— Почему — была? — еле слышно спросила Марина.

— Потому что замуж за алкаша вышла, а тот ее бил смертным боем и однажды все зубы выбил, челюсть сломал...

— Но зубы можно вставить... — испуганно заметила Марина.

— Зубы можно, но душу новую не вставишь, вот Фарида и спилась. В пьяном виде под трамвай попала... Слава богу, насмерть...

Под грузом внезапно обрушившихся на нее чужих несчастий Марина почти физически согнулась. И взмолилась:

243

— Людочка, хватит, пожалуйста, не надо!

— Впечатляет, да? Ты, Марик, просто с жиру бесишься, понятно тебе?

— Люда, я ведь и сама это понимаю, без всех этих ужасов, но ничего не могу с собой поделать... Может, и вправду надо напиться, чтобы пружина разжалась, а?

— Понимаешь, выпить немножко с подругой — оно хорошо, а вот напиваться, чтобы пружина разжалась... Лучше не надо! А то вдруг она и вправду разожмется?

— Так хорошо же!

— А если потом опять потянет пружину разжать и опять? Так и спиться недолго...

— Тогда я не знаю... Мне иногда кажется, я сойду с ума, а мне нельзя, у меня сын...

— Слушай, а может, у тебя на душе грех какой есть, а?

— Да нет, грехов у меня, наверное, масса, но какого-то рокового...

— А может, тайна? Тайна, которую ты свято хранишь и она тебя мучает? А, я угадала? Ты покраснела? Я умная баба, Марик, согласись.

— Это правда, ты, Людка, умная, а я полная дура... Да, есть у меня тайна, только она не моя. Человек, который мне ее доверил, умер...

— И кроме тебя, никто об этом не знает?

— В том-то и беда, что знают еще два человека. И один из них – та гадина, что мне платье залила...

— Она тебя шантажирует, что ли?

— Да нет... Но намекает, что может рассказать...

— А если расскажет, что будет?

— Это смотря кому расскажет...

— Слушай, Марик, я, конечно, не знаю, что там у тебя за тайна, только ты расскажи о ней хоть одной живой душе, кому-нибудь, в ком ты уверена... Севка Некрасов знает?

— Нет, — покачала головой Марина. — Я никому никогда... как обещала...

— Так нарушь обещание, черт бы тебя побрал! Можешь мне рассказать, я чужие секреты хранить умею, мне как врачу... Помню, в какой-то детской книжке было сказано: врачу рассказать, все равно что в шкаф шепнуть. Так вот считай, что я шкаф!

— Платяной! — грустно улыбнулась Марина.

— О, вот видишь, как хорошо на человека действуют разговоры с подругами, ты уже остришь, а говорила, чувство юмора утратила! Что-то мне, Марик, подсказывает, что мы с тобой теперь станем подругами. Так что можешь вывалить на меня свои страшные тайны...

Марина вдруг ощутила такую острую потребность хоть с кем-то поделиться, что уже открыла рот, но тут запищал мобильник.

— Алло!

— Маричка? Как ты там?

— Миша, наконец-то! Я уже волновалась!

— Поверишь, секунды не было даже позвонить! Но как только, так сразу... Я смертельно соскучился. Как прошел вечер?

— Хорошо, очень хорошо, приедешь, все расскажу. Миша, пожалуйста, приезжай скорее!

— Маленькая моя, здесь так все сложно, такие заморочки, что, раньше чем через дней пять, не получится.

— Миша, ты мне очень нужен, очень...

— Что случилось?

— Нет, ничего, просто...

— Я звонил домой, мне что-то Мишкин голос не понравился, у него все в порядке?

— Да-да, не волнуйся, у нас все хорошо. А Мишка просто соскучился по тебе...

— А уж как я соскучился! Ну все, я тебя целую, мне пора.

Марина спрятала телефон в сумку.

— Ну теперь твоя душенька довольна? — усмехнулась Люда.

— Конечно, мне сразу легче стало, и еще... прости, Люда, но я сейчас поняла: я только ему смогу открыть свою тайну, не обижайся.

— Да ради бога, чем меньше знаешь тайн, тем легче жить.

— И еще я хотела сказать, ну насчет того, что мы можем быть подругами... Мне тоже так кажется...

— Марик! — умилилась Люда. — По такому случаю надо выпить! Поехали ко мне!

— Нет, поедем ко мне! Я тебя с сыном познакомлю, с Алюшей... И вообще...

— Годится! — с радостью согласилась Люда. — У меня куча всяких дел, но ради такого случая я их отложу, вот только сделаю несколько звонков. Подождешь?

— Конечно! — с жаром ответила Марина. Она была страшно рада, что у нее наконец появилась подруга.

— Мама! — выскочил в прихожую Мишка. — Папа звонил! Ой, здрасте!

— Ты Миша? Привет, а я Люда!

— Людмила Федоровна! — поправила Марина.

— Ни боже мой! Меня всегда дети моих друзей зовут Люда. Договорились? — Она протянула мальчику пухлую руку.

Он секунду помедлил, потом все-таки пожал протянутую руку и сказал:

— Привет, Люда! Это ты маме платье сшила?

— Я!

— Суперский прикид!

— Я тоже так считаю!

Мишке очень понравилась эта тетка. Он вообще в последнее время пришел к выводу, что ему нравятся толстые тетки. Они какие-то добрые и приятные. Например, Мина Оскаровна, та вообще клевейшая, и эта Люда тоже симпатяга.

— А где Алюша? — спросила Марина, удивляясь, что та еще не появилась.

— Сидора пошла искать. Я хотел с ней, но она велела дома сидеть, папиного звонка ждать! Он тебе дозвонился?

— Да... Ты голодный?

— Нет, Алюша меня кормила.

— Тогда мы с Людой поужинаем. Ты уверен, что ничего не хочешь?

— Мам, ты знаешь, я кого сегодня видел?

— И кого же?

— Ту тетку, которая у нас весной жила... Как ее, Нора, что ли?

Марина похолодела:

— Где ты ее видел?

— Ты когда уехала, я пошел еще Сидора поискать, ну и на обратном пути увидал, что она в нашем дворе на лавочке сидит.

— И что? — с замиранием сердца спросила Марина.

— Ничего. Я просто подумал, что она опять тебя ждет, как в тот раз, ну и проскочил за машинами, чтобы она меня не видела. Не хотел с ней разговаривать — она противная.

— Господи, час от часу не легче! Алюша ее видела?

— Я ей сказал. Мам, ну я пойду, у меня там компьютер...

Мишка убежал.

— Марик, какой парень! Просто сплошное очарование! А кто это — Сидор?

— Кот.

— Ты расстроилась из-за этой бабы?

— Не то слово!

— А это, часом, не она знает твою роковую тайну, а?

— Она! Черт бы ее взял!

— Наплюй!

— Постараюсь. Ладно, Люда, пошли поедим, выпьем, как собирались.

Но как бы Марина ни храбрилась, а противный, липкий страх все равно подползал к сердцу.

— Марик, ты что, боишься, что нянька узнает твою тайну? — шепотом спросила Люда.

— Нет, этого я как раз не боюсь... Наверное, не боюсь, — поправилась она. — Ах, я уже сама не понимаю, чего я боюсь и почему! В этом нет никакой логики. Слушай, Людка, я вот только сейчас сообразила... Миша возник в моей жизни ровно в тот же день, что и Нора...

— Вот что, Марик, сядь, выпей водки, нет, не так, а залпом, и расскажи мне все, что сочтешь нужным, и про Мишу, и про Нору, и про тот день.

Марина рассказала Люде все с самого начала — как ездила с Мишкой на дачу, как не хотела идти на свадьбу, как покупала ландыши, как сперва не узнала в немолодом, импозантном мужчине того, под чьим восторженным взглядом в день своей свадьбы подумала: позови он меня сейчас, я все брошу!

— А я ведь думала, что люблю Питера, и вообще, я хотела выйти за него замуж, уехать... Уехать из этой страны, где я задыхалась... где, мне казалось, я уже ничего и никого не могу любить... Наверное, это был просто юношеский максимализм, многого я не понимала по молодости и глупости... И вот моя цель достигнута, я вышла замуж за иностранца... причем по любви. В те годы, если помнишь, это было модно, престижно, да и удобно, наконец. И муж мой не отвратный карикатурный богатый старик, а молодой, всего двадцать восемь лет, преуспевающий швейцарский бизнесмен, который во мне души не чает, так мне казалось... И впереди — весь мир! Мои тогдашние подружки ахали, когда слышали, что в свадебное путешествие я поеду на Канарские острова... Это теперь у нас что Канары, что Сочи — почти один хрен...

— На Канары съездить получается дешевле, — заметила Люда. — Но в те годы это и вправду звучало фантастично... ну что же дальше, Марик?

— Вероятно, в глубине души... Нет, не души, а подсознания, я все-таки боялась этой новой жизни — и вдруг во взгляде понравившегося мужчины захотела прочесть призыв остаться... Не уезжать... Но... Хотя нет, в его глазах был призыв, но мне этого было мало... Вот если бы он подошел, взял за руку и сказал: пойдем! Но он не сказал, у него была маленькая дочка... И скоро я о нем вообще забыла. А когда встретилась с ним через столько лет — испугалась...

— Ну до чего же красивая история, Марик! А муж твой что?

— Он был в меня очень влюблен, он учил меня жить в новом мире, в новой стране... Я была молодая, хотела всему научиться... И научилась! Хотя, конечно, иной раз я чувствовала себя полной идиоткой, у меня было столько дурацких советских комплексов, наивных, каких-то лозунговых представлений... Но через три года я уже чувствовала себя там как рыба в воде, пошла учиться в школу дизайнеров, научилась вести дом не по-русски, а по-швейцарски, мне это было не так уж сложно, ведь в России я никакого дома еще не вела... Вот там я и познакомилась с Норой. Она приехала в Швейцарию лет за пять до меня... Мы иногда общались, поскольку жили на одной улице, хотелось все-таки хоть изредка поговорить по-русски... Но она мне никогда не нравилась... И тут вдруг свалилась, как снег на голову... — И Марина подробно рассказала о пребывании Норы у нее в квартире.

— Вот зараза! — воскликнула Люда.

— А вчера эта история с платьем... И еще сегодня она тут что-то вынюхивает...

— Погоди, Марик, я, кажется, поняла, почему ты все время трясешься от страха.

— Да? И почему?

Резко зазвонил телефон. Марина испугалась. Схватила трубку:

— Алло! Я слушаю!

— Зимина Марина Аркадьевна?

— Да.

— Говорят из отделения милиции. Александру Ивановну Острецову знаете?

— Господи, что с ней случилось? — помертвела Марина.

— Задержана ваша Александра Ивановна! За хулиганство и нарушение общественного порядка.

— Что? Вы шутите?

— Какие шутки, говорю вам, она в отделении милиции. Мать, скажи сама, мне не верят...

И тут же в трубке раздался голос Алюши:

— Маря, я правда в милиции, приезжай, а то тут так воняет, сил моих нет!

И она повесила трубку.

Марина вскочила, заметалась по квартире.

— Марик, что случилось? — жестко спросила Люда, поймав ее за рукав.

— Алюша в милиции! Ее задержали... за хулиганство... Бред какой-то. Надо срочно туда ехать...

— Я с тобой! Возьми деньги, да побольше! И еще, приведи себя в порядок.

— Ах боже мой, зачем?

— Как — зачем? Одно дело, если туда явятся приличные, интеллигентные, а главное — трезвые женщины, и совсем другое...

— Понятно! — махнула рукой Марина и побежала в ванную. Выйдя оттуда, она заглянула к Мишке. — Ты должен на часок остаться один!

— Что стряслось, мама?

— Мне надо срочно уйти! Сиди дома, никуда не ходи и, главное, никому не открывай!

— Я что, совсем придурок?

В лифте Люда достала из кармана плаща пакетик мятной жвачки и, ни слова не говоря, сунула одну штуку себе в рот, а вторую Марине. Та покорно принялась жевать.

Марина постучала в стекло, за которым сидел дежурный.

Он вопросительно на нее взглянул.

— Мне звонили по поводу Острецовой, моя фамилия Зимина.

— Здравствуйте, дамочка. Что же это ваша родственница так себя ведет? Руки распускает, ругается нецензурными словами, да еще в таком возрасте...

— Это какое-то недоразумение!

— Ничего себе недоразумение! Иностранную гражданку побила, пиджак на ней порвала, выражалась почище пьяных шоферов...

— Где она?

— Кто?

— Иностранка эта!

— Оставила заявление и уехала.

— Острецова где?

— Где ж ей быть? В «обезьяннике», с задержанными.

— Молодой человек, — вмешалась в разговор Люда, — по-вашему, эта старая женщина может представлять опасность для общества?

— А как же? Вон, говорю же, избила иностранку, ни с того ни с сего набросилась на человека... Это даром не проходит...

— Зачем же даром? — задушевно-интимным голосом проговорила Люда.

— Гражданочка, за оскорбление при исполнении знаете что бывает?

— Не хочешь по-хорошему, ладно! Марик, сядь и успокойся. Я сейчас вызову адвоката!

Часа через два Алюшу выпустили. Марина кинулась к ней, но та жестом ее отстранила:

— Не подходи, Маря. Я там провоняла вся и вшей могла подцепить.

— Алюша!

— Ничего не Алюша! Тебе вши в доме нужны? Вы, девки, езжайте домой, я пешком дойду, чай, недалеко. Ты мне, Маря, на площадку пакет какой-нибудь негодный выставь, я в него вещи сложу и выкину. А в пакет красный халат положь, чтобы было в чем до ванной дойти, поняла?

— Алюша, глупости все, садись в машину. Вещи мы твои, если хочешь, выкинем, но...

— Маря, я как сказала, так и будет! Не хватало мне еще вшей тебе нанести...

— Я тебя одну не отпущу, а то еще кого-нибудь прибьешь!

— Если мне та падла еще попадется, я ее опять прибью! Только уже по-тихому. Подойду сзади и дам кирпичом по башке... Ты Мишку с кем оставила?

— Одного!

— Живо езжай домой и сделай как я сказала!

Спорить с Алюшей было бесполезно. Она никогда не упрямилась по пустякам, но если уж стояла на своем, то сбить ее нельзя было никакими силами.

— Сильна старуха! — восхищенно помотала головой Люда.

— Если б ты знала, как я тебе благодарна!

— Есть о чем разговаривать!

253

— Но я так растерялась... И вообще, все это ужасно!

— Марик, прекрати. Твоей обидчице здорово досталось, радуйся.

— А если она не успокоится? Она же оставила заявление...

— Ты мою адвокатшу видела? Или, по-твоему, нашим ментам совсем уж делать нечего, только старуху преследовать?

— Но ведь есть заявление!

— Нет, Марик, ты все-таки непроходимая дура! Она найдет, кому дать взятку, и дело с концом.

— Господи, Людка, ты просто чудо, с тобой я успокаиваюсь и понимаю, что все не так плохо...

— Марик, вбей в свою глупую голову, что у тебя-то как раз все хорошо.

Они вэшли в квартиру. Мишка спал под воинственные вопли Джеки Чана. Марина выключила телевизор, поцеловала сына, погасила свет.

— Людка, я так проголодалась!

— Честно сказать, я тоже. Продолжим? Только приготовь старушке все, что она просила.

— Да-да, конечно!

— Ну так что дальше было там, в Швейцарии?

— Много всякого, и плохого и хорошего.

— А детей почему не было? Твоему парню лет десять, не больше? Это швейцарца сын?

— Нет, я встретила другого человека, влюбилась, забеременела, вернулась в Россию, родила, а он вскоре погиб, разбился на машине...

Люда деликатно промолчала, а потом не выдержала:

— Марик, а ведь ты что-то врешь!

— Вру? — вспыхнула Марина.

— Определенно врешь. Эта часть твоего рассказа звучит как: «Упал, потерял сознание, очнулся — гипс!» Но я не стану лезть к тебе в душу. Захочешь — скажешь.

— Люда, а что ты хотела сказать, когда позвонили из милиции?

— Не помню уж.

— Ты говорила, что поняла, почему я все время трясусь от страха.

— А, да... Эта твоя Нора, будь она неладна, тебе всякие кретинские проклятия выкрикивала, так?

— Так.

— А у тебя в тот момент наступил перелом в жизни, ты встретила свою любовь, тут все чувства так обостряются, что иной раз спятить можно. Ты и спятила! Восприняла эти выкрики гнусной бабы всерьез, причем на уровне подкорки... А так нельзя, Марик! Ты же в общем нормальная баба! Свою подкорку надо защищать от всяких идиотских воплей. Мало ли кто что кричит! У нас в районе есть одна сумасшедшая, так она, когда меня видит, начинает кричать: «Убийца! Убийца с третьего этажа!»

— А ты на каком этаже живешь? — улыбнулась Марина.

— На шестом! Она сумасшедшая, но, между прочим, это неприятно, когда заходишь купить колбасы, а в тебя тычут пальцем и орут, что ты убийца с третьего этажа, но я же не переезжаю на третий этаж и никого не убиваю...

— Людка, ты всегда была такая умная, а?

— Ну, наверное, какие-то задатки были... — засмеялась Люда. — Но жизненный опыт тоже помогает, особенно когда работаешь с людьми.

— Ты права, ты совершенно права! То есть просто фантастически права! Я действительно была напугана надвигающимися переменами в жизни, и ее идиотские проклятия упали на удобренную почву! Господи, Людка, у меня как будто камень с души свалился!

— Вот и славненько! Давай за это выпьем!

— Знаешь что! Я сделаю тебе витрину даром, без всяких платьев. В подарок!

— Нет, Марик, дружба дружбой, но я не люблю быть обязанной, даже подруге. Поэтому сделаем как договорились! Слушай, а у тебя есть фотки твоего мужика?

— Миши? Есть, конечно! Показать? — обрадовалась Марина.

— Покажи!

Марина принесла альбом, где были фотографии, сделанные в Турции и на даче.

— Хорош, ничего не скажешь, хотя на мой вкус староват, я люблю посвежее...

В этот момент хлопнула входная дверь. Марина выскочила в прихожую:

— Алюша!

— Маря, не подходи! — И она босиком прошлепала в ванную. На ней был только старенький байковый халат явно на голое тело.

— Где твои вещи?

— Выкинула!

— Ты что, на лестнице догола разделась?

— Так никто не видал! Уйди, Маря! Кому говорю!

Марина вернулась на кухню.

— Слушай, Марик, а ведь твой сын здорово похож на этого мужика.

— Мне уже говорили, хотя я особого сходства не вижу, — засмеялась Марина. То ли от выпитого, то ли от разговора с Людой она ощущала какую-то странную легкость, почти счастье.

— А ты уверена, что прижила сына не от него?

— Конечно, уверена, что за глупости!

Они еще долго сидели, в кухню заглянула Алюша, как-то недовольно покачала головой, но присоединиться к ним отказалась.

— Поешь хоть, — сказала Марина.

— Не хочу! — мрачно отозвалась Алюша и ушла к себе.

Наконец Люда собралась домой. Вызвала такси и на прощание потребовала:

— Марик, теперь ты должна у меня побывать!

— Людка, ты еще не будешь знать, как от меня избавиться! Мне давно ни с кем не было так легко и хорошо.

— А что я говорила! Русским бабам психоаналитики не подходят. Подруга и рюмочка — лучший психоанализ, конечно, при условии, что подруга не стерва и не идиотка. Ну все, пока! С мужиком своим познакомишь?

— Обязательно!

— Может, у него какой-нибудь дружбан в запасе есть!

Люда ушла. Марина вернулась на кухню вымыть посуду. Почти сразу за ней туда явилась Алюша. Не стала вырывать у нее из рук посуду, а мрачно села за стол.

— Ну? — сказала она требовательно.

— Что — ну? Это я должна сказать ну! Что за дела? Зачем ты драку учинила? А если б она тебя убила или покалечила?

— Ха! Она — меня? Смеешься, что ли? Я ей как врезала по сопатке, она и снюнилась! Подружка! Теперь вот новую приваживаешь? Мало тебе? Да выпиваешь с ней! Это куда годится? Вона как, цельную бутылку выжрали!

— Что ты разворчалась? Значит, мне так надо было! И Людка — совсем другое дело, я ее сто лет знаю, со школы еще...

— В школе-то небось вы не выпивали! Ишь, дела какие — водку с бабами хлестать! Вот Мише твоему скажу!

— Слушай, ты что на меня нападаешь? Кого в милицию загребли, меня?

— Ой, Маря, ты бы видела... Я чуть со смеху не уссалась!

— Это от чего же? Оттого, что по сопатке врезала?

— Да нет, я такая злая была, врезала ей, а потом в волосенки вцепилась, а волосенки у меня в руках и остались! Парик у ней! Между прочим, она потому и озверела... Народ-то видал, что у ней на башке только пух-перо.

— Народ?

— Ага, она так визжала, что народ собрался, и, как на грех, мент мимо шел... Одно скажу — ни о чем не жалею, даже если меня потом в тюрьму упекут.

— Никто тебя не упечет, и, между прочим, благодаря Людке. Я так растерялась, а она свою адвокатшу вызвала...

— Да ну, надо было взятку дать, и все дела.

— Пробовали, отказался.

— Небось ему эта лысая сука больше сунула... Веришь, Маря, — она даже понизила голос, — я такое удовольствие получила...

— Ну ты даешь!

— А ты? Ты почему всю дорогу от меня такое скрывала, а?

Михаил Петрович возвращался в Москву, снедаемый таким нетерпением, какого уж и не помнил за собой много лет. После довольно вкусного обеда — он летел в бизнес-классе, — с удовольствием вытянув ноги, он попытался заснуть. Но не смог и попросил у стюардессы московские газеты. Она с очаровательной улыбкой принесла ему целую охапку. Он принялся небрежно их пролистывать. И вдруг замер. С газетной полосы на него смотрела Марина. В открытом белом платье, с чуть пьяноватым выражением лица. Он прочитал под фотографией «Героиня роскошной вечеринки Марина Зимина, модный декоратор, в самый разгар веселья, когда она была в центре внимания, подверглась нападению! Одна из присутствующих дам облила ее наряд красным вином! Красавица расстроилась, конечно, но вскоре нашла утешение... (См. следующую страницу!)» Михаил Петрович быстро перевернул страницу и увидел Марину в каком-то капюшоне, а рядом с нею нежно улыбающегося Виктора Раевского. Подпись гласила: «...Нашла утешение в объятиях господина Раевского, который увез ее в ночь на своем «Лексусе».

Ревнивое бешенство захлестнуло его. Потемнело в глазах, задрожали руки. Что она наделала! Но способность трезво мыслить вернулась почти сразу. Что уж такого крамольного в этом снимке? Два человека выходят из здания фирмы, мужчина и женщина. Женщину только что обидели. Что должен сделать нормальный мужчина, особенно если женщина пришла на вечеринку одна? Увезти ее оттуда. Вопрос только в том — куда?

Да домой, глупости все это... У Марины лицо на втором снимке совершенно несчастное, а Раевский улыбается. Значит, пытается ее успокоить. Может быть, они давно знакомы... И в этом нет никакого криминала... А разве я сам, окажись на его месте, не сделал бы то же самое для любой женщины в таком положении? Бедная, каково быть, что называется, царицей бала, а потом... Наверняка она чувствовала себя отвратительно, одиноко... если бы я был рядом... Глупости все это, бред ревнивого воображения! Что ж я, не знаю, что журналюги из всего сделают сюжетец, который может у кого угодно возбудить любые подозрения? У Раевского прекрасная репутация, он уж лет тридцать живет с женой... Ну, положим, это ничего не значит, я тоже прожил с женой почти тридцать лет, а встретил Марину, и все... Может, и он... Нет, нельзя так думать, Марина мне пока никаких поводов сомневаться в ней не давала, она любит меня, я это твердо знаю! А на все остальное мне плевать... Но распаленное ревностью воображение против воли рисовало картины «утешения»... Ну и что, что он тридцать лет женат и у него безупречная репутация? Просто, видно, ловкий мужик, умело все скрывает... А тут такая красивая женщина нуждается в помощи... Нет, я брежу! Что такого особенного случилось? Платье вином облили, подумаешь, тоже мне, повод для трагедии! А откуда, кстати, взялись журналисты? Булавин не любит пускать их на тусовки. Как это все неприятно, теперь на фирме на меня будут пальцем показывать: видали старого дурака? Всю жизнь ради бабы поломал, а она при первой же оказии наставила ему рога! Он даже невольно ощупал лоб, не растут ли уже? И, поймав себя на этом, рассмеялся. Да, я влип! Сроду со мной такого не было! И с этим надо что-то делать! Неужели мое счастье было таким недолгим? Неужели все рухнуло? Нет, нельзя... Нельзя поддаваться... Я как будто проглотил яд, и этот яд будет медленно и верно убивать мою любовь... Нет, я не сдамся. И не стану думать об этом... Я старый, прожженный бабник, неужели я по ее глазам сразу не пойму, было или не было! Она приедет меня встречать, и я сразу все пойму! А если меня что-то смутит, спрошу напрямик! Она признается, если виновата. «Мать умрет, а сын тебе достанется», — всплыло в памяти. Вот оно! Она может покончить с собой, если я несправедливо ее обвиню. Ерунда, с какой стати ей кончать с собой? Просто рассмеется мне в лицо и скажет: «Мишка, ты дурак!» — и будет права...

В продолжение всего полета его терзали эти мысли, и, когда самолет наконец приземлился в Шереметьеве, он чувствовал себя совершенно измочаленным, словно летел не три часа, а как минимум двенадцать. Кажется, это у Шекспира было что-то о ревности... Ревность — зверь с зелеными глазами... Именно что с зелеными...

Он сразу увидел Марину. Она так просияла и бросилась к нему, что он перевел дух — ни в чем она не виновата!

— Миша! Наконец-то! Я так тебя ждала!

— Маленькая, я соскучился, как там Мишка? Почему ты его не взяла?

— Он в школе, а после школы у него английский...

Он обнял ее, ощутил запах ее духов. Нет, она не могла... Он все-таки заглянул ей в глаза. В них была какая-то грусть и в то же время решимость, как будто она хочет сообщить что-то плохое... Вот сейчас скажет, что ошиблась, что любит другого... Тогда почему она тянет...

— Марина, — он слегка отстранился, — что-то случилось? Скажи лучше сразу!

— Миша, Сидор пропал! — выпалила она, и ее глаза налились слезами. — Ушел, мы с ног сбились. Его нигде нет!

От этой несомненно печальной новости он ощутил такое громадное облегчение, что чуть не задушил ее в объятиях.

— Мишка истерзался, как это он папиного кота не уберег...

— Может, он еще найдется, загулял, сволочь, наверное... Все-таки надо было его кастрировать, — сказал он и вдруг почувствовал себя предателем. — А в остальном все нормально? Мама здорова?

— Да, все в порядке.

Они стояли посреди зала, их то и дело толкали.

— Миша, пойдем, что мы тут стоим? — засмеялась Марина, засмеялась так нежно, так искренне, что все подозрения уплыли, как облачко от сильного ветра.

— Ты за рулем?

— Булавин хотел прислать машину, но я решила, что не нужно, я так соскучилась. Он сказал, сегодня тебе не надо на фирму ехать.

— Прекрасная новость! Я сам поведу.

В машине они снова обнялись.

— Маричка, а как прошел вечер? — спросил он с замиранием сердца.

— Сначала все было просто роскошно, а потом появилась Нора...

— Какая Нора?

— Помнишь, я тебе рассказывала, из Швейцарии... И она облила вином мое шикарное платье. Вот сволочь!

— Ты очень расстроилась?

— Как тебе сказать... Я просто растерялась... Стою посреди зала, кругом прорва народу, на платье громадное пятно...

Скажет или не скажет?

— Но тут ко мне подошел Раевский...

— Какой Раевский? — напряженным голосом спросил он.

— Виктор Раевский, актер, он взял меня под руку и увел.

— Куда?

— Посадил в свою машину и отвез домой, очень милый человек оказался, я так ему благодарна... Вхожу в квартиру, вся в растрепанных чувствах, а там Алюша рыдает — Сидор пропал... Ты очень огорчен, да?

— Конечно! Конечно, огорчен. Но может, еще найдется. Он умный кот...

Либо она гениальная актриса, либо я полный кретин. И похоже, что именно так и есть. Она, кажется, даже ничего не знает о газетной публикации, либо, наоборот, знает и потому подает все так легко, между прочим, как бы заранее опровергая подозрения, которые могут у меня возникнуть, если я увижу публикацию, вряд ли она в состоянии предположить, что я уже знаю. Нет, глупости! Она такая искренняя, такая нежная... Нет, в ней все-таки что-то изменилось!

Почти неуловимо, но изменилось... Что же это? Ее словно покинуло постоянное напряжение, в котором она жила... Интересно, почему?

— Маричка, у меня идея, давай сейчас поедем на дачу!

— На дачу? — безмерно удивилась Марина. — Зачем? Там же холодно...

— Не страшно, затопим... и вообще, я тебя быстро согрею...

— Ах вот какие у тебя мысли, — засмеялась она, да так, что он чуть не сошел с ума. — Ну что ж, мне нравится твоя идея, только надо позвонить Алюше, предупредить и еще купить какой-то еды! Правда, Мишка расстроится, если не застанет нас... Но ничего, едем!

В доме было очень холодно, но они этого почти не ощутили. Нет, глупости, я просто ревнивый дурак, она любит только меня, а я просто схожу с ума от любви, да что там, уже сошел, окончательно и бесповоротно. У меня никогда не было такой женщины... Нет, ерунда, просто я никогда раньше не любил, не понимал, что это такое... — блаженно думал он, раскинувшись в постели. Дом уже согрелся.

— Миша, я такая голодная... ты меня совсем умучил... — проговорила она.

— Давай останемся тут на ночь, а? Тогда я тебя окончательно умучаю.

— Нет, нельзя. Мишка очень расстроится.

— Да-да, ты права, вот поедим — и в путь. А неохота! Ну что там у нас есть?

Когда они поели, Марина вдруг словно набрала в грудь воздуху и выпалила:

— Миша, пока мы одни, я хочу признаться в одной вещи...

О господи, вот оно!

— Можешь не признаваться, я уже все знаю

— Господи, откуда?

— Из газет, моя дорогая! Из газет!

— Из каких газет? Что за глупость?

— Почему же глупость? Все газеты уже трубят о твоем романе с Раевским.

Она вытаращила глаза:

— О чем, о чем?

— Не притворяйся! Ты очень ловко мне подала эту историю, но я уже в курсе, не трудись!

— При чем тут Раевский? Он просто подвез меня домой, и больше я о нем ничего не знаю! Миша, ты ревнуешь? Ты думаешь, у меня что-то с ним было? Мишка, ты непроходимый дурак! Я люблю тебя, и только тебя, зачем мне какой-то Раевский?

— Тогда в чем ты хотела мне признаться? — вдруг смертельно испугался он. Сейчас она скажет, что неизлечимо больна и я должен позаботиться о Мишке.

— Я хотела сказать тебе одну вещь... Правда, я поклялась когда-то, что буду свято хранить эту тайну, но она помимо моей воли уже всплыла... Мишка не мой сын.

— Как? — опешил он, решив, что ослышался.

— Вот так. Его родила не я... Но это не имеет значения, он все равно мой сын...

— Погоди, что ты говоришь? Ты взяла его из детского дома?

— Нет, — покачала головой Марина. — Он сын моей умершей подруги... Ей нельзя было рожать, но она все-таки решилась, понадеялась на чудо, а чуда не случилось... Она прожила после родов только полтора месяца...

— А отец у него есть?

— Я не знаю, он, может, и есть где-то, но я никогда его не видела, знаю только, что его звали Дмитрий, и ничего больше... даже фамилии она мне не сказала. Она не хотела, чтобы хоть одна душа знала, что она родила от него, понимаешь? Она вообще была очень скрытная, любила его без памяти, а он, кажется, был женат...

Боже мой, вот что значило пророчество «бзикану-той» ветеринарши! Действительно, мать умерла, а сын достался мне! Значит, с Мариной ничего не случится! Она не умрет!

Он схватил Марину и начал целовать.

— Пусти, я тебе о таких вещах... а ты! — возмущенно оттолкнула его Марина.

— Прости, я потом объясню тебе почему... прости. Говори, маленькая, я слушаю тебя.

— Когда стало ясно, что ей осталось совсем немного, она вызвала меня и умоляла взять Мишку к себе, я сразу согласилась, я как только увидела его... А Питер, мой муж, он категорически отказался усыновить... Тогда я плюнула на все, ушла от него и вернулась в Москву... В те годы была такая неразбериха везде... и за хорошую взятку я сумела оформить усыновление... По закону я не могла без согласия мужа, и вообще... Правда, на эту взятку ушли все мои деньги, но... Подруга завещала мне свою квартиру, чтобы я могла ее продать и на эти деньги... Но я тогда как раз встретила Алюшу, взяла к себе и поняла, что скоро двухкомнатной будет мало, и поменяла две квартиры на одну... Ну вот, собственно, и все... Господи, как легко стало!

— Ты сказала, что эта тайна всплыла... Каким образом?

— А эта тварь, Нора, встретила Питера... И он ей сказал, что Мишка не мой сын...

— Сукин кот! Как можно говорить такие вещи кому бы то ни было! А эта баба поспешила в Москву доложить об этом... Но кому? Мне?

— Да нет, то-то и дело, что Мишке!

— Ей удалось?

— Нет, Алюша ее так прибила, что...

Марина рассказала ему о подвигах Алюши. Он долго хохотал, потом нахмурился.

— Она оставила заявление? Ничего, я ее достану! За разглашение тайны усыновления есть санкции! Пусть только попробует не забрать заявление. А тебя, Маричка, я еще больше люблю... И мы с тобой будем для Мишки прекрасными родителями, ты и так уже прекрасная мать, а я...

Она не дала ему договорить:

— Я думаю, нам пора ехать, а то наш сын там, наверное, в тоске.

Поздним вечером, когда счастливый Мишка уже давно спал, Михаил Петрович спросил:

— А как звали твою покойную подругу?

— Татьяна.

— У тебя есть ее фотография? Мишка на нее похож?

— Немножко.

Она достала из письменного стола маленький альбом с фотографиями и дала ему. Но тут ей кто-то позвонил. Когда она вернулась, он с задумчивым лицом листал альбом.

— Интересная женщина. Почему все-таки она умерла?

— У нее была тяжелая болезнь почек... Ей нельзя было рожать... Но она так хотела ребенка... надеялась на чудо...

— А кто звонил?

— Севка! Объявился наконец, пропащая душа! Оказывается, он из Италии махнул в Мексику, его пригласил мексиканский миллионер оформить виллу в Акапулько! Севка говорит, что там фантастически красиво и что он хочет пожить годик-другой в Мексике...

— А сейчас-то он в Москве?

— Да нет, в Акапулько! Он знаешь еще что сказал? Что теперь может себе позволить уехать из Москвы надолго, потому что я в хороших руках! Миша, а я в хороших руках?

Прошел месяц. Марина взялась за новую работу, оформляла теперь квартиру Булавина. Его жена решила, что недопустимо, чтобы офис был шикарнее и элегантнее ее дома. Она, открыв рот, слушала Маринины объяснения, почему что-то надо сделать так, а не иначе, и во всем с ней соглашалась. Витрину для Люды Божок она сделала за два дня, и та осталась довольна. А Михаил Петрович вдруг объявил, что берет отпуск на неделю, чтобы побольше времени проводить с Мишкой. Он забирал его из школы, и они вместе куда-то ходили, ездили, развлекались. Музеи, выставки, книжные магазины... Два раза были в театре. Мишка пребывал на седьмом небе от счастья. Только иногда они оба грустили по Сидору.

— Маря, глянь, как мужик к ребятенку относится! Лучше родного отца! Это тебе Бог послал... Я теперь спокойно могу помереть!

— Даже не вздумай! Еще чего! Живи и радуйся, не желаю эти глупости слушать! Один, понимаешь, в Мексику слинял, другая помирать собралась... Взяли и свалили все на Мишу, безобразие просто! — сердилась Марина. — У него, между прочим, есть еще мама, сестра, дочка...

Но однажды он позвонил Марине на сотовый, когда она занималась подбором ткани на шторы в булавинской квартире, и сказал, что у него важное дело и он сейчас заедет за ней.

— Что случилось, Миша? Почему такая срочность? — спросила она, садясь в машину.

— Маричка, у меня есть новость, я хочу обсудить ее с тобой...

— Хорошая или плохая?

— По-моему, более чем хорошая!

— Миша, не томи, говори скорее!

— Нет, мы сейчас поедем на дачу, там и поговорим!

— Миша, ты просто хулиган, сексуальный маньяк! — засмеялась Марина. — Вот взял моду — таскаться на дачу! Там же холодно!

— Разве прошлый раз ты этот холод почувствовала? К тому же я позвонил тете Нюше и попросил протопить дом.

— Миша!

Марина вдруг поняла, что предстоит что-то другое, не просто постельное приключение. Ей стало немного не по себе. Что это может быть? Хотя он сказал, новость более чем хорошая... Наверное, приготовил мне какой-то сюрприз, подарок... И вздумал так таинственно все обставить. И тут вдруг ее охватил страх, навеянный разговором с Инной, женой Булавина. Тот решил отправить их двенадцатилетнего сына учиться в Англию. А вдруг он убедил **Мишу**, что и маленького Мишку надо отправить за границу? Никогда в жизни! Ни за что его не отпущу, пусть не надеется. Может быть, он специально взял отпуск, чтобы внушить ребенку эту идею? И она всю дорогу готовилась дать мужу отпор.

В доме и в самом деле было тепло. Михаил Петрович достал из багажника пакеты, внес их в дом.

— Это что?

— Надо же нам что-то есть...

— Ты долго собираешься тут пробыть, судя по запасам?

— До утра. Мне же завтра на работу.

— Мишка, признайся, ты всю эту таинственность развел, чтобы потрахаться на свободе? — засмеялась она.

— Ну и это тоже, разумеется, но сначала нам предстоит важный разговор!

Так и есть, он хочет отправить Мишку!

— Ни за что! Даже не мечтай!

— Погоди, ты о чем?

— Я сегодня говорила с Инной, они отправляют Ваську в Англию!

— При чем тут это? — опешил Михаил Петрович.

— Ты думаешь, я тут в постели на свободе размякну и соглашусь отпустить Мишку? Никогда, понял?

— Нет, все-таки бабы кошмарный народ! Напридумывают себе черт знает что! Да мне в голову ничего такого не приходило! Сядь!

— И не подумаю!

— Сядь, я кому сказал! И выслушай меня, а восклицать будешь потом, для этого у тебя будут основания!

Он еще ни разу не повышал на нее голос. Она так удивилась, что покорно села в качалку.

— Марина, я даже не знаю, как начать... Все это странно, невероятно, так в жизни не бывает, хотя чего только в жизни не бывает, но... Я узнал, кто Мишкин отец...

Она вскочила как ужаленная.

— Зачем? Зачем ты это сделал? Кто тебя просил? Это отвратительно, это подло, гнусно, неужели ты не понимаешь? Ты что, хочешь избавиться от него? Тебе ребенок в тягость? К чему тогда все эти сюси-пуси, все эти разговоры, ах, я его люблю, ах, он мой сын, а как появилась возможность, хочешь избавиться? Не будет этого, понял? Я его мать, а отца нам не надо! Я так и знала, что этим кончится! Нет, никогда, слышал? Между нами все кончено, убирайся, я знать тебя не хочу! Ишь чего выдумал, отца он нашел! Уходи! Не хочу тебя даже видеть!

Он довольно спокойно все это слушал, а когда ее крики пошли на убыль просто от усталости, он жестко сказал:

— Ты закончила свой монолог? Сядь и успокойся. Ты же мне слова сказать не дала.

— Не желаю я никаких дурацких слов.

— Хорошо, не хочешь слов — не надо! Вот возьми! — Он протянул ей довольно большой конверт.

— Это что? — испуганно спросила она.

— Я хотел все тебе объяснить, но ты так орала... Теперь смотри сама.

Марина открыла конверт, вынула оттуда какой-то документ, напечатанный на бланке. Пробежала его глазами, потом помотала головой, словно не веря се-

271

бе, и принялась внимательно читать, шевеля при этом губами, как первоклассница...

— Миша, что это? — прошептала она хриплым голосом. — Я не сошла с ума? Как это может быть? А, я поняла, это ты устроил, чтобы легче было усыновить Мишку, да? Это липа?

— Боже, ну что за человек! Это не липа, это правда!

— Но как это может быть? Это бред?

— Это не бред, Марина, это истинная правда, только я сам ничего не знал.

— Я не понимаю... Объясни, — совершенно обессилев, пролепетала она. Из документа следовало, что на основании проведенного анализа ДНК можно смело утверждать, что Михаил Петрович Максаков является близким родственником Михаила Дмитриевича Зимина.

— Только выслушай меня без криков, ладно? Я понятия ни о чем не имел, но когда ты показала мне фотографии Мишкиной матери... У нас с ней много лет назад был бурный роман, но потом мы расстались, причем расстались легко и спокойно, она мне ни слова не сказала. Я больше никогда ее не видел и даже не знал, что она умерла...

— Но почему же Тася называла отца Дмитрием?

— Ты уверена, что именно Дмитрием, а не Митей?

— Я не помню, кажется, действительно Митей... Я потому и дала ему отчество Дмитриевич...

— Тася всегда называла меня Митей, ей не нравилось звать меня так, как зовут все остальные и, в частности, моя жена... Ты тоже сказала, что твою подругу зовут Татьяна... Если бы ты сказала «Тася», я бы насторожился раньше... Черт, какая дурацкая путаница... Так вот, когда я все прикинул, вспомнил, как она меня любила, я подумал: а что, если Мишка мой сын? А тут он вдруг порезал палец, я дал ему платок, промыл, перевязал и уже хотел бросить платок в грязное, как вдруг меня словно ударило! Я сунул платок в пакет и отнес в одну лабораторию, где работает мой старый приятель, он попросил еще несколько волосинок, для верности, я отвел Мишку к парикмахеру, незаметно собрал волоски... И вот сегодня получил результат... Так что никуда не денешься, Мишка мой сын...

Марина сидела как пыльным мешком прихлопнутая.

— И это не фальшивка?

— Я клянусь тебе! Неужели ты думаешь, я способен на такие жестокие шутки?

— Миша, но так не бывает!

— Как видишь, бывает... Хотя поверить в это трудно, я понимаю...

— Но что же теперь будет? Ты... Ты его родной отец, ты имеешь на него права... И что же, мы ему скажем, что ты его отец, а я кто? Посторонняя тетка? И дело даже не в этом... Если мы скажем, мы отнимем у него мать...

— Марина, ну что ты говоришь? Зачем ты так? Ты что, не понимаешь, как я тебя люблю? Как я люблю Мишку? Неужели ты думаешь, что я из-за дурацких амбиций стану причинять боль самым любимым людям? Все останется как есть... Ты будешь его мамой, а я папой, пусть не родным, а благоприобретенным. Он же счастлив сейчас, когда у него есть папа и мама, и какая разница, кто из нас ему родной по крови? Это такая чепуха на самом деле!

— А ты никому не скажешь?

— А кому я должен говорить?

— Татьяне Григорьевне, например, Лине?

— Незачем! Совершенно лишнее это! Мама, наверное, обрадовалась бы, а Линка может такую кашу заварить, с Викой, с Туськой, с правами на наследство... Нет, это будем знать только мы с тобой. А кстати, Линка сразу что-то заподозрила... У нее такой тонкий нюх. Но ей никогда не узнать, насколько она была права, утверждая, что Мишка мой сын.

— Она это утверждала?

— Мне мама проговорилась... Она выстроила теорию, что у нас с тобой давняя связь и Мишка наш общий сын...

— Миша, давай порвем эту бумагу? Чтобы ее не было, а? Когда бумаги нет, ее никто и не увидит...

Он пристально посмотрел на нее, потом улыбнулся и разорвал бумагу в клочки, сложил клочки в тарелку и принес с кухни спички.

— Вот, сожги сама!

Она подняла на него изумленные глаза.

— Миша, что было бы, если бы мы не встретились?

— Сколько раз можно тебе объяснять, мы не могли не встретиться!

— Почему?

— Какая тупая женщина мне досталась! Просто потому что я везунчик, мне всегда так говорили!

Рано утром Марина встала, приготовила завтрак. Все происшедшее казалось ей настолько невероятным, что время от времени она щипала себя. И делала это так часто, что на руке образовался здоровенный синяк. Она накрыла на стол, взглянула на часы. Пусть Миша поспит еще хоть десять минут. Подошла к окну и опять ошеломленно помотала головой. Пригляделась и вдруг не своим голосом заорала:

— Миша! Миша! Скорее, Миша!

Он как безумный выскочил из спальни:

— Что, что случилось?

Марина распахнула дверь веранды. На пороге сидел Сидор, худой, грязный, но целый и невредимый.

— Ну и где тебя носило, сукин ты сын? — вскричал Михаил Петрович, подхватив на руки кота.

Мяу, ответил Сидор и громко запел.

Вот теперь все в сборе, подумала Марина и побежала на кухню за ветчиной. Кошачьей еды в доме не было.

УМЕР-ШМУМЕР
Повесть

> — Мама, ты слышала, Рабинович умер!
> — Ах, умер-шмумер, лишь бы был здоровенький!
>
> *Старый еврейский анекдот*

В жаркий майский день на залитой солнцем набережной Рейна за столиком кафе сидел мужчина. Он был не слишком молод, небрежно одет и небрит, но при этом весь его облик свидетельствовал о том, что он наслаждается жизнью. Перед ним стоял высокий стакан с пивом, вазочка с орешками. Он смотрел на медленно текущие воды Рейна и расслабленно вспоминал строчки «Лорелеи», застрявшие в мозгу еще со школьных лет: «Jch weiβ nicht, was soll es bedeuten, daβ ich so traurig bin»[1]. Одним словом, ему было хорошо!

Из этой приятной расслабленности его вырвал довольно резкий голос молоденького кельнера, который что-то быстро говорил смешному чернявому мальчонке с бойкими восточными глазами. Попрошайку гонит, лениво подумал мужчина, достал мо-

---

[1] Не знаю, что стало со мною — Душа моя грустью полна. (Пер. с нем. В Левика)

нетку и бросил парнишке. Тот на лету ее поймал и вприпрыжку унесся, по-видимому очень довольный. Кельнер покачал головой с явным осуждением. Не надо, мол, потакать этим туркам, и так уж от них спасу нет... Но, разумеется, ничего этого он не сказал.

«И как это я проворонил, когда тут появились дамы?» Он с интересом принялся их разглядывать. Вернее одну, ибо вторая сидела к нему спиной. А та, первая, яркая блондинка, была очень недурна. Лет под сорок, что называется, в самом соку. Чувственный рот, изящный носик, роскошные плечи и грудь — одним словом, весьма аппетитная особа, жаль только, в темных очках. У ее подруги видны были лишь худенькие плечи и пышные каштановые с рыжинкой волосы. Они не немки, решил мужчина, наблюдая за артикуляцией блондинки. Неужто русские? Хотя чему удивляться, в Германии сейчас полно русских, и эмигрантов и туристов. Немножко сжало сердце, но он отхлебнул пива и сразу успокоился. Ну и что? Это все в далеком прошлом, а сейчас мне хорошо. От русских нигде теперь не скроешься. Вот в прошлом году решил заняться дайвингом на Мальдивах, так и там первый человек, которого увидел, был русский. Как же все изменилось. Черт побери, эта блондинка вполне подошла бы для легкого отпускного романа. Я уже достаточно отдохнул, чтобы провести ночку-другую с такой киской. От этих мыслей — нет, даже не мыслей, а ощущений — он немного приосанился и стал обдумывать, под каким предлогом подойти к дамам. Они вдруг громко рассмеялись, блондинка даже простонала: «Ой, не могу!» Действительно, русские. Значит, буду корчить из себя стопроцентного янки, чтобы не было лишних разговоров. Эх, правда, вид у меня не слишком авантажный, ну да ничего... Нет, надо подождать, пусть блондинка снимет очки, а то, может, еще таким крокодилом окажется. Да нет, сразу видно — баба что надо. Он почувствовал, что почти уже готов к любовным подвигам, тем более что русские бабы уж точно не позовут полицию, обвиняя его в сексуальных домогательствах. В этой Америке скоро станешь импотентом... Но тут вторая женщина каким-то очаровательным движением закинула руки, подняла свои роскошные волосы и заколола их на затылке. Видимо, ей стало жарко. Нет, надо сначала и на нее поглядеть, чтобы не дать маху. Шейка у нее прелестная, хрупкая, нежная, так и хочется поцеловать... Да, я, кажется, уже хорошо отдохнул, усмехнулся он про себя. Срочно нужна баба! Интересно все-таки, эта с трогательной шейкой — какая она? Наверное, привлекательная, в том, как она подняла волосы, была какая-то невыразимая прелесть, что-то бесконечно женственное. «Das ewig Weibliche!»[1] Да, пожалуй, я хочу эту, с шейкой... Он встал и ленивой походкой направился к туалету. Но, выйдя оттуда, обнаружил, что за столиком осталась только блондинка. Она сидела и разглядывала толстую пачку фотографий, видимо недавно полученных в фотоателье. Что ж, значит, не судьба, решил он и подошел к блондинке. Но она смерила его таким взглядом, что он весь внутренне скукожился, пробормотал «Sorry» и вернулся за свой столик. Ничего, все нормально, я слишком небрежно одет, видимо, русские женщины по-прежнему ценят мужчин в дорогих костюмах с галстуками. Да и при ближайшем рассмотрении эта

---

[1] Вечная женственность. (нем.)

блондинка какая-то слишком гладкая, никаких струн не заденет... А вот та, с шейкой... Глупости, брат, ты ее не видел, — может, на трогательной шейке такая мордоворотина... Да, скорее всего, так и есть. Ну их, этих баб, зачем мне сдались сорокалетние русские тетки? Найду себе молоденькую немочку, говорят, они здорово сексуальные и без комплексов, а русская еще влюбится, не дай бог, потом неприятностей не оберешься. Он заказал еще пива и снова расслабленно закрыл глаза. Ах, хорошо... Когда он их открыл, блондинки тоже не было за столиком. Вот и славно. Сейчас расплачусь и пойду пешком домой. Кстати, вчера соседка с большим интересом на меня смотрела, очень миленькая девица, лет двадцать пять, не больше... Он подозвал кельнера, расплатился и вдруг заметил, что под столиком, за которым сидели русские дамы, валяется фотография. Очевидно, блондинка выронила и не заметила. Он быстро нагнулся, поднял карточку, мельком взглянув на нее. Там на фоне памятника Бетховену стояла... Ника! У него даже в глазах зарябило. Впрочем, без очков я могу и ошибиться, снимок достаточно мелкий, не разберешь, зря я не взял очки, глупость какая. Он сунул фотографию в карман и быстро пошел по набережной. Нет, это чепуха, мне померещилось, бред, так не бывает... Откуда тут возьмется Ника? Господи, неужто она была в двух шагах от меня, а я ее не узнал? Я смотрел на ее волосы, шею, я ее хотел, но я не знал, что это она... И я ее упустил... Нет, нет, это не она, нет, просто похожа, наверняка она просто похожа на Нику... И Ника всегда коротко стриглась, говорила, терпеть не может длинные волосы... Но ведь именно таким движением она закидывала руки, чтобы расстегнуть свои любимые зеленые бусы, да-да, в этом движении всегда было что-то невыразимо очаровательное, волнующее. Но ведь прошло двадцать два года... Сколько же ей сейчас? Сорок два или сорок три? В принципе совсем немного для женщины... Впрочем, женщины стареют по-разному, в России они часто расплываются после первого же ребенка. Интересно, как у нее сложилась жизнь? Замужем ли она? Сколько у нее детей? Где живет? Здесь, в Германии, или приехала туристкой? Скорее всего, так, иначе не стала бы сниматься на фоне Бетховена, но где живет, в России или где-то еще? Теперь я уже этого не узнаю. Стой, дурак, сказал он себе, посмотри как следует на фотографию, наверняка ты обознался! Он вытащил карточку. Как можно дальше отставил руку, вгляделся. Нет, все-таки это она, Ника! Лица почти не разобрать, но все равно... Он вдруг ощутил такую острую боль под ложечкой, что чуть не согнулся пополам. Только этого еще не хватало! Эта боль не давала о себе знать уже лет семь, с тех пор как он развелся с Элли. Нет, надо взять себя в руки. В конце концов, все в прошлом. Ника другая, и я другой, между нами давно все порвано, и слава богу! Интересно, она забыла меня? Наверняка, мало ли у нее в жизни было мужиков, вряд ли она всех помнит... Но я же не все... Я же не забыл ее. Хотя и не вспоминал почти. Запретил себе вспоминать и не вспоминал. Вот и сейчас надо запретить себе думать о ней. Значит, судьбе было неугодно, чтобы мы встретились. И лучше всего порвать, к черту, эту фотографию. Хотя нет, зачем? Иногда даже приятно будет взглянуть, потом, когда вернусь домой... Покажу снимок Бену. Пусть видит, какие очаровательные женщины встречаются в Бонне, который он назвал скучнейшим городом... Но Бен не поймет, не оценит, он предпочитает баб баскетбольного роста. Мне нравится Бонн, маленький город, по нему так приятно ходить пешком. Пойду-ка я домой, а по дороге пообедаю в кафе на площади, там такие вкусные колбаски, а чтобы не дрыхнуть после обеда, съезжу в Кельн, а может, если соседка окажется дома, приглашу ее поужинать — и все будет отлично, просто здорово! Хороший перепих с молоденькой телкой, и все глупости вылетят из головы. Благие мысли пробудили здоровый аппетит, и он прибавил шаг. От боли под ложечкой не осталось и воспоминания. Вот что значит иметь силу воли!

Усевшись в кафе на простой деревянной лавке, он взял меню и, не успев даже его раскрыть, заметил Нику. Она стояла у витрины пиццерии в нескольких шагах от него. Теперь он мог внимательно рассмотреть ее всю, но у него перед глазами почему-то плыл туман. Какая она прелестная... Вот сейчас соберусь с духом и подойду к ней. И гори оно все синим пламенем! Интересно, а голос у нее все такой же? Но в этот момент к Нике подбежала запыхавшаяся блондинка, что-то быстро сказала и чуть ли не силой поволокла куда-то.

К нему спешила кельнерша, но он только рукой махнул и пошел вслед за женщинами, сам не зная зачем. Они вошли в большой универсальный магазин. Он как привязанный плелся следом, хотя вообще-то ненавидел таскаться по магазинам. Идиот, куда я прусь? Женщины поднялись на эскалаторе на третий этаж, и блондинка повела Нику в отдел женских платьев. Однако они не стали бродить от вешалки к вешалке, блондинка двигалась целена-правленно и решительно сняла плечики с чем-то темно-зеленым. Нике всегда шел зеленый, вспомнил он. Внимательно оглядев зеленую тряпочку, она вошла в примерочную. Блондинка осталась в зале. У нее зазвонил сотовый телефон.

— Алло! Да, мамочка! Мы с Никой шопингуем! Все нормально, не волнуйся! Да нет, ты же знаешь, у нас сегодня рандевушка! Надо ж ей немножко прибарахлиться! Все в порядке, мамочка, мы уже большие девочки. Да-да, ну все, пока!

Из примерочной выглянула Ника:

— Алла! Иди сюда!

Блондинка скрылась в примерочной, и оттуда послышался ее возбужденный голос:

— Тебе потрясающе это идет! Ерунда, совсем не так уж дорого! Я тебе это дарю!

— Нет, Алка, я сама, даже не думай, я просто не уверена, что это мое...

— Твое, это именно то, что нужно!

— Может, лучше черное?

— Да ты что, посмотри, посмотри! Я как увидела, сразу решила: это для Веронички!

— Вообще-то и вправду красиво...

— Берешь?

— Да, наверное...

Он вдруг подбежал к продавщице и быстро сказал по-немецки:

— Фрейлейн, я хочу заплатить за это зеленое платье, что примеряет русская дама. Но, пожалуйста, не объясняйте ей ничего, просто скажите, что оплачено!

Он быстро вытащил кредитку и сунул продавщице. Та кивнула и одобрительно улыбнулась: ей, видимо, понравилась такая романтическая ситуация. Сам он метнулся в сторону. В этот момент дамы вышли из примерочной.

— Мы берем! — по-немецки сказала блондинка.

Ника вытащила кошелек. Ну конечно, русские до сих пор платят наличными, усмехнулся он.

— То есть как — оплачено? — воскликнула Алла. — Кем оплачено? Каким еще мужчиной? Что за чепуха, я ничего не понимаю!

Она отлично говорит по-немецки, подумал он, наверное, давно здесь живет.

— Ника, — уже по-русски обратилась к ней Алла, — продавщица говорит, что платье оплатил какой-то тип...

— Что? Какой тип?

— Да я не знаю, но она говорит, покупка оплачена! Ты что-нибудь понимаешь?

— Алла, это какая-то путаница. Вероятно, платье кто-то уже купил до нас и просто еще не забрал!

— Что ж, я, по-немецки, что ли, не понимаю?

Между тем продавщица сложила платье, сняла с него пластмассовое сигнальное устройство и сунула в пакет.

— Вот возьмите, спасибо за покупку, заходите к нам еще!

С этими словами она протянула пакет Нике.

— Послушайте, фрейлейн, но что это за тип, что он сказал? — недоуменно допытывалась Алла.

— Не знаю, подошел мужчина, довольно приятной наружности, сказал, что хочет подарить даме это зеленое платье, заплатил и ушел. Да вы не волнуйтесь, все в порядке, вероятно, это какой-то тайный поклонник мадам, — улыбнулась девушка.

— Ну, Никуша, ты даешь! — покачала головой Алла и решительно взяла пакет. — Что ж, если нашелся такой дурак, скажем ему спасибо! Шмотка даром досталась, теперь спокойно можешь купить себе еще что-нибудь без всяких угрызений совести. Идем, идем, тебе еще надо привести себя в порядок, отдохнуть! И мне, кстати, тоже, я с ног валюсь!

— Подожди, Алла, я уверена, что это недоразумение! И оно мне не нравится!

— Ника, ты зануда! Ну, может, ты какому-нибудь старому болвану приглянулась и он решил поиграть в таинственного благодетеля! И вообще, дают — бери!

— Но с какой стати?

— Ой, ты меня достала! Не хочешь — не бери! Пойди отдай платье продавщице. Очень в твоем духе!

— Думаешь, не надо отдавать?

— О господи, что ты за человек! Тебе подарили шмотку, что надо сказать? Спасибо! Тебя в детстве не учили?

— Но ведь некому сказать спасибо...

— Так оно еще и лучше! Идем, идем, дуреха!

И она буквально поволокла Нику к эскалатору.

А он вернулся к продавщице забрать кредитку.

— Спасибо вам, фрейлейн, вы очень меня выручили.

— Дама была смущена.

— Ничего страшного, все в порядке! Вы отлично держались, фрейлейн!

И он поспешил вниз. Им овладел охотничий азарт. Но видимо, промедление оказалось роковым. Он нигде не обнаружил двух подруг, они как сквозь землю провалились. Идиот, зачем надо было любезничать с продавщицей? Ах, кретин! Он еще потоптался возле магазина, потом вернулся, обошел весь первый этаж, но Ники нигде не было. А тут еще он вспомнил, что так и не успел пообедать. Ему стало грустно, и он поплелся в то самое кафе, из которого так поспешно ушел. Однако, когда он поел, хорошее настроение к нему вернулось. А может, оно и к лучшему! Не встречались столько лет, ну и не надо... Мало ли как сложилась ее жизнь, мало ли что может выясниться... А вдруг она от меня тройню родила? Правда, она вроде не была беременной, когда я уехал, но кто этих баб знает... Может, забеременела тогда от кого-то еще, а сейчас мне преподнесет эту тройню, и я буду всю жизнь... Хотя даже если она родила, то этой тройне как минимум больше двадцати, но совесть будет меня мучить и все такое. Впрочем, даже если она никого не родила, а жизнь ее плохо сложилась, меня все равно будет мучить совесть... Нет, к черту прошлое! Я сделал ей приятный сюрприз, и хватит... Впрочем, на несчастную она не похожа... Нет, не хочу! У нее своя жизнь, у меня своя, так зачем бередить старые раны? Совершенно ни к чему. И он медленно побрел к дому, где находилась квартира его старого приятеля Томаса, который уехал в Новую Зеландию. И чтобы уж совсем покончить с прошлым, он купил цветы для любезной и хорошенькой соседки, что передала ему ключи, показала, где что лежит, и весьма дружелюбно на него смотрела. Что ж, все не так уж плохо, главное — не оглядываться назад!

Соседку звали Габи, и она сразу же согласилась провести вечер с ним. В том, что вечер плавно перетечет в ночь, он уже не сомневался. Габи была достаточно хороша, вполне молода и, кажется, не обременена никакими комплексами. То, что нужно, одним словом. Настроение исправилось, и когда он принимал душ, то даже насвистывал, но вдруг противной, скользкой гадиной в душу заползла сказанная Аллой фраза: «У нас сегодня рандевушка!» Рандевушка! И Ника будет на этой рандевушке, и очень возможно, у нее вечер тоже плавно перетечет в ночь... Женщина на отдыхе... Но при мысли, что какой-то чужой потный мужик будет лапать Нику, и хорошо, если только лапать... его затошнило и под ложечкой опять заболело. Бред! Чистой воды бред! Двадцать два года я жил и не думал об этом, а ведь она не ушла в монастырь, она жила среди людей, среди мужчин и стала только привлекательнее с годами, не усохла, как иной раз усыхают одинокие женщины, она стала еще желаннее. И кто знает, сколько их было... Она уже, наверное, и не помнит своего первого мужчину, своего Влада, которого любила когда-то... Так любила, что осточертела ему со своей любовью, со своими замашками типично русской бабы, правда несколько отравленной интеллигентностью, что только усугубляло обременительную на тот момент любовь. Тьфу-тьфу-тьфу, боже меня упаси, нет, только не любовь! Он давно уже усвоил: от любви одни неприятности, а вот голый секс — то, что надо. Как говорит Бен, «справил нужду — и свободен»! Все очень просто, у меня давно не было бабы, я слишком устал, а сейчас отдохнул, вот трахну Габи — и все будет о'кей! Он умел успокаивать себя.

К тому моменту, когда вечер должен был уже плавно перейти в ночь, он вдруг с ужасом понял, что абсолютно не хочет Габи. Черт, до чего неловко... Как бы так изящно от нее избавиться? А она уже томно и многозначительно на него посматривает. Дело в том, что весь вечер он невольно сравнивал ее с Никой, и хотя на уровне разума сравнения были безусловно в пользу Габи, но весь его организм ее отторгал, организм хотел Нику, и только Нику. Фу, как некрасиво: девушка, похоже, распалилась, а я... Может, все-таки рискнуть и попытаться? А если ничего не выйдет, как я буду выглядеть? Нет, это плохая предпосылка, теперь уж обязательно ничего не выйдет... Надо срочно что-то придумать... Вот так всегда... И тут вдруг на помощь пришла спасительная боль под ложечкой. Он буквально согнулся пополам. И что самое интересное, нисколько не притворялся. Габи испугалась:

— Что с вами? Может, вызвать амбуланс? У вас есть страховка?

— Есть, все есть, но никого вызывать не надо... Со мной бывает. Уж очень не вовремя... Ты прости, детка...

— Чем вам помочь? Вы что-то не то съели? Но это очень хороший ресторан...

— Да нет, все было прекрасно, незабываемо, и еще будет прекрасно... Просто мне надо лечь... Я сейчас приму таблетку... Ох, черт, я забыл взять с собой, надо поскорее добраться до дома...

Она вызвала такси и отвезла его, скрюченного, домой. Он принял таблетку и в изнеможении рухнул на диван.

— Вы уверены, что не нужен врач?

— Уверен. Я выпью снотворного, все пройдет.

— С вами посидеть? Сделать вам чай?

— Нет-нет, спасибо, ничего не нужно. Ты прости меня, видно, я уже старый...

Она как-то нахально усмехнулась и ушла. Наверное, обо всем догадалась. Но едва за ней закрылась дверь, как боль отпустила. Он с наслаждением распрямился, вытянул ноги и закрыл глаза. Ника, где ты?

Утром, еще лежа в постели, он попытался осмыслить произошедшее... Неужто теперь Ника будет мешать его отношениям с женщинами? Нет, об этом даже думать нельзя, иначе именно так все и будет. Нельзя себя на это программировать. Нет-нет! Ника — прошлое, далекое прошлое, а жить я хочу сейчас. И с женщинами тоже. Аскеза не мой путь. Значит, усилием воли надо выкинуть ее из головы. Котофеич! Он любил в иные минуты звать ее Котофеичем. Ей это почему-то нравилось... Ее отчество — Тимофеевна, вот он и назвал ее как-то Вероника Котофеевна, а там уж и до Котофеича недалеко. Черт, опять эти идиотские мысли... И почему, зачем мы оба оказались в этом маленьком немецком городе, бывшей столице? Что, на свете мало других городов? Нет, я буду бороться. Он закрыл глаза и вызвал в памяти Джинджер, умопомрачительно сексуальную мулатку, с которой встретился на Гавайях. Какая фигура, какие формы, а темперамент! Мысли о ней не раз выручали его в щекотливых ситуациях, к сожалению случавшихся в последние годы. Не часто, правда, можно сказать очень редко, но все же. И Джинджер неизменно приходила на помощь, стоило только ее вспомнить. Но сейчас... Сейчас она показалась просто роскошной женщиной на экране видео, такой же плоской и бестелесной... А вот это уже никуда не годится! Он вскочил и нервно стал шарить по карманам в поисках сигарет, совершенно позабыв, что уже лет пять, как бросил курить. Это невроз. Если уж Джинджер не возбуждает... Ерунда, все ерунда, я же, в конце концов, не пробовал... просто не хотел Габи, дело именно в этом, она не в моем вкусе, и только. А с другой все прекрасно получится. Кстати, если бы я вовремя призвал на помощь Джинджер, могло получиться и с Габи. Может, стоит попробовать? Надо же как-то оправдаться перед нею. Нет, к черту Габи, она вчера так усмехнулась уходя. Сучка, похотливая сучка... Брр! И вообще, может, лучше смотаться из Бонна, от греха подальше? Впрочем, с Никой мы больше, скорее всего, не встретимся, опасность не столь уж велика. А Габи ведь где-то работает, и уж днем можно ничего не бояться, а по вечерам буду куда-нибудь уезжать. Вот! То, что надо! Пойду сейчас и возьму напрокат машину, чтобы не ошиваться в Бонне. Покатаюсь по окрестностям, съезжу в Бад-Годесберг, в Кельн, в Дюссельдорф, главное — избегать туристических мест и больших магазинов. А хотелось бы взглянуть на Котофеича в том зеленом платье, ей, наверное, к лицу. Когда-то она мечтала иметь целый ворох платьев, так и говорила — целый ворох платьев... Сейчас я спокойно могу купить ей этот вожделенный ворох, а тогда мог только смеяться... Да что за наваждение? Я все время думаю о ней, даже против воли. Но я ведь ее потерял... Бог знает где она... Он рухнул в кресло, закрыл глаза и снова вызвал в памяти Джинджер, ее грудной смех, сводивший его с ума, кожу цвета молочного шоколада, но вместо Джинджер увидел почему-то всегда умилявшую его оспинку на Никином предплечье. Двадцать два года не вспоминал ее, и вот поди ж ты!.. Интересно, что она подумала, кто купил ей платье? Наверное, сочинила какую-нибудь романтическую чепуховину, не имеющую ко мне никакого отношения. Эта мысль почему-то причиняла боль. Нет, нельзя поддаваться кретинским сантиментам. Он решил заняться гимнастикой. Полчаса истязал себя, потом принял контрастный душ, выпил большой стакан апельсинового сока и ощутил желанную бодрость. Захотелось есть. Вот это уже вполне нормально! — с удовольствием подумал он и стал рыться в холодильнике. Ага, вот роскошная Вестфальская ветчина, надо бы выйти купить свежего хлеба, но лень, лучше сделаю тосты из вчерашнего, кстати, надо покупать хлеб разумнее, чтобы не заваливался, на один раз. Убрав посуду, он оделся, побрился и бодрым, пружинящим шагом вышел на улицу. Погода испортилась, похолодало, и накрапывал дождь. Вот и отлично, подумал он. Меньше шансов столкнуться... Он взял напрокат белый «Фольксваген-Гольф» и поехал колесить по окрестностям Бонна, достаточно живописным. В результате красивая дорога привела его к старинному замку, в котором проводились экскурсии. Оглядевшись по сторонам както даже воровато, он убедился, что никаких русских в группе нет, и присоединился к экскурсантам. Стены в замке были такие толстые, что в залах стоял

290

лютый холод — и через двадцать минут он продрог и разозлился, тем более что видел уже подобные замки, и не раз. И вдруг в мозгу сама собой всплыла фраза, кажется, из дневников Льва Толстого: «Не та баба страшна, что за х... держит, а та, что за душу держит». Так, приехали, начинается! Толстой в ход пошел, теперь еще немножко Достоевского — и готово... Ностальгия! Когда группа наконец вышла из замка, он сломя голову кинулся к машине — греться. Да чепуха все это, ни за что она меня не держит! Я и не вспоминал о ней, и вдруг... Все-таки безделье — опасная штука! Я, кажется, понял, почему американцы работают как оголтелые. Это же нация эмигрантов, вот все они и стараются забыть свою родину, даже на генетическом уровне. Мысль показалась ему удачной, хотя он не был уверен в ее оригинальности. Надо будет поговорить на эту тему с Беном. И обязательно выкинуть Никину фотографию. Он полез в карман, но вспомнил, что сегодня на нем другие брюки. Ничего, вечером выброшу. Интересно, как у нее прошел вчерашний вечер? «Рандевушка», как выразилась блондинка Алла. Впрочем, рандевушка вчетвером — это не страшно. Хотя кто знает... Нет, Ника не способна на групповуху! Фу, что за мысли лезут в голову! Он достал карту и выяснил, что совсем близко есть ресторан. И поехал туда, так как от холода и дурацких ностальгических мыслей здорово проголодался. Ресторан оказался хорошим, он пообедал и решил махнуть в Кельн, там у него была знакомая семья, милые интеллигентные люди. Проведу вечерок в нормальном доме, поговорю на отвлеченные темы — и всю дурь как рукой снимет. Он зашел в магазин, купил бутылку виски. Если Моргнеров не будет дома, бутылка не пропадет. Но надо им все-таки позвонить, а записную книжку и мобильный телефон я оставил дома. Заеду на минутку, переоденусь, тем более погода переменилась и в этой куртке я запарюсь... У Моргнеров автоответчик сообщил, что хозяева уехали. Ну и бог с ними, решил он, все равно поеду в Кельн, погуляю, поброжу по улицам, там ничто не будет напоминать о Нике... Черт, черт, черт, эта Ника как больной зуб, мешает жить! Больной зуб надо вырвать, это самый радикальный способ. Но чтобы вырвать зуб, надо его иметь, сказал он себе. А раз его нет, значит, и болеть нечему. Сам усмехнувшись своей логике, он вышел из дому и побрел к стоянке, где оставил машину. И тут же на глаза ему попалась реклама духов «Земляника». Гадость, наверное. Земляника! Ника! Тьфу ты, я, кажется, схожу с ума! Он так рассердился на себя, что чуть не бегом бросился на стоянку. Но потом вдруг раздумал. В Кельне я с машиной замучаюсь. Пойду лучше на вокзал, тут совсем близко, и скоро буду в Кельне, зайду в собор. Хотя что там делать? Я ведь неверующий, а в Кельнском соборе бывал не раз, и вообще... Ему вдруг расхотелось куда бы то ни было ехать. Нет, это черт знает что! С чего это я расклеился, как идиот? Есть, конечно, прекрасный выход — пойти сейчас домой, выжрать бутылку купленного для Моргнеров виски и завалиться спать до утра. Утро вечера мудренее. Может быть, завтра Ники уже не будет в Бонне — и кончится это наваждение. Вот проснусь утром и сразу почувствую, тут она или нет. Впрочем, это вполне ностальгическая идея — напиться до положения риз. Но тогда уж надо пить не виски, а водку, родную русскую водку, усмехнулся он про себя. Да-да, именно водку! Он взглянул на часы. Пять. Приличные люди в это время пьют чай! А кто сказал, что я приличный? Я совершенно, абсолютно неприличный! Неприлично так психовать от одного только вида женщины, которую бросил двадцать два года назад! Погруженный в эти дурацкие мысли, он брел по улицам прелестного и, несмотря на еще недавний столичный статус, вполне провинциального городка, и сам не заметил, как вышел на набережную. Светило солнце, было тепло, приятно. И вдруг он увидел Нику! Она шла навстречу ему, нет, не шла, а почти летела. Только она умела так летать... Она всегда ходила очень быстро, но, когда шла ему навстречу, он говорил себе: вот летит Ника, моя Богиня победы! Невольно он метнулся в сторону, он не был готов к этой встрече. И тут же увидел, что вовсе не к нему она летела. Нет, навстречу ей шел мужчина, немолодой, но вполне импозантный. Вот они сошлись, он поцеловал ее в щечку, взял под руку — и она как-то очень доверчиво к нему прильнула. Опять рандевушка, подумал он злобно. Небось только вчера познакомились, а сегодня он уже целует ее в щечку, наглая морда! И она тоже хороша. Видно, у нее вечер удачно перетек в ночь, вон как идет, почти летит... Мужчина между тем слегка приобнял ее за плечи, они чему-то весело смеялись. Он чувствовал, что готов броситься между ними, набить морду этому ее хахалю, схватить Нику и увезти куда-нибудь подальше, чтобы никакие чужие мужики не смели ее обнимать. Что за наглость! А она ведь позволяет, сука такая! Вот они остановились и она,

293

смеясь, сняла что-то у него со лба своим тонким пальчиком. Кокетничает, дрянь! Интересно, куда это они идут? Нет, не идут, а бредут! Так бродят влюбленные в старых фильмах. Сейчас не хватает только, чтобы пошел дождь и этот хмырь целовал бы Никино лицо, залитое дождем и слезами счастья. Его затошнило. Но над Бонном светило солнце, и Ника с кавалером, по-видимому, все-таки не брела куда глаза глядят, а вполне целенаправленно шла к дому на Томас-Манн-штрассе. Она ключом открыла дверь подъезда, и они вошли. Дверь закрылась. Ага, вероятно, тут живет блондинка Алла, сообразил он. Отлично, по крайней мере, я знаю, где искать Нику! Но зачем, зачем мне ее искать, а главное, что они сейчас там делают? Опять заболело под ложечкой, да как! Он прислонился к стене и попытался выровнять дыхание. Если блондинки нет дома, то все возможно. Может быть, как раз сейчас Ника этим своим сводящим с ума движением закидывает руки и расстегивает бусы... На ней и сегодня были бусы, только совсем уже другие, не зеленые... Кретин, в очередной раз воззвал он к себе самому, что ты делаешь? Ошиваешься под дверью чужого дома, где, возможно, предается любви баба, которую ты сам бросил двадцать два года назад. Да еще и корчишься от боли. Стыдно, глупо, унизительно до чертиков... Да она же блядь, вчера познакомилась с этим типом, а сегодня уже предается... Иди отсюда и забудь... Один раз сумел забыть больше чем на двадцать лет, так и теперь сумеешь. Она тебе не нужна, и ты ей совершенно не нужен. Она тебя давно похоронила, ты же сам решил, что для нее будет лучше, если ты умрешь... Вот ты и умер для нее. Так что появляться перед этой женщиной попросту негуманно! Она еще, чего доброго, в обморок грохнется, возись потом с ней... И засыплет его упреками, станет говорить, что он ей жизнь разбил, что... Боль постепенно отступила, он смог глубоко вдохнуть и уже решил уйти, но тут дверь открылась и вышла Ника с кавалером. Он отступил за дерево и впился в нее глазами. Вид у нее был нормальный, спокойный, не похоже, что она чему-то там предавалась... Даже не целовались, наверное. Да и времени прошло всего ничего, минут десять от силы, не кошки же они... Ему стало легче. Он заметил только, что Ника сменила туфли. Они говорят по-русски и на «вы», что тоже приятно. Вот теперь они действительно бродили... Все понятно, она надела на свиданку туфли на каблуках, в них не больно-то побродишь. А теперь броди — не хочу! Дура, думала небось, что он ее сразу поведет в какое-нибудь шикарное заведение, а он, видите ли, решил бродить! Бродить, конечно, дешевле! Они брели по улицам, а он тащился за ними, отчетливо понимая, как это глупо и унизительно. Но вот наконец они зашли в уличное кафе под цветущими розовыми каштанами. Он тоже вошел и пристроился неподалеку. Что я тут делаю? Я ведь ей совершенно не нужен, она не чувствует, что я рядом, вон на улице ни разу даже не оглянулась, и сейчас в мою сторону не глядит... И в ту же секунду Ника вдруг начала беспокойно озираться. Он уткнулся в меню. К парочке подошла молоденькая кельнерша, а через две минуты она же подошла к нему. Он заказал чашку кофе. Никин кавалер между тем взял ее руки в свои и, глядя на нее с нежностью, стал что-то взволнованно говорить. Она зарделась, улыбнулась и что-то сказала в ответ. А мужик вдруг прижал ее ладони к своим щекам и начал их целовать. Так, очень интересно. Он о чем-то ее спросил, а она, зардевшись, видимо, согласилась. На что, хотел бы я знать. Переспать с ним? Но, судя по всему, это уже пройденный этап. А может, он сделал ей предложение? Руки и сердца, как говорится? Но с чего я взял, что она не замужем? Впрочем, замужней бабе тоже можно предложить руку и сердце... Она ему кивнула, значит, согласилась. Если она замужем, то это довольно подло... А если не замужем... Опять заболело под ложечкой. Замужем — не замужем, какая разница, но ведь со всеми ними она спит... И с мужем, невесть каким по счету, и с этим... Нет, это уж слишком, он смотрит на нее с такой любовью... А она тоже с нежностью на него смотрит... Он в бешенстве швырнул на столик деньги. И выбежал из кафе. Но уйти не было сил. И он увидел, как мужик вдруг вскочил и тоже выбежал из кафе. Ника осталась одна, на губах ее все еще играла нежная улыбка, от которой можно было сойти с ума. Какая она худенькая, вдруг подумал он. Боже, до чего она прелестна, это самая прелестная женщина из всех, кого я видел... Вот сейчас подойду к ней — и будь что будет. Но тут он увидел, что кавалер ее вернулся с пятью шикарными чайными розами. Ника просияла, понюхала розы, а мужик нежно ее поцеловал. Убью, к чертовой матери! И вдруг ему в голову пришла мысль, показавшаяся очень удачной. Вот сейчас, старый хрыч, я тебе обедню испорчу! Он бегом пересек площадь и буквально ворвался в цветочный магазин. Немолодая продавщица улыбнулась ему:

— Добрый день. Что вы хотите?

— Мне нужен большой красивый букет, но немедленно!

— О, это не проблема, только скажите...

— Вот этот!

— Этот, к сожалению, уже продан!

— Умоляю, продайте его мне!

— Извините, это невозможно, а вот этот вам не подойдет?

И тут его опять осенило:

— У вас есть чайные розы?

— Ну конечно!

— Тогда, пожалуйста, пятьдесят роз!

— Пятьдесят? Сию минуту... Я не уверена, что столько смогу набрать...

— Ничего, пусть немного меньше. Только скорее.

— Хорошо, хорошо, у меня двадцать семь...

— Пусть... И пожалуйста, вы можете кого-нибудь послать вон в то кафе?

— Разумеется, букет для дамы, которая сидит в кафе?

— Конечно.

— Вы не могли бы показать мне эту даму?

— Зачем это?

— А вы сами понесете розы? — улыбнулась продавщица. — Или вы хотите их послать?

— Послать, конечно, послать, я же сказал.

— Но мне придется сделать это самой, моей помощницы сейчас нет.

Она вместе с ним вышла из магазина, и он показал ей Нику. На столике перед ней уже стояли чайные розы.

— О, я понимаю, — опять улыбнулась женщина, — уверяю вас, двадцать семь роз более чем достаточно.

Если бы вы посылали цветы даме домой, это другое дело, но в кафе...

— Да, наверное, вы правы, но поторопитесь, умоляю!

— Не волнуйтесь, ваша дама только приступила к мороженому!

— Господи, как вы разглядели?

— У меня дальнозоркость, — улыбнулась опять продавщица, заворачивая розы в красивую бумагу. — Вот видите, прекрасный букет получился. Хотите что-нибудь написать?

— Да-да, обязательно!

— Вы можете выбрать карточку.

— Какая разница, давайте любую! — Он весь дрожал от нетерпения, схватил первую попавшуюся и написал, не задумываясь: «Котофеич, жду завтра в десять утра у памятника Бетховену. Целую. Влад».

В этот момент в магазин, запыхавшись, вбежала девчонка лет пятнадцати. Продавщица сказала:

— Трудхен, надо этот букет отнести в кафе. Там за столиком, где стоят наши чайные розы, сидит дама в бежевом костюме.

Девочка глянула на букет, на покупателя и прыснула. Потом кивнула и вприпрыжку понеслась исполнять поручение. Он поспешил за ней.

— Стой, не беги так! — крикнул он.

Она остановилась, подождала его.

— Хотите видеть знаменательный момент?

Ну и нахалка!

— Не волнуйтесь, у вас больше роз и больше шансов!

— Иди уже! — разозлился он.

Девчонка вбежала в кафе и подала Нике букет. Ника и ее хахаль стали озираться, но он уже стоял за каштаном. Так что даже бойкая Трудхен его не заметила. Кавалер сунул ей какую-то монетку, и она унеслась.

Он сумел подобраться довольно близко и увидел, что у Ники лицо растерянное и встревоженное. Она недоуменно пожимала плечами и что-то, словно оправдываясь, говорила кавалеру. Тот взял букет и обнаружил в нем конверт с карточкой. Протянул его Нике. Та вытащила карточку и смертельно побледнела. Казалось, она близка к обмороку. Эффект удался! Наверное, это нехорошо, даже жестоко, запоздало подумал он. Наверное, я что-то поломал... Но зачем он ей нужен, если есть я? И словно в подтверждение этой мысли, Ника встала, взяла его букет и словно сомнамбула побрела к выходу из кафе. Кавалер вскочил, бросил на столик деньги и поспешил за ней, а пять его роз остались стоять на столике.

Ночь он почти не спал, мучился, идти на это свидание или не идти. А потом решил, что вот проснется утром и решит. Утро вечера мудренее. Почему я назначил свидание на утро, на десять часов, в такую рань? Идиот, надо было назначить на вчерашний вечер, зачем ей мучиться целую ночь? И вообще, один раз я ей жизнь уже поломал, зачем второй-то? Может, у нее с этим мужиком могло что-то сладиться, а я влез... Ах, как некрасиво, как подло и гнусно... Нет, я не пойду, пусть думает, что кто-то ее жестоко разыграл... Да и вообще, что я ей скажу? Извини, подруга, я так, на минуточку, живздоров и рад тебя видеть тоже в добром здравии?

Глупо, глупо... Я чувствую себя полным идиотом. Он вдруг живо представил себе Нику, стоящую в одиночестве у памятника Бетховену, сначала в надежде озирающуюся вокруг, а потом горько разочарованную, в унынии бредущую прочь... Нет, это слишком, так нельзя, это не по-мужски, сказав «а», надо говорить «б»... Он вскочил, заметался по комнате, подбежал к окну, чтобы открыть его, и увидел, как из подъезда выходит Габи под руку с молодым человеком. Эта времени даром не теряет. Ну и черт с ней. У меня сегодня свидание с Никой! Надо выглядеть мужчиной, а не размазней. Да-да, я пойду на эту встречу, чем бы она ни кончилась, я просто вырву этот больной зуб и тогда смогу спокойно, с чистой совестью, жить дальше, а когда этот зуб будет вырван, чем черт не шутит, я еще трахну Габи, чтоб не считала меня трусом и импотентом. Конечно, Ника накинется на меня с упреками или будет долго плакать, но надо, надо это перетерпеть, чтобы нормально жить дальше. Я не такой уж фаталист, но, видно, судьбе было угодно, чтобы на этом этапе своей жизни я рассчитался уже со всеми долгами. И он решил заняться гимнастикой.

Ровно в десять он стоял у памятника Бетховену. Рядом молоденькая девушка разворачивала торговлю цветами. Но он решил не покупать цветов, к чему они сейчас?.. Не до них... На часах было уже три минуты одиннадцатого. И тут вдруг он подумал: а что, если Ника не придет? Просто не пожелает его видеть? Он ведь умер для нее! Так зачем его оживлять? Он будет только помехой в ее жизни... Но тут он увидел ее. Она шла не спеша, вовсе не летела ему навстречу, как некогда. Он ощутил укол разочарования.

— Ника!

— Привет! — сказала она как-то даже весело. — Ты, значит, жив? Что ж, хорошо, я рада, умер-шмумер, лишь бы был здоровенький!

Он ожидал чего угодно, только не этого.

— Ника, Ника, дай я тебя поцелую! Ты такая стала...

Она сама поднялась на цыпочки и чмокнула его в щеку.

— Спасибо за платье, Влад, это было очень кстати.

— Честно говоря, я боялся, что ты сейчас швырнешь мне его в морду.

— Ну зачем же? Оно красивое, мне идет.

— Ника, что ж мы, так и будем тут стоять?

— А что ты предлагаешь?

— Я не знаю, давай куда-нибудь поедем... Нам же надо поговорить...

— Влад, о чем нам говорить? Вспоминать прошлое я не люблю, а больше ничего общего у нас нет, можно, конечно, поговорить, почему бы и не поговорить, собственно, но для этого достаточно зайти в кафе. Кстати, я сегодня проспала и не успела позавтракать.

Ее тон совершенно его обескуражил. Он готовился к обороне, а она и не собиралась нападать. Да еще и проспала...

— Ну конечно, я тоже только успел выпить молока. Но давай поедем куда-нибудь, я знаю одну кафешку на том берегу Рейна, там можно на свежем воздухе посидеть, утром наверняка народу не будет...

— А на чем туда едут?

— У меня тут неподалеку машина...

— Ты живешь в Бонне?

— Нет, я приехал к другу...

— А... Я тоже приехала к подруге. Ну надо же...

— Так поедем?

— Поедем. — Она пожала плечами.

Он взял ее под руку.

— Ты очень изменилась, Ника.

— Естественно, Влад.

— Нет, неестественно. Ты с годами стала лучше.

— Просто я стала взрослой, Влад.

— Нет-нет, что ты... Тебе очень идут длинные волосы... Ника, я так рад тебя видеть!

— Верю.

— А ты... Ты не рада?

— Ну почему же, всегда приятно узнать, что человек, которого считала умершим, жив, кто бы он ни был.

— Ника, я хочу объяснить...

— Ничего объяснять не надо. Ты сделал тогда свой выбор, ну что ж...

— Ника, я...

— Влад, не мучайся, ничего не объясняй, зачем ворошить прошлое? Это ни к чему хорошему не приводит, появляется слишком много мыслей, так сказать, в сослагательном наклонении. А это вполне бесплодное занятие, согласись?

Он был в полном недоумении. Куда делась та, прежняя Ника, с которой всегда было как на качелях — вверх-вниз, вверх-вниз. Или она так умело притворяется?

— Ника, постой тут, я сейчас подгоню машину, хорошо? Ты не уйдешь?

— Нет, зачем же? Я подожду.

Он почти бегом кинулся к стоянке, лихорадочно соображая, как вести себя с этой новой Никой. Она ставила его в тупик.

Она действительно ждала его. Черт подери, до чего же хороша... Вот только трепетность исчезла... Наверное, она просто меня не любит уже... А на что ты надеялся, кретин? Полагал, что она двадцать два года хранит в душе твой незабвенный образ? Глупости. Но как интересно... Вот вчера, когда она сидела в кафе с тем седовласым, в ней была прежняя трепетность, нежность... Неужели она любит его? Все эти мысли проносились в его голове, покуда он помогал Нике сесть, пристегивал ремень безопасности.

— Это далеко? — спросила она.

— Да нет, через десять минут приедем.

— А чья машина?

— Рент-а-кар.

— А... Влад, а что ты здесь делаешь?

— Я же говорил — приехал к другу.

— Ах да, прости.

— Ника, ты здесь надолго?

— У меня билет на семнадцатое...

— Боже, Ника, у тебя голос все такой же, переливчатый...

— Ты мало изменился, Влад.

— А что ты подумала, ну про платье, а?

— Очень удивилась. А потом решила, что это Алла заплатила, чтобы я не возникала...

— Не возникала? Раньше, по-моему, так не говорили, я, во всяком случае, не помню.

— Ну, Влад, у нас все изменилось, и язык тоже, иной раз люди так говорят, что и я не пойму... Особенно бизнесмены и деловые... Сплошные маркетинги, мониторинги...

— Ну это-то как раз понятно, — засмеялся он. — А вот мы и приехали.

— Но тут, кажется, закрыто.

Кафе на берегу Рейна действительно было еще закрыто. Стулья ножками вверх стояли на столах, девушка в джинсах подметала дорожку.

— Фрейлейн, вы не покормите голодных путников? — крикнул он ей.

— Через пятьсот метров уже открылось кафе! — улыбнулась девушка.

— Что она говорит? — спросила Ника.

— Что надо еще немножко проехать.

— А... Влад, ты хорошо говоришь по-немецки. Откуда?

— Я три года работал в Ганновере.

— А... А где ты живешь вообще?

— Вообще? Вообще я живу в Бостоне.

— Ты американец?

— Теперь да...

— А...

Они подъехали к очаровательному прибрежному кафе, где столики стояли под деревьями, накрытые клетчатыми скатерками. И толстый, уютный хозяин с улыбкой вышел навстречу первым гостям.

— Тебе тут нравится, Ника?

— Да, очень. Знаешь, я в детстве мечтала посидеть в таком кафе... мы ведь только в кино их видели... а теперь все по-другому... Но все равно, тут очень мило.

— Ника, мы что-нибудь выпьем за встречу?

— С утра пораньше? Нет. Не стоит.

— Может, пива?

— Терпеть не могу пива.

— Да-да, как же я забыл... Ты всегда терпеть не могла пива. И еще говорила, что нет ничего противнее, чем целоваться с мужчиной, напившимся пива.

— Если ты хочешь пива, ради бога. Я не собираюсь с тобой целоваться.

— Почему? — засмеялся он.

— С упырями не целуюсь!

— Почему это я упырь?

— А кто же ты? Фантом тебе больше нравится? Так вот, с фантомами я тоже не целуюсь! И с живыми трупами...

— Ника, я...

— Не надо, Влад, ничего не надо объяснять, я все твои объяснения знаю — ты хотел освободить меня... Хотел, чтобы я считала тебя мертвым, жила своей жизнью, я все это знаю...

— Так ты что... Ты тогда сразу все поняла? Не поверила?

— Нет, не поверила.

— И ты все эти годы знала, что я жив?

— Ну, в общем... да...

— Это что же... интуиция?

— Наверное, это так называется.

— И ты... ты на меня не обиделась?

— Ну тогда, наверное, обиделась, я уж и не помню... Столько лет прошло, столько всего было...

Он был совершенно растерян. Похоже, этой женщине на него наплевать. Однако это неприятно, очень неприятно, тем более что она так прелестна...

— Влад, давай вообще не говорить о прошлом, оно ведь прошло, правда? Мы встретились тут, встретились случайно, — значит, судьбе было угодно. Я рада тебя видеть, ты отлично выглядишь, у тебя, наверное, все хорошо в жизни, вот и чудно.

— Как странно, что ты не поверила...

— Влад!

— У тебя никаких неприятностей из-за меня не было?

— Каких неприятностей?

— Ну с КГБ...

— Да нет, что ты... Кому я была нужна? Влад, я хочу еще чашку кофе...

— Да-да, конечно, может, пирожное?

— Нет, я уже одно съела, хватит. И вообще, тут все так вкусно.

— Ника, у тебя красивые волосы... Помнишь, я всегда твердил тебе — надо отрастить волосы, ты ведь так коротко стриглась... А ты говорила, что у меня атавизм...

— Нет, не помню.

— Почему ты не надела то платье?

— Утром? Оно для утра не годится... Влад, а почему вдруг ты решил купить мне его?

— Сам не знаю... Захотелось...

— А ты меня где увидел? В магазине?

— Нет, чуть раньше... На площади... Но не поверил своим глазам и потащился следом. Как осел за морковкой.

— А почему ж ты не подошел, не окликнул меня? Побоялся?

— Если б ты была одна, я бы подошел.

— И ты все время за мной следил, что ли?

— Нет. Я был в шоке... Я не знал, как себя вести, я ведь думал, ты считаешь меня мертвым...

— Понятно. Но когда увидел, что я с другим мужчиной, взыграло ретивое, да?

— Взыграло ретивое... Надо же... Как хорошо, как приятно... Я так давно не слышал этого выражения... Неужели еще так говорят?

— Ты мне не ответил.

— Ну да, наверное... Кстати, кто этот тип? Ты с ним здесь познакомилась?

— Да нет, я давно его знаю, очень милый человек...

— Ты замужем, Ника?

Она немножко помолчала.

— Сейчас нет.

— Но была?

— О! Сколько раз!

— И сколько?

— Три! — чуть помедлив, сказала она. — А впрочем, какая разница, все прошло... Говорят, у человека клетки обновляются каждые семь лет, значит, за эти годы они обновлялись целых три раза, ничего прежнего не осталось...

— Неправда, очень многое осталось... Я вот на тебя смотрю — и мне кажется, не было этих лет, не было, понимаешь?

Она посмотрела ему в глаза, усмехнулась и жестко сказала:

— Нет, не понимаю, Влад. Для меня изменилось все. А главное — я сама изменилась.

— Я вижу. Ты стала лучше... гораздо лучше...

— Онегин, я тогда моложе, я лучше, кажется, была!

— Тьфу ты, черт, действительно есть что-то онегинское в этой ситуации... Чуть свет — уж на ногах! и я у ваших ног...

— Это «Горе от ума», — сухо поправила Ника.

— Да, надо же... Я так отошел от литературы... А что, в России по-прежнему много читают?

— Читают довольно много, вопрос в том, что читают... — улыбнулась Ника. — А ты больше не читаешь?

— Читаю, только не по-русски... Я запретил себе... Я запретил себе тогда вообще все... запретил себе свое прошлое... Кто же знал, что все так изменится у вас...

— У вас... Впрочем, это так. У нас! Да, действительно все изменилось. Видел бы ты сейчас Москву...

— А что? — с замиранием сердца спросил он.

— Она такая красивая стала! И твой дом... Я недавно проезжала по Спиридоновке, кстати, она опять называется Спиридоновкой... Твой дом отремонтировали, он такой свеженький...

— А ты? Ты там же живешь?

— Нет, мой дом снесли, я теперь живу на проспекте Мира.

— А у тебя... У тебя есть дети?

— Нет, детей у меня нет. А у тебя?

— У меня есть сын, Тео. Знаешь, он совсем не говорит по-русски...

— Ты тоже стал говорить с акцентом.

— Шутишь?

— Нисколько.

— Хотя чему удивляться. Мне редко приходится говорить по-русски.

— Не общаешься с эмигрантами?

— Практически нет. Впрочем, это неважно. Расскажи лучше о себе. Как ты живешь, где работаешь, и вообще...

— Мне, Влад, особенно нечего рассказывать. Живу я нормально, в общем даже неплохо по нынешним меркам... работаю. Я делаю кукол.

— Кукол? Каких кукол?

— Для кукольных театров и просто так, на продажу... И знаешь, они имеют успех. В Италии на выставке получила первую премию, у меня много премий... Это дает кусок хлеба... У нас теперь много богатых людей, и они часто заказывают мне кукол — для детей, для подарков или просто для украшения интерьера... У меня хорошая профессия, Влад.

— И у тебя есть ворох платьев?

— Ворох платьев? — Она нахмурила брови, словно что-то припоминая. — Подумать только, ты помнишь эту детскую глупость! — Лицо ее вдруг прояснилось, помолодело. — Ну надо же... Я тронута. Нет, вороха, наверное, нет, но просто потому, что мне это уже не нужно.

— Хочешь, я куплю тебе этот ворох, а?

— Нет, зачем? Спасибо, конечно, за порыв, но вполне достаточно и одного платья.

Они замолчали, глядя друг на друга. В этой хрупкой, прелестной женщине была какая-то странная умудренность. Не должна женщина в ее возрасте быть такой, ее еще должны раздирать страсти, тем более Ника всегда была страстной натурой, порывистой и неожиданной. Теперь она стала другой. Но от этого еще более интересной, и как будто бы совсем неопасной. Ни истерик, ни упреков, ничего... С ней так хорошо, так легко...

— Ника, ты удивительно изменилась.

— Ты это уже говорил.

— А твоя мама, она как?

— Мама давно умерла. У нее был инсульт, она долго болела.

— Прости, я не знал...

В ее глазах промелькнула какая-то усмешка.

Между тем под деревом уже становилось жарко.

— Может, поедем? — предложила Ника.

— Куда? Я не хочу с тобой расставаться. Ты спешишь?

— Нет, не спешу.

— А давай покатаемся по Рейну на пароходике?

— Давай!

Они доехали до пристани и вскоре уже сидели на палубе прогулочного парохода. На солнце их быстро разморило. Он взял ее руку. Она не отняла, но ответного порыва он не ощутил.

— Ника, подумать только — мы с тобой вместе плывем по Рейну... Кто бы мог предположить...

— Да, и ты, насколько я понимаю, пытаешься меня соблазнить, — засмеялась она.

Его бросило в жар.

— Но ты ведь и вправду безумно соблазнительная женщина... И загадочная...

— Да что ты, Влад, какие там загадки... Просто ты, вероятно, ожидал от меня истерик, упреков, обмороков, стенаний по загубленной тобою жизни, так?

— Я об этом даже не думал.

— Думал, думал, потому и назначил свидание не на вчерашний вечер, а на утро, чтобы дать себе возможность отступить... Почему же ты не сбежал, Влад?

— Ника, как тебе не стыдно!

— Ни капельки не стыдно. Влад, ты разочарован?

— Разочарован? Ты о чем?

— Да нет, так...

Ника вдруг сняла легкую жакетку, под которой оказалось платье без рукавов, и он увидел оспинку...

— Жарко, — словно бы извиняясь, тихо сказала она.

А он не сводил глаз с ее предплечья и вдруг наклонился и поцеловал оспинку. Потом еще раз и еще.

— Влад...

— Прости, я вспомнил... Сейчас у молодых девчонок уже нет этих меток... А мне так нравилось... у тебя...

Эти его слова, а может, поцелуй, словно сломали какой-то лед. Они сидели рядом, держась за руки, и молчали. Но сейчас они были не просто рядом, они были вместе. И совершенно ничего не надо было говорить.

Напротив них на палубе сидела очень пожилая пара. И он и она в шортах, с некрасивыми, жилистыми ногами. Они с умилением взирали на Влада и Нику.

— Пусти, Влад, — вдруг сказала она.

— Почему?

— Не надо этого, не надо... Лучше расскажи о себе, чем ты занимаешься? Как живешь, и вообще...

— Я живу неплохо, только работаю как каторжный... У меня своя фирма, и еще я консультант и эксперт...

— О, я поняла, ты сделал карьеру! — перебила его Ника.

— Ну, можно и так сказать...

— Значит, все было не зря?

— Похоже, что так.

— Ну и слава богу.

— Но это все нелегко далось...

— Понимаю. А что тебя занесло в Бонн?

— Не знаю... Я здорово вымотался за последний год, захотелось переменить обстановку, побыть далеко от дома, в одиночестве...

— Значит, у тебя отпуск?

— Да.

— Странно, почему ж ты не поехал куда-нибудь, куда обычно ездят американцы?

— А куда ездят американцы? — засмеялся он.

— На Гавайи, в Мексику, например...

— Надоело.

— А...

— Меня почему-то тянуло сюда. И не зря, как выяснилось. А ты сама-то почему сюда приехала?

— Я давно обещала Алле... ну ты же ее видел... Она моя очень близкая подруга.

— А твоя Машка? Вы еще дружите? Ну кругломорденькая такая?

— Машка теперь живет в Финляндии, и мы совсем не дружим. У тебя большой дом? Или квартира?

— У меня квартира в кондоминиуме, знаешь, что это такое?

— Конечно, знаю, у нас теперь тоже строят кондоминиумы. Хотя, по-моему, это звучит ужасно.

— Подумать только! Мне трудно себе это представить... И что, в ваших магазинах есть товары?

Она громко засмеялась:

— Да, Влад, есть...

Она вдруг открыла сумочку, вытащила кошелек.

— Вот видишь, сколько у меня всяких карточек? Это дисконтные карты разных магазинов, — с какой-то наивной гордостью сказала она.

Он расхохотался.

— Да, убедительно! Дисконтные карточки московских магазинов! Ника, ты прелесть!

— Ты хотел сказать: Ника, ты дура! И завести разговор о высших ценностях, о засилье масскультуры и о том, что Россия берет от Запада все самое худшее, да? А знаешь, когда в магазинах все есть, это не так уж плохо, по крайней мере не надо стоять в очереди... Помнишь, как мы с тобой стояли в очереди за маслом к твоему дню рождения?

Он почти не слышал ее наивных речей. Она вдруг показалась ему такой одинокой и беззащитной... Куда девалась та умудренная жизнью женщина, какой она была всего лишь час назад... А ведь она всегда была разной, припомнилось ему, то умной и тонкой, то непроходимо глупой, не понимавшей самых элементарных вещей... Но неизменно очаровательной. Он вдруг ощутил приятную усталость, закрыл на минутку глаза и не заметил, как уснул. Когда проснулся, Ники рядом не было. Он испуганно завертел головой и сразу заметил ее. Она стояла чуть поодаль у борта, а рядом какой-то толстяк в полотняной кепке. И они беседовали! Ему немедленно захотелось убить этого толстяка, но тут к нему подошла его тоже весьма упитанная спутница и, взяв за руку, увела. Видно, почувствовала опасность. А Ника тряхнула волосами и продолжала стоять у борта. Какие у нее красивые ноги, черт побери. И от этого разреза на юбке можно свихнуться... Надо было не на пароход садиться, а вести ее к себе, а то тут желающих тьма...

Он вскочил и подошел к ней:

— Котофеич...

Она резко обернулась:

— Выспался?

— Прости, сам не знаю, как это получилось. Сердишься?

— Да нет, с чего бы... Тут красиво...

— Что этот толстяк от тебя хотел?

— Какой толстяк? — искренне удивилась она.

— Которого жена увела.

— Вероятно, она его ко мне приревновала, а он ничего такого и не думал. Просто русский турист... Сказал, что мы вместе летели сюда в самолете... А почему ты спросил? Ты что, ревнуешь? — рассмеялась она.

— Да нет, с какой стати... А может, ты и права, может, и ревную. Да, между прочим, кто был вчера тот, седовласый?

— И к нему ревнуешь?

— Ну к нему-то уж точно, — сказал он со смехом.

— Много будешь знать, скоро состаришься!

— Ника, это бесчеловечно! И еще вопрос, с кем это у вас позавчера рандевушка была, как выразилась твоя Алла?

— Обалдеть! Ты что, подсматривал и подслушивал?

— Не подслушивал, а случайно услышал!

Она смотрела на него, и в глазах у нее прыгали чертики.

— Почему ты молчишь? — нетерпеливо спросил он.

— Осади назад, — вдруг жестко сказала она.

— Что? — не понял он.

— Я говорю, осади назад! Тебе тут ничего не светит!

— Не понимаю, о чем ты? — притворно возмутился он.

— Ты что, думаешь, я побегу к тебе в постель, размягчившись от воспоминаний и рейнского солнышка? Не рассчитывай! Я рада тебя видеть, мне приятно провести с тобой несколько часов, и все. Кстати, когда мы приплывем назад, я поеду домой, у меня свои планы на вечер.

— Ника, ну что ты... Я же не... Зачем ты так? — расстроился он.

— Не огорчайся, Влад! — примирительно произнесла она. — Я просто хотела прояснить ситуацию.

— Расставить все точки над «i»... — задумчиво проговорил он.

— Скажи, а ты думаешь по-русски? — неожиданно спросила она.

— Когда как... Если о делах, о работе, то по-английски, я так приучил себя, а если о... С того момента, как увидел тебя, стал думать по-русски, странно, да?

— Ну почему, у тебя просто нет английских слов для меня, ты их еще не подобрал... и вспомнил русские: дура, но привлекательная, милая, но недалекая...

— Ника, прекрати!

Она засмеялась:

— Извини, Влад, я, кажется, все время нарушаю твой сценарий...

— Какой еще сценарий?

— Ну утром ты приготовился к обороне, а я не собиралась нападать, теперь ты решил уложить меня в койку...

— Ника, что за выражения! — поморщился он.

— Хорошо, решил меня трахнуть, а я возражаю!

— Ника, я...

— Ты в шоке?

— Послушай, теперь в России так говорят?

— Так говорили и раньше!

— Ты так не говорила.

— О, за эти годы я еще и не тому научилась...

— Ужасно! Ну что же, если ты так, то и я буду откровенным. Да, я хочу, как ты выражаешься, уложить тебя в койку, трахнуть и... можно подобрать еще кучу синонимов. Но разве это так уж предосудительно?

— Ну почему? Хотеть не вредно, — пожала она плечами.

— А ты не хочешь? Совсем-совсем не хочешь? — прошептал он ей на ухо и положил руку на шею. Она вздрогнула.

— Прекрати!

— Нет, ни за что! Ты тоже хочешь...

— Мало ли чего я в жизни хочу!

— Ну например?

— Например, побывать на Таити!

— На Таити? Ты правда хочешь на Таити? В таком случае мы сейчас отправимся в туристическое агентство и полетим на Таити, ноу проблем!

— О, шикарный жест. Но я не хочу на Таити с тобой. И убери, пожалуйста, руку!

— Ника, ну зачем притворяться, ты ведь тоже хочешь... И почему надо этого стесняться, это же так естественно...

— Видишь ли, Влад, у меня за эти годы было много мужчин, но не одновременно.

Он отдернул руку, словно его ударило током.

— Ты хочешь сказать, что у тебя сейчас есть мужчина?

— Вот именно!

— Здесь, в Бонне?

— Нет. В Москве.

— И ты не хочешь изменить ему со мной, так?

— Совершенно верно.

— А как его зовут?

— Господи, тебе-то зачем?

— Так просто, хочется знать, как зовут счастливца.

— Гриша, его зовут Гриша.

Она как-то очень нежно произнесла это имя и ласково улыбнулась. У него сразу заболело под ложечкой. Он обиженно отодвинулся.

— А почему же ты с тем типом нежничала, а? С ним ты про Гришу не вспоминала? И на рандевушку ходила?

Она смеялась:

— Влад, Влад, ты по-прежнему трахаешь все, что шевелится? Неужто не устал?

— Что ты выдумываешь?

— Ничего я не выдумываю, ты всегда был бабником, я думала, может, выдохся уже... А ты все такой же. Но я шевелюсь не для тебя! Усек?

Эта грубость совершенно не вязалась с ее хрупкой, изящной внешностью, она ей не шла, была какой-то чужеродной, и он ей не верил. Она, наверное, так защищается, чтобы сразу не сдать позиции. Но я тоже хорош, сразу полез. Нет, тут надо действовать иначе, не столь прямолинейно, это, конечно, трудно, она так привлекательна. И даже эти морщинки возле глаз, на ярком солнце они заметны... А какой цвет волос... так и хочется запустить в них руку, оттянуть голову и поцеловать в шею... Интересно, этот Гриша целует ее в шею? Ну уж дудки, не будет она блюсти верность неведомому Грише, я этого не допущу, дудки, дудки!

— Ну хорошо, ты мне все объяснила, я понял! Отступаюсь! — Он поднял руки вверх, словно сдаваясь. — Но общаться-то мы можем?

— Общаться — да! Но не больше!

— Слушаю и повинуюсь!

— Здорово тебя в Америке выдрессировали! — засмеялась Ника.

— Ты о чем?

— Ну у вас же там чуть что — обвинение в сексуальных домогательствах. Я бы тебя там запросто уже за решетку упрятала!

— Тебе хочется упрятать меня за решетку?

— Да нет, живи!

— О, как ты великодушна!

Слава богу, все свелось к шутке.

Они опять сидели рядом. Но он уже не прикасался к ней.

— Ника, у тебя есть какие-то определенные планы на ближайшие дни?

— Да нет, а что?

— Хочешь, съездим куда-нибудь на денек, в Париж например? Ты была в Париже?

— Была.

— Ну хорошо, а может, в Голландию или в Бельгию? А? В Брюгге, например? Это сказочный город.

— А ты там был?

— Был.

— Тогда не стоит.

— Ну почему?

— Ты же терпеть не можешь смотреть уже знакомые достопримечательности.

— Ты и это помнишь?

— Я же не виновата, что у меня хорошая память.

— Тогда давай поедем в Гент. Говорят, это тоже удивительный город, но я там еще не был.

— А сколько туда езды?

— Часа два-три на машине. Если выехать рано утром, мы можем там быть уже часов в десять, погулять до вечера и вернуться. Обещаю даже руку тебе не целовать, и вообще...

— Ну я не знаю... Может быть... А давай возьмем с собой Аллу!

Только этого еще не хватало! Но с другой стороны, если он согласится сразу, это усыпит ее бдительность...

— Отлично, Аллу так Аллу! Но давай не будем откладывать, поедем прямо завтра, и если тебе понравится, я могу свозить вас с Аллой еще и в Альпы, и вообще — куда захотите. Не сидеть же на одном месте.

— Хорошо, я поговорю с ней.

— Вот и славно! А сегодня ты со мной хотя бы пообедаешь? Что-то я проголодался.

— Хорошо.

Они сошли на берег и поехали в деревенский ресторанчик, который он давно знал. Там было по-домашнему уютно. Изразцовая печка, диванчики с лоскутными подушками, комнатные цветы.

— Какая прелесть! — воскликнула Ника.

Он заказал бифштексы, коронное блюдо этого заведения.

— И поскольку ты не желаешь со мной целоваться, я выпью пива! А ты хочешь вина?

— Нет, лучше лимонаду.

— По-прежнему обожаешь лимонад? — вспомнил он. Как много он, оказывается, помнит о ней.

Бифштексы были такой величины, что Ника испуганно всплеснула руками:

— Неужто это можно съесть?

— Это *нужно* съесть, потому что лучших бифштексов я нигде не ел. Попробуй, попробуй!

— О, и вправду вкусно! Потрясающе!

Она ела с большим аппетитом, и смотреть на нее при этом было приятно. Он вспомнил, как в последний год его раздражала Элли, помешанная на здоровой пище, она поглощала тонны салата и при этом напоминала ему кролика. Да и вообще, манера есть была для него важна... Иной раз, прельстившись чем-то в женщине, он внезапно охладевал к ней, увидев, как она ест.

— Слушай, я, кажется, действительно все это съем, — улыбнулась она. — Так вкусно!

— А ты еще готовишь рыбу под майонезом?

— Холодную? С жареным луком?

— Ну да, это было потрясающе...

— Нет, не готовлю. Это не модно уже.

— Не модно?

— Конечно. Думаешь, нет моды на еду?

— А что сейчас у вас модно?

— Не знаю. Но такая рыба уж точно из моды вышла.

— Ника, ты все выдумываешь!

— Ничего я не выдумываю!

— А что любит твой Гриша?

Она опять нежно улыбнулась:

— Гриша любит мясо.

— Настоящий мачо?

— О да!

Черт побери, я буду не я, если не наставлю рога этому Грише, роскошные, ветвистые рога!

— А помнишь, ты все хотела попробовать суп из бычьих хвостов? Мы о нем только в книжках читали.

— А я уже пробовала. Ничего интересного, обычный крепкий бульон. — Она вдруг прыснула.

— Ты чего?

— Да я вспомнила... Тут незадолго до отъезда захожу в «Седьмой континент»...

— Это что, ресторан?

— Нет, это сеть довольно дорогих супермаркетов. Смотрю в мясном отделе лоточек — написано «Бычий деликатес». Я в первый момент не сообразила, что это такое, а потом начала ржать, как конь! Это же просто бычьи яйца. Согласись, это пикантно — назвать яйца деликатесом!

— Ника!

— Я тебя шокирую?

— Нисколько! Просто это странно — в Москве сеть дорогих супермаркетов.

— Влад, ты что, даже русское телевидение не смотришь?

— Нет.

— Почему? Тебе не интересно?

— Дело не в этом, просто когда-то я отказался от своего прошлого и не хотел к нему возвращаться, да и времени ни на что нет... А кстати, ты не знаешь, как там Марик?

— Он умер. В конце восьмидесятых уехал в Израиль и вскоре умер. Ему тамошний климат был противопоказан.

— Жаль. Очень жаль. Он был чудным парнем.

— И хорошим мужем.

— Мужем? Чьим мужем?

— Моим, откуда бы я знала, какой он муж...

— Ты была замужем за Марком? — ошеломленно переспросил он.

— Да. Ровно один год.

— Но почему, если он был таким хорошим мужем?

— Потому что я была плохой женой, просто отвратительной... и, осознав это, ушла от него... Но ничего, он потом женился на другой, у него родилась дочка, он назвал ее Вероникой...

— Он любил тебя? Я это всегда подозревал... А ты его не любила?

— Понимаешь, Влад, наверное, я просто не способна любить... Вообще! Ну не дано мне это!

— Но разве ты... ты же меня любила?

— Нет, мне так казалось, по молодости и глупости. Я просто еще ничего тогда не понимала.

Врет, подумал он, врет, чтобы причинить мне боль и в то же время от меня защититься.

— И Гришу своего не любишь?

Она опять ласково улыбнулась:

— Гришу я обожаю, а это разные вещи, согласись!

— Обожаешь? Он что, тенор, чтобы его обожать?

— Нет, баритон, мне всегда нравились баритоны, разве ты не помнишь? И к тому же он прекрасно поет!

— Он певец, что ли?

— Певец!

— Известный?

— Ну в определенных кругах... Он, видишь ли, камерный певец, а камерные певцы не бывают так уж безумно популярны.

— И он, конечно, хорош собой?

— О да!

Опять заболело под ложечкой, да как... А кому приятно слышать, что женщина, которую ты хочешь больше всего на свете, обожает какого-то там камерного певца? Наверняка, кстати, он неудачник, иначе она не стала бы говорить, что камерные певцы не бывают слишком популярны. Бывают, еще как бывают, Фишер-Дискау, например!

— Влад, наверное, мне уже пора...

— А на десерт ты ничего не хочешь?

— О нет, я просто не в силах съесть еще хоть что-то! Ты меня отвезешь?

— Куда прикажете?

— Томас-Манн-штрассе.

— Разумеется, отвезу. Но завтра мы встретимся, может быть, съездим в Гент? Поговори с Аллой!

— Непременно.

— Ты дай мне ее телефон, я вечером позвоню.

— Хорошо.

— Значит, Томас-Манн-штрассе?

— Да. Ты знаешь, где это?

— Найду!

— Там есть ресторан «Феликс Круль», помнишь, кто это?

— Ну еще бы! «Признание авантюриста Феликса Круля». Черт возьми, а мы были начитанные...

— Теперь говорят, продвинутые, правда, тут немного другой оттенок... Ты вот, например, знаешь, кого называют ботаниками?

— Ботаниками? Ну, тех, кто занимается ботаникой, вероятно, но раз ты спросила, значит, тут есть какой-то подвох...

— Да, верно. Ботаниками называют таких, как Димка Фролов, помнишь его?

— А, ну да, понял... Как интересно...

— Влад, высади меня, пожалуйста, на Мюнстер-штрассе. Я зайду в кондитерскую, куплю Белле Львовне пирожных...

— Кто это, Белла Львовна?

— Аллина мама.

— Хорошо, — не стал спорить он. Она не хочет, чтобы я знал, где именно она живет, усмехнулся он про себя, а я-то уже знаю! Что ж, пусть тешит себя мыслью, что может от меня скрыться. — Ника, ты уверена, что занята сегодня вечером?

— Уверена, Влад, к тому же я очень устала.

И действительно, у нее был усталый, даже измученный вид. Нелегко ей далась встреча с прошлым.

— В котором часу удобно позвонить? К примеру, в десять?

— Да-да, в десять удобно.

Он хотел поцеловать ее на прощание, но она ловко увернулась и вышла из машины. Он проследил за ней взглядом. Она и вправду зашла в кондитерскую и через несколько минут вышла с коробочкой пирожных.

Он вдруг тоже ощутил страшную усталость и в то же время пустоту. Поставил машину на стоянку, пошел домой и, ни о чем не думая, завалился спать. Спал крепко, без всяких снов, и проснулся уже в начале одиннадцатого с тяжелой головой. О, черт, надо же позвонить Нике! Неужели и эта гладкая блонда потащится с нами, неужели у нее не хватит ума и такта отказаться? Неужто она не поймет, что будет третьей лишней? Может и не понять, у нее такой самодовольный вид... Интересно, каково Нике у нее? Может, ей там неуютно? Может, она чувствует себя там обузой? Надо бы предложить ей... Хотя что я знаю об этой новой Нике? Раньше она была иногда болезненно застенчивой и преувеличенно деликатной, а теперь бог ее ведает. А может, не надо звонить? Все, собственно, уже сказано... Или почти все... Если она хочет взять с собой Аллу, значит, не хочет быть вдвоем со мной, тогда зачем? Но тут он представил себе, как Ника уговаривает Аллу поехать с ними в Гент, а та говорит: «Хорошо, я поеду, но этот твой бывший бойфренд... — нет, вряд ли она назовет его бойфрендом, скорее, хахалем, — этот твой бывший хахаль, скорее всего, не позвонит». А Ника будет горячо ее убеждать, что он позвонит обязательно... Нет, придется звонить, иначе в глазах этих двух женщин я буду последним трусом, полнейшим ничтожеством... Ведь тогда мой поступок имел политическое объяснение, а теперь... Позвоню, в конце концов, что может случиться? Ничего! А может, именно оттого, что ничего в присутствии Аллы не может между нами случиться, я и не звоню? А вдруг у Аллы какие-нибудь дела? Или ее мама объестся сегодня пирожными, у нее заболит печень, и она не сможет остаться одна на целый день? Хорошо бы... И он позвонил. К телефону подошла Алла. Сказала, что Ники нет дома, но в Гент она все-таки поедет.

— А вы? Вы не поедете? — спросил он с надеждой.

— Нет, благодарю. Думаю, у вас и без меня найдется о чем поговорить. К тому же я уже бывала в Генте. Вы когда хотите выехать из Бонна?

— Чем раньше, тем лучше.

— В таком случае ждите Нику в семь часов у памятника Бетховену! Всего хорошего, покойничек! — добавила она со смешком и положила трубку.

Черт знает что! Идиотское место для встречи в такой ситуации! Ну да ерунда! Не стоит обращать внимание на мелочи! Главное — мы поедем вдвоем! И весь день будем вместе. Сейчас надо успокоиться, принять снотворное, иначе впереди бессонная ночь и трудно будет весь день провести за рулем! Так он и поступил. Сон сначала не шел, тем более что червем точила мысль, куда это Ника сегодня девалась, наверняка на свидание к седовласому отправилась... Ах, как нехорошо, как противно... Но, думаю, седовласому сегодня ничего не светит, я просто уверен! Тем более у нее же есть Гриша, которому она не желает изменять даже со мной, не то что с седовласым. Мысль эта была так утешительна, что в результате он довольно быстро уснул, поставив будильник на шесть утра.

К памятнику они подошли одновременно.

— Привет! — улыбнулась Ника. На ней были белые брюки и белая ветровка.

Ей не идет белый, отметил он, белый ее старит... Видимо, дело в том, что вчера на пароходе она довольно сильно загорела, и это как-то ее простит... Вот и чудно, может, за целый день я разгляжу в ней еще кучу недостатков и к вечеру мне ничего уже не будет хотеться и все само собой закончится. Я вернусь в Бостон, к своей привычной жизни, а она к своему камерному Грише. Но когда они сели в машину, он почувствовал запах ее духов, на который вчера как-то не обратил внимания, или сегодня у нее были другие духи? Запах был легкий, чуть горьковатый и удивительно приятный. В нем была какая-то успокоительная прохлада... И вообще, ему вдруг стало хорошо и уютно. Уже через пять минут она стянула с себя ветровку. А под ней оказалась бледно-зеленая в мелких ромашках то ли блузка, то ли рубашка, черт знает, как это называется...

— Жарко, — улыбнулась Ника. — Алла заставила меня надеть ветровку, боялась, что я замерзну...

А вот зеленая рубашка шла ей необыкновенно. И на шее были бледно-зеленые бусики. Милая, какая она милая! Милая моя, солнышко лесное, вон в каких краях встретилась со мною... — всплыло вдруг из глубин памяти.

— Чего ты смеешься? — спросила она.

— Да нет... так, просто радуюсь, что сегодня хорошая погода!

Когда они выехали на автобан, он спросил:

— Ты сегодня что-нибудь ела?

— Да, Алла впихнула в меня завтрак. А ты голодный?

— Нет, я тоже поел. Вот и чудно, второй завтрак можем съесть в Брюсселе! Ты не против?

— Я за! А можно открыть окно?

— Конечно!

Сквозной ветер трепал ее волосы. Они ехали молча, и почему-то это было так приятно... У него в голове вертелись обрывки старых песен, которые он любил в далекой молодости. «Из кошмара городов рвутся за город машины...», кажется, это Высоцкий... «Длинной-длинной серой нитью стоптанных дорог штопаем ранения души...», это Визбор...

— Автобаном никакие ранения не заштопаешь, — вдруг произнесла Ника.

Он от удивления чуть не выпустил руль.

— Что?

— Ты не помнишь песню Визбора?

— Нет, — сказал он, взяв себя в руки. — Не помню.

— Я хотела сказать, что автобаны скучные... Вот мы с Аллой ездили в какой-то замок, там была красивая дорога, она так петляла и вокруг такие виды, а тут...

— Зато быстро доедем.

Они довольно долго молчали. Но никакой неловкости не чувствовалось. Ему было хорошо. Наверное, и ей тоже.

— А где ты вчера вечером была? — вдруг спросил он.

— В гостях, — совершенно спокойно ответила она. — У старых знакомых.

— Одна?

— Что за вопрос, Влад? Я ведь уже довольно большая девочка и меня можно отпускать одну в гости.

Продолжать допытываться было попросту неприлично. Но, судя по ее спокойно-равнодушному тону, никаких любовных приключений вчера не было, ну и слава богу, решил он.

— Влад, а что, вся дорога будет такая скучная, по автобану?

— Боюсь, что да. Во всяком случае, до Брюсселя точно.

— А если я посплю немножко, это ничего, ты не заснешь?

— Да ради бога, только лучше переберись назад, ты там даже прилечь сможешь.

— Но тебе это не будет неприятно?

— Ну что ты, наоборот.

Он остановился, Ника перешла назад и завозилась, устраиваясь поудобнее. А вскоре он глянул в зеркальце и увидел, что она сладко спит, поджав под себя ноги.

Да, ей, похоже, и вправду на меня наплевать. Если бы она волновалась, испытывала какие-то сильные чувства, то вряд ли задрыхла бы, с раздражением подумал он. Конечно, автобан скучная штука, но все-таки могла бы лучше посмотреть в окно... Хотя что там увидишь, кроме самого автобана... И все же немного обидно.

— Ой, Влад, я долго спала?

— Минут сорок! — обрадовался он. — И здорово храпела!

— Храпела? Не ври! Я никогда не храплю!

— Откуда ты можешь это знать?

— Мне говорили...

— Гриша? Он наврал!

— Тогда почему ж ты меня не разбудил?

— Жалко было!

— Жалко? — каким-то странным голосом спросила она. — Тебе бывает кого-то жалко?

— Что ты хочешь этим сказать? — разозлился он.

— Ничего, просто спросила, я ведь половину свой жизни прожила без тебя и не знаю, каким ты стал.

— Каким я был, таким я и остался... — дурным голосом пропел он, — орел степной, казак лихой... А ты чего молчишь? Должна подхватить — зачем, зачем ты снова повстречался, зачем нарушил мой покой!

— Что это ты раздухарился? — засмеялась она.

329

— А черт его знает, просто мне вдруг стало так хорошо... Скорость, дорога, ты и, конечно, язык... До чего приятно говорить по-русски... Я даже не знал, как соскучился... И все время всплывают какие-то старые песни, стихи, черт знает чем башка набита. А ты так и дальше будешь на заднем сиденье валяться? Боишься меня?

— Да что ты! Я просто немножко отморозилась...

— Что? — переспросил он.

— Отморозилась.

— Тоже новое словечко.

— Уже не новое, нет.

— Для меня новое.

Он опять остановился, и Ника пересела к нему. Недолгий сон пошел ей на пользу, и он опять отметил, как она прелестна.

— Влад, а давай где-нибудь попьем кофе.

— Фу, разве на дороге кофе? Профанация! Потерпи, кофе будем пить в Брюсселе! Я знаю там одно кафе, «Локарно»...

— Так и быть потерплю! А капучино в твоем кафе подают?

Он вдруг расхохотался и резко затормозил.

— Ты что? — испугалась она.

Он повернулся к ней:

— Ника, Ника, ты только подумай, мы с тобой мчимся по автобану из Германии в Бельгию как ни в чем не бывало, и ты так капризно спрашиваешь про капучино!

— Ну и что?

— Да это же чудо! Я только сию секунду осознал, как изменился мир! И это поистине прекрасно! А что, в Москве тоже можно выпить капучино?

— Почему же нет? Можно, не везде, конечно, но можно! И ты уже не считаешься там предателем родины!

— Ну это ты загнула!

— Влад! — поморщилась она.

— Что — Влад? Уверен, что в КГБ меня все равно числят предателем.

— Да наплевать КГБ на таких предателей с высокого дерева, у них и без тебя забот хватает. Почему бы тебе не приехать в Москву, не посмотреть на все своими глазами?

— Нет уж, уволь... — нахмурился он. — Не тянет!

— Ладно, поехали, Влад, а то я еще не скоро выпью кофе.

— Да-да, ты права...

В Брюсселе Ника чрезвычайно оживилась, не отлипала от окна, и глаза у нее сияли.

— Вот что, давай поставим машину и часочек погуляем, потом выпьем кофе и двинем в Гент, согласна?

— Конечно!

День был чудесный, солнечный, но ветреный, и бродить по городу было приятно. Он взял Нику под руку, она не противилась.

— Ох, Влад, какая же я идиотка! — вдруг горестно воскликнула она.

— Что случилось?

— Я забыла фотоаппарат!

— И я забыл... Ну ничего, сейчас купим, тоже мне проблема! Я тебе подарю фотоаппарат!

— Не надо, у меня есть!

331

— Где?

— В Бонне.

— А мы что же, не запечатлеем друг друга на фоне бельгийских достопримечательностей? На фоне фонтана Пис? Это нонсенс! Идем покупать аппарат! Какую марку ты предпочитаешь?

— Мыльницу, с другими я не справлюсь.

— Ника, это несерьезно, давай купим хороший фотоаппарат!

— Я не хочу хороший! Я хочу мыльницу, чтобы нажать на одну кнопочку, и все!

— Но ведь такой у тебя уже есть!

— А мне лучше и не надо!

В результате он купил ей «Никон», правда самый примитивный. И когда вручил ей его, и она с благодарностью ему улыбнулась, он почувствовал себя почти счастливым и ему безумно захотелось осыпать ее подарками.

— Говори, что ты еще хочешь?

— Я давно уже хочу капучино и какое-нибудь пирожное!

— Развратничаешь?

— Да! Обожаю развратничать! — весело засмеялась она.

— А я бы съел что-нибудь посущественнее. Что-то я проголодался.

Он смотрел, как Ника наслаждается фруктовым тортом со взбитыми сливками, и у него комок стоял в горле. Когда то же самое ела Карина, его последняя подруга, его с души воротило.

— Ужас, как вкусно! — простонала Ника с набитым ртом. И он отчетливо вспомнил, как в незапамятные времена Ника училась на каких-то курсах, занятия кончались поздно, он встречал ее и сразу совал в руки горячий бублик, купленный у метро «Краснопресненская», и холодное красное яблоко джонатан. Они шли по снегу через Шмитовский парк, и Ника требовала, чтобы он разделил с ней нехитрую снедь, а потом они самозабвенно целовались. Она тогда тоже восклицала: «Ужас, как вкусно!» Интересно, она помнит это?

— Еще хочешь?

— Нет, спасибо! То есть я хочу, но в меня просто уже не влезет!

— Да ерунда, влезет, тут и нет почти ничего, одни сливки, ты же не толстеешь, наверное? Давай я закажу еще кусок и сфотографирую тебя.

У нее заблестели глаза.

— Ну вообще-то я и вправду не толстею... Но тогда закажи что-нибудь другое, а то неинтересно! И при одном условии!

— При каком? — улыбнулся он.

— Мы съедим это пополам!

— О'кей! Ты не меняешься...

— Вспомнил про бублики с джонатаном?

— Откуда ты знаешь?

— Правда, ты про это вспомнил?

— Да, память иногда такую чепуху подбрасывает... А еще я помню, как мы целовались в парке и вдруг на нас снег посыпался, кошка на дерево залезла и сбросила здоровенный пласт...

— Ну уж и пласт, так, немножко снежку...

— Ничего себе немножко! Мне за воротник столько набилось...

Им принесли еще торта, они попросили официантку сфотографировать их вместе, потом он фотографировал ее. И ему казалось, что не было этих двадцати двух лет, что их ранняя молодость спокойно и счастливо перетекла в нынешнюю жизнь, в которой они не могут существовать отдельно, ибо связаны неразрывно, и так было всегда. Но так не было. Ну и что же? Это неважно, важно, что впредь так будет, впредь они не будут существовать отдельно, потому что только эти глаза умеют так зажигаться радостью от любого пустяка, только этот смех находит отклик в душе...

— Влад, мы едем дальше или останемся в Брюсселе? — донесся до него голос Ники.

Он стряхнул с себя счастливое оцепенение.

— Едем! Я хочу в Гент!

И опять он гнал машину по автобану, а Ника опять задремала.

Наконец он разбудил ее:

— Просыпайся, соня, а то все проспишь!

Она открыла глаза, и в них вдруг полыхнула безумная радость, но она тут же их зажмурила, а когда снова открыла, это были совсем другие глаза. Красивые, даже радостные, но другие. В них читалась радость туристки. Но он успел заметить ту, первую радость, и это наполнило его счастьем. А Ника немного очумело мотала головой.

— Как красиво!

Они вылезли из машины.

— Предлагаю начать с собора! — сказал он. — Там есть знаменитый гентский алтарь братьев Ван Эйков!

Однако увидеть собор им не пришлось. Там велись реставрационные работы.

— Какая жалость! — воскликнул он.

— А я даже рада, — призналась Ника. — И пожалуйста, Влад, давай просто пошатаемся по городу. Ненавижу достопримечательности и музеи! Я никогда ничего не запоминаю из всех тех лекций, что читают гиды, просто не держится в голове... Я знаю, это, наверное, неинтеллигентно... Но я так устроена...

— То есть ты хочешь сказать, что ты темная баба, которая не желает просвещаться? — засмеялся он.

— Да, да, именно так! Во мне нет этой туристической жилки... Я люблю ходить по улицам, сидеть на лавочке и смотреть, как живут люди, мне это интереснее... А про достопримечательности я могу в книге прочитать...

— Значит, если бы мы попали в собор, ты бы мучилась?

— Нет, один собор я бы вынесла.

— А в Париже ты в Лувр не ходила?

— Ходила. Но одна. Посмотрела немножко и ушла. На другой день еще раз пошла... Это трудно объяснить...

— Ну почему же... Просто ты не любишь экскурсии, а вовсе не музеи и достопримечательности, я правильно формулирую?

— Наверное. Ты такой умный...

Он засмеялся и обнял ее за плечи:

— Ника, я тебя обожаю!

И они пошли бродить по улицам.

— Как здесь красиво и уютно, — сказала Ника.

Город и вправду был восхитительный. Ряды узких готических домов, лепящихся друг к другу без малейшего зазора, каналы...

— Подумать только, эти дома, они же все разные, и так тесно стоят! А вот ты посмотри, какая прелесть, Влад!

— Я уже видел подобные города в Голландии, а Брюгге вообще что-то особенное...

— Но ты же сам хотел в Гент.

— Я надеялся попасть в собор.

— Ты разочарован?

— Ну что ты... Мне давно не было так хорошо, как здесь.

Пробродив часа два по набережным, они присели отдохнуть на лавочке.

— Устала?

— Нет, просто хочется чуточку посидеть.

— У тебя туфли удобные?

— Очень! Я нарочно надела самые расшлепанные. Алла говорила, что в таких ехать неприлично, но они ужасно удобные. Ты тоже считаешь, что они неприличные?

— Смотря для чего, — засмеялся он. — Таскаться по городу — нормально. А вот пойти в хороший ресторан...

— Так пойдем в не очень хороший, что за проблема!

— Да я пошутил! А хочешь, купим тебе шикарные туфли, удобные и шикарные!

— Так не бывает!

— Еще как бывает!

— Нет, Влад, я не хочу, мне и в этих хорошо, и вообще, ты уже купил мне фотоаппарат, ты меня привез сюда, и я не настаиваю на том, чтобы платить за себя в кафе...

— Еще не хватало, чтобы ты за себя платила! Я этим вот так сыт! Я все-таки воспитывался в старой московской семье, и, когда баба заявляет, что платит за себя сама, я просто сатанею! У вас в Москве это еще не привилось?

— Не знаю, я с этим пока не сталкивалась...

— А туфли мы все-таки купим! Пусть у тебя будет две пары удобных туфель!

— Влад, я не хочу!

— Ника, ну доставь мне такое маленькое удовольствие!

Она смерила его каким-то странным взглядом. Казалось, вот сейчас она скажет: «Откупиться хочешь?» Но ничего подобного она не сказала.

— Ну если ты так настаиваешь!

Были куплены и туфли. Легкие, из мягкой кожи на соломенной подошве. Ника сама их выбрала, и ничто не могло ее заставить переменить решение.

— Ника, посмотри, по-моему, вон те черные тоже подойдут!

— Нет, мне эти нравятся.

— Хорошо, эти мы берем, но ты выбери еще!

— Спасибо, Влад, мне не нужно, — очень спокойно, но твердо ответила она. — А эти просто прелесть и ничего не весят. Спасибо.

— А давай еще платье купим?

— Влад, у меня много платьев, мне правда ничего не нужно.

— Это твой Гриша тебе покупает?

— Да нет, зачем, я сама...

— А Гриша не покупает?

— Нет, Гриша не покупает.

— Жадный, что ли?

— Нет, он не жадный, отнюдь, просто ему в голову не приходит.

— Ника, я проголодался, пора обедать!

— Ничего не имею против. Тем более что в новых туфлях меня пустят в любое заведение!

— Тебе в них удобно?

— Как в раю!

— Слушай, а ты когда-нибудь пробовала устрицы?

— Устрицы? — испуганно спросила она. — Нет, не пробовала, но я не хочу!

— Ника, решено, будем есть устрицы!

— Говорят, ими можно отравиться!

— Да, если есть их где ни попадя, а мы поступим иначе, вон видишь, Ратуша, я зайду туда и спрошу, где тут самый лучший рыбный ресторан!

— Господи, зачем же в Ратушу? — удивилась Ника.

— Там, по крайней мере, не соврут, заботятся о престиже города.

— Ну ты даешь!

Он и вправду забежал в Ратушу со своим вопросом, и ему с любезной улыбкой порекомендовали заведение мсье Пьера, что расположено на соседней улице. В витрине маленького ресторана был выставлен аквариум с живыми лангустами. Ресторан был старинный, узкое помещение всего на десяток столиков и темная деревянная лестница, ведущая наверх, в туалет. Навстречу им вышел хозяин, высокий полный бельгиец в длинном белом фартуке. Он отлично говорил по-немецки и был весьма радушен. Кроме них в ресторане сидели еще три завитые, напомаженные старушки.

— Ну, Котофеич, кроме устриц что будем есть?

— Я не знаю, — пробормотала Ника.

— Что это у тебя вид испуганный? Боишься пробовать устрицы?

— Есть немножко, — со смущенной улыбкой призналась она.

Боже мой, подумал он, как я жил без нее? И как она живет без меня? Это же нонсенс!

— Знаешь, Влад, ты закажи что-нибудь на свой вкус, хорошо?

— О'кей! Тогда возьмем устрицы и, пожалуй, морской язык.

— Что это — морской язык?

— Просто очень вкусная рыба. Какого вина ты хочешь?

— Никакого! Я выпью сок! Или минералку.

— Но к рыбе сам Бог велел выпить белого вина.

— Ну ладно, если один бокал...

Он сделал заказ.

— Ника, я что подумал... Давай завтра поедем на Зибенгебирге, ты там еще не была?

— Нет, а что это?

— Ну если переводить на русский, то Семигорье, там красиво, а главное — можно покататься на лошади.

— Верхом? — ужаснулась Ника.

— Нет, в коляске! Хочешь?

— Можно.

— Договорились!

— Ой, что это?

На стол подали высокое двухъярусное сооружение, где во льду лежали раскрытые раковины устриц, а сверху горел огонек.

— Настал торжественный момент! Загадывай желание! Ты же первый раз пробуешь...

— Но я не знаю, как их едят, и вообще... вдруг мне не понравится?

— Если не понравится, я их сам съем, а тебе закажу что-нибудь сугубо примитивное! Погоди, я сейчас все сам сделаю!

Он полил устрицу лимонным соком, добавил немного соуса и, поддев мясо устрицы вилочкой, сказал:

— Закрой глаза и открой рот!

— Влад, неудобно...

— Глупости! Открывай рот!

Она подчинилась, и он сунул ей в рот устрицу. Она попробовала и широко открыла глаза.

— У них вкус моря... И совсем не противно...

— Значит, будешь есть?

— Буду!

А вот вина она выпила всего два глоточка.

— Не нравится? Я закажу другое.

— Нет, вино хорошее, просто я отвыкла, боюсь опьянеть... Понимаешь, я когда-то отравилась вином...

— Отравилась? Каким-нибудь вермутом за рубль две? — вспомнил он чудовищный напиток, который пробовал в студенческом стройотряде.

— Неважно, Влад, просто не хочу... Боюсь, меня разморит с отвычки...

— И что?

— Да ничего...

— Тогда я допью твой бокал и узнаю все твои грешные мысли.

Она рассмеялась:

— В отношении тебя у меня нет грешных мыслей.

— Да, я все хочу спросить, кто все-таки был тот тип, что подарил тебе розы?

— Ты.

— А до меня?

— Тот тип, как ты выражаешься, предлагал мне хорошую работу...

Врет, понял он, беспардонно врет! Так работу не предлагают, или разве что какой-нибудь суперзвезде, которая сулит баснословные барыши работодателю, а не стареющей московской кукольнице...

После обеда Ника сказала:

— Влад, я должна купить тут какой-нибудь сувенир для Аллы.

— Что ж, пойдем купим:

— Нет, я не хочу с тобой... Ты будешь лезть со своими деньгами, и вообще... лучше посиди вот тут, на лавочке, а я пробегусь по этой улице и что-нибудь куплю.

— И долго мне сидеть?

— Ну минут двадцать, пожалуйста, Влад!

— Хорошо, только я не хочу сидеть тут как идиот, я буду лучше ждать тебя вон в том кафе, выпью воды...

— Хорошо! — обрадовалась она. И ушла.

Он смотрел ей вслед. На чрезвычайно элегантной торговой улице Гента она совершенно не выглядела чужеродно. Раньше русскую женщину можно было определить с первого взгляда, а теперь... Она была ничуть не хуже других одета, и держалась достаточно свободно. Одно только отличало ее от остальных женщин на этой улице — она была ему необходима! Она была... родная, да, именно родная... И когда он произнес мысленно это слово, у него болезненно сжалось сердце. За все эти долгие годы достаточно трудной, напряженной, но в целом вполне благополучной жизни, никто не стал ему родным. Ни жена,

341

ни даже сын... Хотя нет, в первые два-три года сына он все-таки ощущал родным, но со временем воспитание, которое ему давала Элли, и весь строй жизни отдалили мальчика... А потом развод, свидания по субботам... А вот эта хрупкая, не слишком молодая, когда-то до тошноты надоевшая женщина, о которой он и не вспоминал столько лет, вдруг показалась ему единственной теплой точкой в причудливом морозном узоре жизни. Как глупо, чудовищно глупо... Я вот свободен, а она... У нее есть какой-то Гриша, который хорошо поет... И пьет, наверное, хорошо... и еще она говорит, что не умеет любить, и Гришу этого не любит... А вот того, седовласого, она любит, что ли? Не желает о нем говорить, наврала, что он работу предлагал, точно наврала... Она как будто оберегает его от меня, боится услышать о нем что-то дурное... А ведь эта встреча — судьба! И я не должен ее упустить, я хочу ее, и я своего добьюсь! Я женюсь на ней! Я хочу с ней состариться! Фу, идиот! — рассердился он на себя. Тебе еще нет пятидесяти, ты в отличной форме, у тебя все тип-топ, тебе просто нужна баба. Нет, не просто баба, а именно эта! Мне нужна Ника, и только Ника! Глупости, возьми себя в руки. С Никой все слишком сложно, зачем тебе эта головная боль? В ней есть какой-то надлом, и не исключено, что он связан с тобой, зачем тебе все это? Покатай ее, купи ей еще подарков и сматывайся, пока не поздно. Надлом, нет, это как-то иначе называется... Ах да, надрыв! Это ведь у Достоевского — надрыв в гостиной, надрыв в избе... Так, вот Достоевского только тебе и не хватало для комплекта... Ностальгия по полной русской программе! К черту! Отвезу ее в Бонн и скажу, что меня вызывают... Навру! И смоюсь, а Томасу потом все объясню или оставлю письмо. Но я ведь пообещал ей лошадку на Зибенгебирге. Ну и что? Обещанного три года ждут! Надо смываться, уносить ноги, сматывать удочки, давать деру, улепетывать, рвать когти, с наслаждением вспоминал он синонимы, но тут заметил Нику и, совершенно позабыв о благоразумных идеях, смертельно обрадовался, а она почти бежала к нему с таким сияющим видом, словно вдруг на торговой улице Гента осознала, что любит его, и поспешила ему об этом сообщить. Он невольно вскочил и кинулся ей навстречу.

— Влад, — она схватила его за руку, — Влад, идем, идем скорее, что я тебе покажу!

Он швырнул на столик деньги и пошел за ней. Она почти тащила его. Дело тут явно не в любви, а в чем? Она увидела какую-нибудь сильно дорогую штучку, какое-нибудь колечко за бешеные деньги... Ничего, если это в разумных пределах, я ей его куплю и тогда уж буду чист как стеклышко.

— Смотри!

Она остановилась перед витриной, но это был отнюдь не ювелирный магазин. Это был магазин сыров! И из открывшейся в этот момент двери на него пахнуло достаточно специфическим ароматом. Он был в полном недоумении.

— Смотри, Влад! Это моя кукла! Моя, понимаешь?

В витрине сырного магазина, очень изящно и элегантно оформленной, действительно сидела довольно большая кукла. Она была красивой, немного манерной, в платье и прическе времен маркизы Помпадур. И в то же время в ней был гротеск, придавший нарядной кукле какую-то неповторимость и изысканность.

— Влад, тебе нравится, скажи, — тормошила его Ника.

— Очень! Но как твоя кукла сюда попала?

— Это Сюзетта! Ее у меня купила одна дама из Люксембурга на выставке в Будапеште! Еще два года назад! Вот не думала, что она сюда попадет! И главное, что я еще когда-нибудь ее увижу! Я ее очень любила! Тебе правда нравится?

— Очень! И тебя не огорчает, что твоя Сюзетта торгует сырами?

— А почему меня должно это огорчать?

— Да нет, я просто спросил... по глупости!

Ах, какой же я примитивный, грубый тип! Я решил, что она хочет с меня что-то слупить, а она хотела поделиться своей радостью, показать свое искусство, а я... Фу, как стыдно!

— А хочешь, я выкуплю твою Сюзетту из рабства и верну ее тебе?

— Зачем?.. Она тут так уместна... Это очень дорогой магазин, я уже заглянула... Ну и запах там, закачаешься.

— Вот видишь, твоя Сюзетта торгует вонючими сырами!

— Пусть!

— Значит, не хочешь вернуть Сюзетту?

— Нет, не хочу! И вообще, Влад, кончай ты демонстрировать свои материальные возможности! Я очень рада, что у тебя все в порядке, но...

— Прости, я ничего такого не думал... — смутился он.

— Знаешь что, давай-ка поедем обратно, тебе ведь еще часа три за рулем сидеть...

— Но ведь еще и шести нет.

— Ну и что?

— А завтра мы поедем на Зибенгебирге?

— Поедем.

— Ты купила что-нибудь для Аллы?

— Да. Ой, Влад, сфотографируй меня на фоне этой витрины, с Сюзеттой!

— Гениальная идея! И еще мы вместе тут снимемся!

— У нас некоторые теперь говорят: сфотаемся!

— Сфотаемся? Какой кошмар!

— Да уж!

Они молча брели к стоянке машин. До нее было довольно далеко. Вот и кончается этот странный день... Я идиот, я все время жду какого-то подвоха, какой-то гадости, каких-то упреков... Сам себе порчу такой чудесный день, а ведь он и в самом деле получился чудесным. Он искоса взглянул на Нику. У нее было спокойное и довольное лицо, правда, глаз он не видел, она надела темные очки, но на губах играла легкая улыбка. Она всегда так улыбалась, когда бывала довольна. Господи, сколько же всего я о ней помню... Даже вкус ее губ... Интересно, он изменился за эти годы? Как я хочу поцеловать ее, по-настоящему поцеловать, прижать к себе... Нет, не буду об этом думать, нельзя. И не нужно, ни в коем случае... Как странно, мы целый день провели вместе и практически ничего не узнали друг о друге, о том, как жили эти годы... Она почти не задает вопросов, а на мои вопросы отвечает как-то вскользь... А может, и лучше? Мы расстанемся, и у нас сохранятся лишь приятные воспоминания друг о друге...

Нет, я не желаю никаких воспоминаний! Я хочу эту женщину, я не могу потерять ее во второй раз... А что, может, и в самом деле жениться на ней, увезти в Бостон... Буду возвращаться не в пустой дом... Буду каждый день слышать этот переливчатый голос и, просыпаясь, видеть это прелестное лицо, буду будить ее, и в ее глазах будет зажигаться та сумасшедшая радость, которая мелькнула лишь на мгновение... Она врет, что не любила меня, еще как любила, и теперь... если не любит, полюбит, никуда не денется! Обязательно полюбит! Почему бы ей не любить меня? Я еще нестарый, у меня есть деньги, я куплю новый дом, и пусть делает там своих кукол, устрою ей мастерскую... Да, кстати, Диксоны собирались продавать дом... Уверен, он ей понравится, такой красивый дом... Для меня одного он, конечно, велик, но для семьи... Чем черт не шутит, может, она мне еще ребенка родит, дочку, такую же хрупкую, с такими же волосами... А впрочем, нет, не надо детей! Поздно уже...

— Влад, ты о чем задумался?

— Что? Ах, прости, я тут кое-что прикидывал... извини. Скажи мне, ты довольна?

— Сегодняшним днем? Очень. Мне страшно понравился Гент. Спасибо.

— Ты была в Амстердаме?

— Нет.

— А хочешь, поедем? Тебе наверняка понравится! Это обязательно надо видеть! Давай поедем прямо сейчас?

— Сейчас? Ты с ума сошел!

— Да почему? Приедем, остановимся в какой-нибудь гостинице, а с утра пойдем шляться по Амстердаму! Ника, поедем! Ты знаешь, какие в Амстердаме цветы! Ты же любишь цветы, а какие там бутерброды с селедкой! Мечта, ты будешь в восторге, я уверен! А еще я свожу тебя в Красный квартал, и вообще, куда ты только захочешь! Будем таскаться вдоль каналов, и... Ника, пожалуйста, поедем! Позвони Алле, предупреди ее, что вернешься послезавтра!

— Влад, я не могу, я даже не...

— Ты не взяла ничего с собой? Ерунда! Что там тебе нужно? Зубная щетка, трусики, ночная рубашка? Купим, что за проблема? Поедем! — он почти молил ее.

Она напряглась:

— Нет, Влад, я не хочу!

— Ерунда, как ты можешь не хотеть? Я не верю! Ты же когда-то так мечтала увидеть мир? А тут я тебе предлагаю... — Он осекся. — Ты, верно, думаешь, что тебе придется спать со мной? Но если ты не хочешь, не надо! Ни в коем случае! Мы возьмем два номера и... Я же не насильник. Просто нам было хорошо сегодня, почему бы не продолжить...

— Ну если так...

— Да, конечно! Ника, поедем! — Он вытащил из кармана телефон. — На, позвони Алле!

Она на мгновение задумалась, а потом покачала головой:

— Нет, я не могу.

— Да почему? Почему не можешь?

— Я устала и хочу домой.

— Нам все равно ехать почти три часа, говорю же, мы остановимся в хорошем отеле, там и отдохнешь...

— Нет, Влад, не стоит...

Она боится, она боится меня, нет, себя! Хочет, еще как хочет, но боится! И все-таки я повезу ее в

Амстердам! Благо эти автобаны совершенно безликие, она и не сообразит, что мы едем не в Германию. Я поставлю ее перед свершившимся фактом! Она же еще будет мне благодарна! А что, это неплохое приключение для стареющей одинокой женщины. Воскресший из мертвых возлюбленный похищает ее... Похищение Европы... Нет, похищение в Европе! Решено.

— Ну не стоит так не стоит! Но завтра мы поедем на лошадке!

— Хорошо, поедем на лошадке! Обожаю ездить на лошадке! Жалко, я не вожу машину, а то могла бы сменить тебя...

— Чтобы я доверил женщине свою драгоценную жизнь? — засмеялся он. — Да никогда!

— А ты не устал?

— Нисколько! Сегодня такой хороший день... А ты устала? Поспи!

— Знаешь, меня почему-то всегда клонит в сон в машине, просто ужас!

— Хочешь на заднее сиденье?

— Нет, ни в коем случае, я постараюсь не спать...

— Зачем же мучиться?

— Мне как-то неловко...

— Что за чепуха!

— Нет, пожалуйста, Влад, если я засну, толкни меня.

— Слушай, Ника, а ты спой мне что-нибудь, ты же когда-то хорошо пела, очень музыкально...

— Ну, Влад, я уж давно не пою... И вообще...

— Спой мне какую-нибудь самую модную вашу песню!

— Самых модных я не знаю... это какие-то молодежные хиты... Я их не воспринимаю...

— Ну спой что ты воспринимаешь... Кто у вас звезда номер один?

— Номер один? Наверное, Пугачева...

— Пугачева? Все еще Пугачева? — расхохотался он. — Невероятно... Ну спой хит Пугачевой.

— Да ну, неохота...

— Ну, Котофеич, не ломайся! Спой, светик, не стыдись...

— Знаешь, есть одна песенка, мне она ужасно нравится, ее поет какая-то группа, даже не знаю ее названия и вообще помню только припев: «Мы могли бы служить в разведке, мы могли бы играть в кино, мы, как птицы, садимся на разные ветки и засыпаем в метро»... Или вот еще одна песенка, несколько лет назад была страшно модной, — она лукаво на него посмотрела, — «Как упоительны в России вечера, и вальсы Шуберта, и хруст французской булки...»

Он рассмеялся:

— Хочешь этой чепухой пробудить во мне ностальгию?

— Да нет, зачем?

Они замолчали. Вскоре он заметил, что Ника опять задремала. И вдруг в памяти всплыло смешное, трогательное слово «козúчка». Когда-то давным-давно он с друзьями поехал в августе отдыхать в Молдавию. Они жили в пансионате недалеко от Дубоссар, на самом берегу Днестра, ловили рыбу, ведрами ели дивные фрукты, ведрами же пили домашнее вино, увивались за девушками, словом, наслаждались жизнью. Он тогда окончил четвертый курс и чувствовал себя счастливым и свободным. За вином они ездили в деревню под смешным названием Малавата, где его восхищали увитые виноградом дворы, крашенные синькой дома и потрясающе вкусная деревенская еда — плечинты с творогом, жареные перцы, домашняя брынза и мелкая, сваренная с кожурой молодая картошка, которую надо было макать в блюдце с постным маслом и очень крупной солью... Все эти яства выставлялись на стол во дворе, когда они приезжали за вином к деревенскому учителю и его жене, носившей поэтическое имя Виорика. А у Виорики была коза, удивительно нежное и грациозное создание, никогда раньше он не видал таких красивых коз — серо-бурая, с точеными рожками... «Козичка» ласково называла ее Виорика. Им всем страшно нравилось это слово. Козичка. А однажды утром, когда они валялись на пляже, Марик толкнул его в бок и прошептал:

— Посмотри, Влад, какая козичка появилась!

Он лениво приоткрыл глаза и замер: у кромки воды стояла девушка лет семнадцати, не больше. Тоненькая, казалось, вот-вот переломится, коротко стриженная и совершенно белая. Солнце еще не успело коснуться ее нежной кожи.

— Козичка, правда...

— Хороша, да? — шептал Марик. — Чур, моя!

— Ни фига! — сказал он и вскочил. — Девушка, вам нельзя долго быть на солнце! — окликнул он козичку.

Она обернулась, смерила его кокетливым взглядом и одарила такой улыбкой, что у него все поплыло перед глазами.

— Как тебя зовут? — хрипло пробормотал он. — Меня — Влад.

— А меня Ника.

Это была любовь с первого взгляда. Она приехала с родителями, что создавало кучу проблем, но все равно от тех дней осталось упоительное воспоминание о жарком, сухом, пахнущем степью воздухе, о цикадах, гортанных криках горлиц, прохладной воде Днестра и о сумасшедшей влюбленности в тоненькую, полную жизни девочку, козичку.

А потом было много всякого. Он хотел сразу на ней жениться, но она еще не окончила школу, и ее родители были против, потом умер ее отец, а он с головой ушел в свою науку... Да мало ли что было в те годы... И вот он опять похитил свою козичку... В то лето он частенько увозил ее на лодке — и это у них называлось похищением... Все это хорошо и мило, но нам ведь совершенно не о чем говорить, кроме прошлого. А прошлое — опасная тема. Мы целую жизнь прожили врозь, в разных мирах. У нее свой мир, о котором я не очень-то хочу знать... Зачем мне все эти русские заморочки — Чечня, вечные кризисы, рухнувшие ценности, новые идолы... Я этого не хочу! Мне и своих забот хватает. Тогда какого черта я везу ее в Амстердам? Чтобы трахнуть? Или чтобы загладить свою вину? Да какая там вина! Если бы я остался в России, что бы меня ждало? У них там наука просто рухнула. Значит, я все равно бы уехал, только позже, уже не таким молодым, отягощенным кучей забот, семьей, растерявшим в политических страстях свои силы и талант. Интересно, она это понимает? Наверное, да, она ведь ни словом меня не укорила... Да и не так уж у нее все плохо... в конце концов, она сама виновата, что не ужилась с тремя мужьями. Вот говорит же, что была Марку плохой женой... А я подозревал, что Марик в нее влюблен. Он всегда смотрел на нее с обожанием. Жаль его, беднягу, так рано умер... А я вот умер-шмумер... Да, конечно, мы чудовищно далеки друг от друга, и, наверное, нет никакого смысла сближаться, не перепрыгнет она океан, и я не собираюсь его перепрыгивать... Так, может, оставить все как есть и повернуть назад, пока не поздно? То есть поехать сейчас в Бонн — и дело с концом? Но почему же мне так хорошо, так легко и приятно — оттого что рядом дремлет эта постаревшая козичка? И тут он увидел, что впереди скапливаются машины. Неужели пробка? Да, похоже на то. Видимо, какая-то авария. Только этого еще не хватало! И совершенно некуда свернуть. Вот незадача! Он затормозил, и тут же Ника открыла глаза.

— Что? Мы приехали? — сонно пробормотала она.

— Приехали! Пробка, черт бы ее взял!

— Ой, это надолго?

— Понятия не имею! Выспалась?

— Да, знаешь, мне приснилось, как мы с тобой на лодке катались...

— Не гребли, а целовались?

— Во сне мы не целовались...

— Так давай наяву поцелуемся, надо же что-то делать в пробке.

— Ну вот еще!

— Какие у тебя волосы красивые...

Он протянул руку и погладил ее по голове.

— И мягкие...

— Влад, не начинай!

— Почему? Я никогда раньше не видел тебя с такими волосами, мне очень нравится... А помнишь, ты всегда носила зеленые бусики... Они у тебя живы? — И он дотронулся пальцем до ее шеи. Она чуть отстранилась. А он положил руку ей на шею, сзади, под волосами, он знал, это ее взволнует. Она и вправду вздрогнула. Ага, действует. И он стал поглаживать это местечко.

— Влад, прекрати!

— Ни за что! — страстным шепотом ответил он, повернул ее к себе и поцеловал.

— Пусти! Пусти, дурак! — слабеющим голосом простонала она, пытаясь вырваться.

— Пущу, если только ты согласишься поехать в Амстердам! А не то прямо тут тебя изнасилую! На глазах у изумленной публики, — смеялся он.

— Опять двадцать пять! Не хочу я в Амстердам!

— Дело твое, тогда терпи! — И он опять стал целовать ее.

Она больно ущипнула его в плечо.

— Ай, что ты делаешь, крэйзи!

— Влад, мы так не договаривались!

— А я думал, ты обидишься, если я не стану к тебе приставать. Вы же, бабы, такие... Лезешь к вам — плохо, не лезешь — еще хуже!

— Просто надо соображать, когда, как и к кому лезть! Ко мне — не стоит!

— Вообще не стоит или именно здесь?

— Вообще!

— А почему, интересно?

— Влад, как это ни пошло звучит, но между нами Атлантический океан. И как ни старайся, его не перепрыгнешь...

Черт побери, она опять читает его мысли и выражает их его словами...

— Ника, зачем мыслить так глобально? Тут тебе и география, и история, и философия, если хочешь. Лишнее все это! Мы просто мужчина и женщина, которых тянет друг к другу.

— А, ну да... Физиология, и больше ничего? Мне это не нужно.

— Но ты же сама говорила, что не умеешь любить. Ты сама себе противоречишь, голубушка!

— Ничуть, просто не желаю быть для тебя подножным кормом.

— То есть?

— Ну не встретилась бы я тебе, лез бы сейчас к любой другой...

— Но ты же встретилась!

— Я встретил вас, и все былое... так, что ли?

— Представь себе!

— Да ладно...

— Нет, Ника, я когда увидел тебя... Короче говоря, я в тот же вечер пригласил в ресторан одну девицу, молодую, хорошенькую, аппетитную, которая была очень даже не прочь... И к концу вечера просто возненавидел ее. И знаешь за что?

— Понятия не имею!

— За то, что она не ты... Вот так!

— И что теперь, я должна зарыдать? И кинуться в твои объятия?

— Рыдать не надо, а вот насчет объятий... Я лично не возражал бы.

— Перетопчешься!

— Фу, какая ты грубая.

— Я не грубая, я просто объясняю тебе, что к чему. Как ты думаешь, пробка надолго?

— Почем я знаю... Ника, слушай, не сердись на меня, но я правда счастлив, что встретил тебя, что ты стала такая...

— Какая?

— Красивая, сильная...

— Сильная? — Она как-то горько усмехнулась. Ну-ну.

— Послушай, давай махнем куда-нибудь на недельку, куда-нибудь на острова, где пальмы, море, белый песок... Я был в прошлом году на Мальдивах, это рай... Подумай, Ника, ведь, когда мы встретились на берегу Днестра, мы даже и помыслить не смели, что сможем махнуть, например, на Канары...

— Я была на Канарах, — сухо ответила она.

— Ты упрямая, как ослица... Ну не хочешь на Канары, давай полетим на Виргинские острова или на Гавайи, хочешь на Гавайи? Помнишь, ты любила у Джека Лондона рассказ «Прибой Канака»? Сможешь своими глазами это все увидеть... Неужели ты не хочешь в Гонолулу?

— Влад, все это великолепие только для того, чтобы затащить меня в постель?

— Да ну тебя... Куда девался твой романтизм?

— Ах, мой романтизм? Нету его, Владик, нету! Испарился!

Он замолчал. Если в ней не осталось ни капли романтизма, она явно не оценит идею «похищения в Европе» и только разозлится или, что еще хуже, просто посмеется над ним. Но деваться было некуда, они, похоже, намертво застряли. Он вдруг ощутил усталость и раздражение. И чего, спрашивается, я распинаюсь тут перед этой козой? Никакая она уже не козичка, а просто глупая коза! И к черту всякие похищения, как только удастся добраться до первого поворота, поеду в Бонн, она ничего не заметит, и к чертовой матери все сантименты, я ей не нужен, ну и отлично, не больно-то и хотелось.

— Знаешь, я, пожалуй, пойду немного пройдусь, посмотрю, что там случилось, не могу тупо сидеть на одном месте, — сказала она вполне мирно и буднично.

— Иди, только не пропадай, а то, если вся эта лавина стронется, мы можем потеряться.

— Да нет, я быстренько!

Обязательно эта дура потеряется, и я же потом буду виноват! — со злостью подумал он. Что я за болван, почему позволил себе вляпаться в такую дурацкую историю? Никогда не надо возвращаться к пройденному! Ничего хорошего это не сулит, всегда надо идти только вперед! Ну куда эта коза подевалась? Или ей в сортир приспичило, а она постеснялась сказать? Провинциальная идиотка! И я тоже хорош! На Гавайи поедем, на Виргинские острова! Что там с ней делать?

И тут он увидел ее. Она быстро шла к его машине и чему-то улыбалась. Хочу, подумал он, хочу смертельно, больше всего на свете, только ее, и больше никого!

— Там впереди трейлер опрокинулся, а из него коробки высыпались, столько коробок! Но, кажется, скоро их уберут! — радостно сообщила она.

Странно, она отсутствовала всего минут десять, но за это время в ней что-то переменилось, словно спало напряжение, сломался какой-то барьер. Она уже не казалась такой неприступной.

— Что ты так на меня уставился? — со смешком спросила она.

— Ты очень красивая.

— Ты находишь? Это приятно, через столько лет услышать... Кстати, раньше ты никогда не говорил, что я красивая.

356

— Не выдумывай!

— Нет, правда-правда! Говорил, что я самая лучшая, самая очаровательная, это было, а вот красивой не называл...

Черт побери, она кокетничает!

— Скажи мне одну вещь, только честно...

— Спрашивай!

— Зачем все-таки тебе понадобилось объявлять себя мертвым?

— О, это долгий разговор...

— А куда нам спешить? Мы тут проторчим битый час, и ехать еще долго...

— Понимаешь, все это не так просто. И в то же время просто до неприличия... По большому счету, это была шутка...

— Шутка?

— Как бы это объяснить? Мне ведь предложили остаться, посулили прекрасную работу, а я знал, что в Союзе у меня перспективы мизерные и в научном и в материальном плане, и, когда мама вдруг умерла, я подумал: это перст судьбы, мама отпустила меня на свободу, тем более что сообщение о ее смерти дошло до меня, когда ее уже похоронили. Но все оказалось достаточно сложно, особенно в эмоциональном плане, надо было себя полностью перестроить, приспособиться к новым условиям, к языку, да и вообще... Я сказал себе: ты должен это сделать.

— Влад, что ты толчешь воду в ступе? Я вполне способна понять тебя, более того, я и тогда тебя поняла. Тебе было тяжело, кто же спорит. Но умирать-то зачем?

— Ты же говоришь, что не поверила?

— Да, но все же хотелось бы понять твои мотивы.

— Да это вышло почти случайно...

— То есть?

— Понимаешь, один человек, мой научный руководитель, который много для меня сделал на первых порах, очень меня поддерживал, так вот он, видя, что я впадаю в депрессию, посоветовал мне полностью отрешиться от прошлого, тогда ведь казалось, что к нему никогда возврата не будет... Так вот он... Он предложил мне... его приятель тогда собирался в Москву, он был журналистом и...

— Это он позвонил мне с тем сообщением?

— Да, мне в тот момент показалось, что это выход, я зачеркну прошлое, вернее, не так, я вычеркну себя из твоей жизни, пустота быстро заполнится... Я подумал: она будет ждать, надеяться, годы уйдут, а так... ей станет легче, погорюет и забудет, а я начну совсем новую жизнь, даже имя сменю.

— Да? И как же тебя зовут?

— Вэл Мартин.

— Шикарно звучит, не то что Владислав Мартыненко.

Он грустно усмехнулся:

— Наверное, это было глупо, но тем не менее, согласившись стать живым трупом, я как-то встряхнулся, вышел из депрессии и буквально попер.

— Попер? Куда попер?

— Вверх. Я многого добился, у меня большое имя в моей области.

— Но это не твое имя!

— Мое, давным-давно мое! Дело ведь не в том, как я называюсь, а в том, что я собой представляю! Я состоялся, Ника, это главное! Конечно, я не мог даже вообразить, что через несколько лет этот советский мастодонт сдохнет, но я все равно бы уехал, у вас ведь наука развалилась...

— Это я понимаю и не осуждаю тебя, ты не думай, просто я хотела понять... Теперь поняла. Ты пошутил... У тебя случайно нет жвачки?

— Жвачки? — удивился он. — Есть. Вот возьми.

— Какой-то противный вкус во рту, наверное, от устриц... Спасибо.

— Ты, вероятно, хочешь спросить, почему же я потом не объявился, когда у вас все изменилось?

— Да нет, тут как раз все ясно... Отрезанный ломоть...

— Я думал тогда об этом, но все было так зыбко по началу, казалось, дали вам глоток свободы, а потом еще хуже закрутят гайки... Да и вообще, у меня в те годы столько всего было... Я не хотел глубоко вникать, многие у нас ловили каждое слово из Союза, а я не хотел...

— Несмотря на акцент, ты все же хорошо говоришь по-русски, а то я с некоторыми эмигрантами общалась — тихий ужас! «У меня дом с тремя бедрумами! В пище не должно быть много карбонгидрэйта»...

— Что поделать, эмигрантская болезнь. Но к черту все это! Главное, что мы с тобой сидим тут в пробке посреди Европы...

— И у обоих от этого едет крыша, — засмеялась она.

— Какая крыша? Теперь так говорят?

— О да, очень популярное выражение, тем более что и на самом деле почти у всей страны крыша съехала во многих смыслах.

— Значит, ты на меня не сердишься?

— Я уж сказала, что нет.

— Я имел в виду не мое бегство.

— А что? — Она лукаво на него посмотрела.

Его бросило в жар.

— А ты знаешь, я ведь тебя похитил.

— Да? Этот «Фольксваген» поуютнее, чем лодочка на Днестре.

Черт, сколько же общих воспоминаний...

— Пожалуй, — улыбнулся он. — Я тебя везу не в Бонн, а в Амстердам. Только не кричи, ладно?

Неожиданно она расхохоталась:

— Я почему-то так и думала... Черт с тобой, только надо позвонить Алле. Она будет волноваться.

Фантастическая женщина! Он протянул ей телефон.

— Белла Львовна, это Ника! Пожалуйста, позовите Аллу! Ее нет? Тогда передайте ей, что мы решили съездить еще в Амстердам, да-да, в Амстердам. Я завтра Аллочке позвоню. Спасибо. Все в полном порядке!

Он был озадачен. Она согласилась ехать в Амстердам! И похоже, на все остальное тоже согласна. А впрочем, лучше не спешить... А то мало ли... Не надо ее вспугивать.

— Влад, но мы остановимся в разных номерах! — тут же напомнила она.

— Естественно.

— Похищение... Похищение Европы, нет, похищение в Европе, — задумчиво проговорила она.

О господи! Странно, раньше, в той, прошлой, жизни у них не было такого, чтобы они читали мысли друг друга, или он не замечал, считал, что это в порядке вещей? Наверное, просто не придавал значения... а если это и тогда было, как могло сохраниться после стольких лет?

Но тут пробка мало-помалу начала рассасываться.

Больше часа они ехали молча, за окнами почти совсем стемнело. Ему было хорошо и спокойно, рядом сидело родное существо, родное до комка в горле. Наверное, пока лучше оставить все как есть, не надо стремиться сегодня же уложить ее в постель, думаю, это произойдет само собой. Она дозреет, и тогда все будет прекрасно... Он затормозил.

— Что случилось?

— Хочу заказать номера. — Он вытащил мобильник и быстро выяснил телефон уютной маленькой гостиницы в пригороде Амстердама, где останавливался несколько лет назад. Там ему ответили, что на одну ночь у них есть два номера.

— Ну что?

— Все в порядке. Уверен, тебе понравится эта гостиница, она, правда, за городом, но я подумал, что лучше уж ехать сразу туда, чем мотаться в поисках номеров, правда?

— Правда. Тем более что я устала.

— Я тоже притомился, должен тебе сказать. Ты все-таки спала.

— Еще как дрыхла!

— Что это ты вдруг развеселилась?

— А что, по-твоему, мне делать, если ты меня похитил? Заламывать руки? Завывать, как бездарная актриса? Ты все время ждешь от меня каких-то трагедий, Влад. Но трагедия не мой жанр! Видимо, в глубине души ты чувствуешь свою вину, да? Брось, Владик, все отлично! Жизнь прекрасна и удивительна!

На мгновение в этой оптимистической речи ему почудился какой-то надрыв, но, посмотрев на ее безмятежно-прелестное лицо, он успокоился. И все-таки с ней как на качелях — вверх-вниз, вверх-вниз! Но зато уж точно не соскучишься!

— Влад, только давай сначала заедем в какой-нибудь магазин.

— Ах да, трусики!

Когда он подъехал к магазину на бензоколонке, она сказала:

— Я пойду одна, не ходи со мной, я не люблю...

— Стесняешься при мне трусики покупать? — засмеялся он.

— Просто не хочу!

— Но и мне надо кое-что купить, а впрочем, ладно! — Он устало махнул рукой. Пусть делает что хочет.

Она вернулась с довольно внушительным пакетом.

— Что ты там накупила?

— Разные мелочи.

В уютной загородной гостинице им отвели два номера рядом на третьем этаже.

— Какая прелесть! — воскликнула Ника, войдя в свой номер. Она сразу скинула туфли и плюхнулась в кресло. — Ой, мамочки, как я устала, ужас просто!

— А ужинать?

— Владик, я не хочу!

— Как это — не хочешь? Что ж мне, одному ужинать? Ника, это свинство.

— Влад, ну куда я пойду в таком виде? Я вся пыльная!

— Ты самая красивая девушка в Голландии, нет, даже в Бенилюксе, а чуть-чуть пыли мне лично не помешает. Или ты рассчитываешь сразить всех мужчин в округе? Так их тут нет!

— Как — нет? Это что, город женщин?

— Просто в такой час в ресторане вряд ли много народу, да и ресторан тут совсем маленький, но кормят чудесно! Пойдем, Ника! Пойдем прямо так, не надо наводить красоту, поедим и ляжем спать.

— Дай я хоть душ приму!

— Не надо! На ночь примешь, я умираю с голоду! Мы черт знает как давно обедали.

— Хорошо, идем!

Они спустились в ресторан. Там было очень уютно, цветы на столиках, свечи. Им сразу подали меню.

— Что ты хочешь, Ника?

— Не знаю... закажи сам... Только я хочу что-нибудь выпить...

— Ты же не пьешь?

— Вино не пью, а что-нибудь покрепче вечером можно...

Они сели друг против друга, ели, пили, говорили о сегодняшних впечатлениях, словно не сговариваясь, решили — ни слова о прошлом.

— Мне нравится, — сказала вдруг Ника, — мы как будто только сегодня познакомились, и ты так мило за мной ухаживаешь... Ты очень интересный мужчина, Влад, не растолстел, не облысел... и, как писали Ильф и Петров, покрыт колониальным загаром...

— Ты хочешь сказать, я неотразим? — улыбнулся он.

— Наверное...

Он взял ее руку и поцеловал ладонь.

— Ника, я, кажется, заново в тебя влюбился...

363

— Именно что кажется, — засмеялась она. — Ты еще помнишь, что надо делать, когда кажется?

Он быстро перекрестился.

— Все равно не помогает. Влюбился!

— Брось, Владик! Чепуха все это! — Она допила свою водку.

— Налей еще!

Он налил.

— Давай выпьем за то, что... за то, что... что все было не зря! — Она опять залпом выпила водку. — Еще!

— Хватит, Ника, окосеешь!

— Да, правда, и вообще... Я пойду спать, Владик, спасибо за все, но я пойду... У меня сил больше нет... Утром поговорим.

— Погоди, я хоть доем...

— Доедай, в чем проблема, я пойду... Не волнуйся.

Он не стал возражать, видел, что ей действительно нехорошо. Она побледнела, глаза покраснели. Сейчас она выглядела немолодой и некрасивой.

Не умеет пить... Ей надо было снять напряжение, вот она и перебрала... Ну ничего, завтра все будет отлично.

Он спокойно доел свой бифштекс, потом еще съел десерт, расплатился и не спеша поднялся на третий этаж. Дверь Никиного номера была неплотно прикрыта. Надо же, как напилась... Или она нарочно оставила ее открытой? Это приглашение? Но сейчас совсем ничего не хочется...

Он собирался уже тихонько прикрыть дверь и уйти к себе, как вдруг услышал странные звуки. Она плачет? Нет, это не плач. Смеется? Сама с собой? Нет, это не смех. Задыхается? Ему стало тревожно.

364

Он осторожненько открыл дверь и прислушался. Странные звуки доносились из ванной и больше всего напомнили ему приступ астмы у одного его коллеги, свидетелем которого он был. У нее астма? Но тогда ей нужна помощь. Он шагнул и открыл дверь в ванную. Ника, совершенно голая, сидела на полу и, вцепившись зубами в махровое полотенце, выла. Этот задушенный полотенцем вой был не громким, но оттого еще более страшным. Он кинулся к ней:

— Господи, Ника, что с тобой?

— Уйди, уйди, — бормотала она. — Пожалуйста, уйди!

И тут он заметил на раковине ополовиненную бутылку виски.

— Боже, ты так надралась, что ты делаешь, зачем?

Он пытался поднять ее с полу, но она, видимо, только что принимала душ и была еще мокрой и скользкой. От ужаса и жалости у него все перевернулось внутри.

— Ника, маленькая моя, что ты, что ты плачешь, ну прости, прости меня, только не плачь, не надо...

— Я не плачу, я не умею плакать... не получается, — тихо проговорила она. — Уйди Влад, прошу тебя, уйди!

Он схватил другое полотенце, накинул на нее, вытер и так, в полотенце, поднял с полу. В самом деле, глаза у нее были сухие, ни слезинки, а лицо такое несчастное, такое пьяное и такое красивое... Он прижал ее к себе.

— Ника, девочка моя, маленькая моя, ты зачем так надралась, тебе же плохо, пойдем, я тебя уложу, тебе надо уснуть, а завтра опять будет чудесный день, у меня есть таблетки от похмелья... Успокойся, Котофеич, все же хорошо, — бормотал он, прижимая ее к себе все крепче. Он ненавидел женские слезы, они всегда приводили его в крайнее раздражение, но сейчас он не чувствовал ничего, кроме любви, тем более что слез как таковых и не было. Он отнес Нику на кровать и вдруг ощутил непреодолимое желание поцеловать ее в шею, не удержался и поцеловал, а дальше он уже ничего не помнил. И никакая Джинджер ему не понадобилась...

Он проснулся оттого, что в окно светило солнце. Ах, хорошо! Он тут же вспомнил прошедшую ночь. Это было что-то особенное, сладострастно потянувшись, подумал он. Сказочный секс с любимой женщиной. Оказывается, так бывает. Я что же, ее люблю? Выходит, что так... От воспоминания о жутком вое пьяной, мокрой, жалкой женщины не осталось и следа, помнились только сияющие глаза и сумасшедшие ласки, сменяющиеся сумасшедшей нежностью... Вот так и сходят с ума от любви... Какое счастье, что я ее встретил, что она со мной... И вдруг до него дошло, что ее нет в постели. Он прислушался, из ванной не доносилось ни звука. Может, она ушла в мой номер, чтобы не будить меня? Он потянулся к телефону. Набрал свой номер. Никто не ответил. Ему вдруг стало тревожно. Он вскочил:

— Ника! Ника!

Ни ответа ни привета.

Наверное, пошла в магазин, что-нибудь купить. И вдруг его пронзила мысль — она вчера не захотела делать покупки с ним вместе, потому что собиралась купить виски. Тайком. Она ушла на десять минут, вернулась совсем другая и попросила жвачку... Там рядом было придорожное кафе... Да, все сходится. Но она не

366

похожа на пьянчужку... Просто, видимо, она слишком напряглась, чтобы не показать свое волнение... Он заглянул в ванную и увидел, что бутылка пуста... Так. И куда же она, пьяная, с утра пошла?

Он молниеносно оделся, не стал даже принимать душ и бриться, и побежал вниз.

— Простите, — обратился он к портье, — дама из триста пятого номера не выходила?

— Она уехала и оставила вам записку, вот!

— Уехала? Куда уехала?

— Вероятно, в записке все сказано, — вежливо напомнил портье.

Он развернул записку. «Влад, прости, я уезжаю. Было чудесно. Но — было... А больше ничего не будет, я не хочу. Прости еще раз за вчерашнюю истерику, я выпила лишнего. Ника».

Он стоял в полной растерянности. Потом обратился к портье:

— Извините, а как вам показалось, дама была... здорова... Она была в нормальном состоянии?

— Мне показалось, что да... — И видимо, из сочувствия к его растерянности, добавил: — Дама спросила, как ей попасть в Бонн, я вызвал такси, чтобы ее довезли до вокзала.

— Давно?

— Часа полтора назад. Если она уехала десятичасовым поездом, вы не успеете ее перехватить.

— Да нет, я и не думал, спасибо... Я просто поеду в Бонн.

— Советую вам позавтракать сначала.

— Спасибо. Не хочется.

— Но у вас же заплачено, сейчас вам завернут с собой, подкрепитесь в дороге.

И пока он кидал в сумку свои вещи, горничная принесла ему пакет.

— Вот тут две порции, мадам тоже уехала без завтрака.

Милые, честные голландцы, отчего-то растрогался он. Он вдруг стал таким сентиментальным и уязвимым. А может, не надо ехать за ней? Не хочет она, ну и ладно. В конце концов, ты удовлетворил все свои желания, вот и успокойся. Но не получалось. Мысль о том, что Ника, пьяная, не говорящая толком ни на одном иностранном языке, одна куда-то едет, казалась непереносимой. Нет чтобы спокойно жить дальше, мне нужно только одно — убедиться, что она добралась до Аллы. А там уж ее обиходят, она рассказывала вчера, что Алла ее давняя и очень близкая подруга, а Белла Львовна врач, так что... Главное, чтобы она до них добралась. А на поезде она доедет до Бонна лишь через несколько часов, значит, спешить не стоит. Да и вообще... куда спешить? Позвоню Алле, и тогда все, а пока прогуляюсь по Амстердаму, я так его люблю. И он поехал в город. Но ничего, кроме отвращения, не ощутил. За те пять лет, что он тут не был, заметно прибавилось эмигрантов с востока и юга, а с ними и грязи, раздраженно думал он. Интересно все же, почему она сбежала? Ведь ей было хорошо со мной, так же волшебно хорошо, как и мне с ней... Почему же тогда? И тут вдруг на глаза ему попалась уже знакомая реклама духов «Земляника». И он расхохотался с огромным облегчением. Все проще простого! Вчера она устала, напилась, впала в истерику, потом провела безумную и бессонную ночь. Совершенно естественно, что наутро она выглядела кошмарно и не пожелала в таком виде показаться мне на глаза! Ну конечно! Все элементарно. Тогда зачем такая мелодраматическая записка? Она не протрезвела от любви и виски, а утром еще добавила. И уверена, что после этой ночи, после всего сказанного в эту ночь, я ее найду, примчусь за ней, а она к тому времени приведет в порядок свои мысли, чувства и, главное, лицо. И все у нас будет прекрасно, ну, может, она поломается немножко, а потом сдастся. Я на ней женюсь. Увезу ее от этого дурацкого Гриши с его камерным вокалом. И от седовласого жмота, который только на пять розочек раскошелился да на мороженое в уличном кафе. А может, и еще от кого-то, кого я не знаю... Опыт у нее, судя по всему, богатый... Видимо, много мужиков было... Нет, об этом я думать не буду, в конце концов, меня она считала мертвым... Говорят, кстати, такие браки бывают счастливыми — когда люди встречают свою былую любовь на закате... Да какой там закат? Хотя, наверное, все-таки уже закат, если так безумно потянуло к прошлой любви... Ничего, пусть придет в себя, выспится, а завтра утром я явлюсь к ней, она же не знает, что мне известно, где она живет. Приду и просто позвоню в дверь! Чтобы у нее не было времени на всякие дурацкие метания. Приду и скажу: Ника, я люблю тебя, будь моей женой... Он прекрасно умел успокаивать себя, а как же иначе? И вот уже Амстердам вновь явился ему во всей своей прелести. Погуляю еще немного, потом пообедаю и не спеша поеду в Бонн, а завтра с самого утра — к Нике. И он продолжал бродить по городу, потом ему в голову пришла забавная мысль: эх, уж если терять свободу, то красиво. Он вспомнил какой-то фильм, кажется с Джулией Робертс, где героиня считала себя брошенной и несчастной, а герой, богатый и красивый, Ричард Гир, явился к ней с букетом... А я явлюсь еще и с кольцом, можно счесть его обручальным. Вот сейчас зайду и куплю ей кольцо, у нее такие тонкие пальчики, а колечко скромненькое, с гранатом. А я куплю ей с изумрудом, она же любит зеленое. И глаза ее вспыхнут от радости... Черт побери, это все так избито и пошло, но в этом-то и прелесть... Кажется, Ремарк писал, что все избитое и пошлое стало таким именно потому, что безотказно действует на людей. Дословно он эту цитату не помнил, но за точность мысли мог поручиться. И он зашел в ювелирный магазин, где оказалась совершенно очаровательная продавщица. Он долго выбирал кольцо, и девушка по его просьбе примеряла одно за другим. У нее были красивые руки, и вся она была такая аппетитная. Он хотел уж было пригласить ее с ним пообедать, но в магазин явился дюжий голландец, по-видимому, бойфренд, лет двадцати пяти, и ему пришлось ретироваться. Но кольцо было куплено. Красивое, с изумрудом, окруженным мелкими бриллиантиками.

Утром он проснулся бодрым и, пожалуй, даже счастливым. Иногда он становился фаталистом. И это был как раз тот случай. Жизнь подбросила ему встречу с давней любовью, и не надо сопротивляться жизни. Пусть все будет именно так, а не иначе. Он явится к Нике с цветами и кольцом, он даже станет на одно колено и скажет, как Лютер: «Здесь я стою и не могу иначе!» И она все поймет... Она вообще все поймет... Я привезу ее к себе в Бостон, она начнет врастать в чуждую ей жизнь и среду и тогда поймет меня, как она сама любила говорить, «до донышка», поймет и окончательно простит. А в свадебное путешествие мы поедем на Таити. Но надо явиться к ней с самого утра, пока ее не унесло куда-нибудь с тем, седовласым... Надо застать ее врасплох! Хотя вряд ли после всего происшедшего она с утра куда-нибудь упорхнет. Она, наверное, вчера наглоталась успокоительных и еще спит... А я ее разбужу, пощекочу цветами, суну букет ей под нос, она откроет глаза и увидит белые розы...

Он вскочил, принял душ, побрился, выпил сок, достал новую рубашку, надел светло-серый костюм, позаимствовал у Томаса галстук, сам он в отпуск галстуков не брал. А что, я еще ого-го, с некоторым самодовольством подумал он, правильно Ника сказала, я не толстый, не лысый, а очень даже привлекательный мужчина средних лет. И сам рассмеялся. Кажется, я сдурел. Он вышел из дому и полной грудью вдохнул свежий воздух. Было солнечно и прохладно. Надо прежде всего купить цветов. Пожалуй, пойду к той милой женщине, у которой покупал розы. Из суеверия! Она все тогда про меня поняла, и, пожалуй, я даже смогу у нее спросить, какой букет следует дарить, когда делаешь предложение... Нет, это глупо в моем возрасте. Куплю белые розы, и дело с концом. Это всегда красивее всего. Может, конечно, магазин еще закрыт...

Магазин был открыт. Но тут вдруг он вспомнил старый романс, одну строчку — «Красная роза —

эмблема любви». Отлично, значит, куплю красные!

За прилавком стояла нахальная Трудхен. Она его сразу узнала.

— О, доброе утро! Вам нужны чайные розы? — улыбнулась она.

— Нет, сегодня мне нужны красные!

— Вот посмотрите, у нас есть темно-красные, светло-красные, крупные, мелкие...

А она не такая уж нахалка, она даже милая, подумал он.

— Пожалуй, вот эти! — указал он на крупные длинные полураспустившиеся бутоны глубокого красного цвета с капельками воды на лепестках.

— И сколько штук? — Она окинула его слегка насмешливым взглядом и перешла на шепот: — Вы с утра покупаете красные розы, на вас такой костюм, — наверное, собираетесь жениться? Идете просить руки, как выражались раньше, да?

Он радостно засмеялся и тоже шепотом ответил:

— Совершенно верно!

И через несколько минут вышел на площадь с роскошным букетом из одиннадцати роз (Трудхен сказала, что больше не надо) с какой-то еще белой и зеленой травкой. Дойдя до Томас-Манн-штрассе, он чуть замедлил шаг, сердце сильно забилось. Я как мальчишка, ей-богу, сам себе подивился он. Но вот и знакомая дверь. Он собрался с духом и позвонил.

— Кто там? — раздался голос из домофона.

— Извините, мне нужна Вероника Тимофеевна! — перешел он на русский, узнав голос Аллы.

— Она уехала!

— Как — уехала, куда?

— Какая разница? Уехала, и все! — И Алла отключилась.

Вот это сюрприз... Уехала... Сбежала... Нет, не может быть. Когда она успела? Эта чертова кукла врет! Ника не велела ей открывать мне, вот она и врет. Ну нет, со мной такие номера не пройдут!

Он снова нажал на кнопку звонка и держал палец, не отнимая.

— Что вам нужно? — раздался опять голос Аллы. — Я же сказала, она уехала!

— Пожалуйста, впустите меня! Я вам не верю!

— Это ваши проблемы!

— Хорошо, тогда я сейчас буду стучать и с криком ломиться в дверь, вам это нужно?

— Я вызову полицию!

— Отлично, но пока она приедет, я успею перебудить всех соседей!

— Черт с вами! Открываю!

Он влетел в подъезд. Дверь одной из двух квартир второго этажа была уже открыта, и возле нее стояла Алла в шелковом халате.

— Входите, чтоб вас черти съели! — шепотом сказала она. Видимо, побаивалась соседей.

Он последовал этому не слишком радушному приглашению.

— Где Ника?

— Уехала, сказано же вам!

— Куда?

— В Москву! Где ж ей еще от вас спрятаться? Туда-то вы не помчитесь за ней, невозвращенец долбаный!

— Слушайте, почему вы мне хамите? — разозлился он.

— А что еще с вами делать? Я бы с наслаждением спустила вас с лестницы, да тут невысоко! Ну что вам надо? Для чего вы приперли этот мещанский букет?

— Мещанский? Почему мещанский? — растерялся он.

— Неважно! Ну что вам еще надо?

— Мне надо убедиться, что Ника уехала!

— А, вы не верите? Хотите пройтись по комнатам, заглянуть во все шкафы? Валяйте!

И она распахнула перед ним дверь небольшой комнаты, где стояла застеленная кровать.

— Тут жила Ника! Желаете пройтись по остальным, пожалуйста! Мама! Выйди на минутку, тут к нам с обыском пришли!

Из другой комнаты вышла пожилая красивая женщина, тоже в халате.

— Доброе утро, — растерянно пробормотал он. Женщина окинула его оценивающим взглядом:

— Вы и есть Влад?

— Ну да...

— Идите, идите, можете заглянуть во все шкафы, я разрешаю! — дрожа от злости, твердила Алла. — И под кровать тоже!

— Аллочка, перестань, — поморщилась Белла Львовна. — Молодой человек, Ника действительно уехала, поверьте мне.

Ей он почему-то сразу поверил. У него опять невыносимо заболело под ложечкой, он даже скрючился.

— Что это с вами? Нечего тут трагедии разыгрывать, притворяйтесь где-нибудь в другом месте.

— Алла, он не притворяется. — Белла Львовна подошла к нему: — Сядьте, что с вами? Где болит?

— Вот тут, — простонал он.

— С вами это бывает?

— Да.

— Нервное?

— Да.

— Понятно. Ну ничего, сейчас пройдет. — Она вышла и вернулась с какими-то таблетками и стаканом воды. — Вот выпейте, не бойтесь, я врач.

Ее спокойный и даже сочувственный голос был ему приятен. Он проглотил таблетки.

— А теперь вам надо прилечь, выпрямиться, идемте.

Она провела его в комнату и указала на диван:

— Лягте, расслабьтесь и расстегните ремень.

Он послушно все выполнил.

— Мама, я ухожу! — услышал он голос Аллы. — Вернусь, когда он свалит... не могу!

Громко хлопнула входная дверь.

— Почему она меня так ненавидит? — спросил он, когда Белла Львовна подошла к нему.

— У нее есть на то причины... — грустно проговорила она.

— Но она же меня не знает... И потом, я ничего плохого Нике не сделал, мы провели чудесный день, все было прекрасно... Я не понимаю... Я пришел просить ее руки... а она уехала... Это она от меня сбежала, да?

— Ну раз вы так разболтались, значит, вам немного легче?

— Да, спасибо. Не волнуйтесь, я скоро уйду.

— Наверное, так будет лучше.

— Вы тоже меня ненавидите, но клятва Гиппократа и все такое... да?

— Да нет, почему я должна вас ненавидеть? Мало ли что в жизни случается, мы все не без греха... Просто Аллочка в свое время много сил положила, чтобы спасти Нику, и, казалось, ей это удалось, а тут вы...

Он сел на диване:

— Спасти? Вы сказали — спасти? Но от чего? Я ведь не знаю. Она мне ничего такого не рассказывала, она сказала, что у нее все нормально, что она три раза была замужем, а теперь живет с каким-то певцом...

— С певцом? С каким певцом?

— С камерным. Камерный певец по имени Гриша, которого она, видите ли, обожает...

— Гриша? Вы уверены?

— Ну она мне так сказала... Призналась, что поняла, будто вообще любить не способна, я спросил, а этого Гришу ты не любишь? Она сказала, что обожает...

— О господи, — как-то невесело рассмеялась Белла Львовна. — Вы знаете, кто этот камерный певец? Это ее кот Гришка! Она всегда утверждает, что он как-то необыкновенно поет...

— Кот? — поразился он. — В каком смысле — кот?

— В прямом. Сибирский здоровенный котище... Она показывала его фотографию...

— Так... Значит, она наврала про певца... А что еще она мне наврала?

— Боюсь, что все.

— Но что? Что именно? Умоляю, расскажите...

— Не надо, лучше вам этого не знать, если Ника сама вам не сказала, я не вправе... Да и вообще, она уж сделала свой выбор...

— Какой выбор? Какой выбор? — почему-то страшно испугался он.

Белла Львовна смотрела на него с жалостью.

— Я вас умоляю! Хотите, стану перед вами на колени? Расскажите мне, что там за тайны такие, объясните, почему она сбежала? Все ведь было так хорошо, так чудесно...

— Вам легче?

— Да, легче, спасибо. Вы хотите, чтобы я поскорее ушел?

— Нет, пожалуй, вам и вправду следует кое-что знать... Вот что, молодой человек, поднимайтесь. Я сегодня еще не пила кофе, а без кофе я не живу. Вы завтракали?

— Нет.

— Вам надо выпить горячего чаю и что-то съесть. Идемте на кухню, и после завтрака я вам все расскажу. А там уж вы сами будете думать...

Он с наслаждением выпил стакан горячего чаю, но есть не мог. А Белла Львовна медленно и задумчиво пила свой кофе. Он чувствовал, что сейчас услышит что-то тяжелое, что-то такое, что может отравить его спокойную жизнь... А может, уйти? Не знал, и не надо. Ника сделала какой-то там выбор, ну и на здоровье, а я-то тут при чем? Но он сидел и умоляюще смотрел на старую женщину.

— Белла Львовна, к чему эти тайны? Расскажите все как есть, — наконец взмолился он. — Я так понимаю, что во всем этом вы вините меня, так может, я смогу хоть отчасти оправдаться...

— У вас есть сигареты? — вдруг спросила она.

— Я давно бросил.

— Я тоже...

— Может, сбегать?

— Да нет, ни в коем случае... Просто тяжело заводить этот разговор...

Господи, что ж там такое?

— Не знаю, с чего и начать... Видите ли, когда вы решили остаться за границей, вернее, когда это стало известно, Ника, конечно, была убита, но ни одного худого слова в ваш адрес не только не сказала, но и другим не позволяла... Хотя многие от этого пострадали в вашем институте, да и саму Нику таскали в КГБ...

— Я ее спрашивал, она сказала, что ничего такого не было!

— Она не хотела вспоминать, боялась показаться вам неблагополучной, несчастной...

— Она несчастна? Из-за меня?

— Да нет, из-за себя скорее...

— Ее мучили гэбэшники?

— Тогда? Нет, то есть это было очень неприятно, но ничего такого уж страшного. Там тоже не сплошь идиоты сидели, поняли, что она просто наивная влюбленная девочка... Но вот потом, когда пришло известие о вашей смерти...

— Что тогда? — замирая, спросил он.

— Тогда она просто сошла с ума. Она повсюду и во весь голос заявляла, что вас убило КГБ, что вы, будущий великий ученый, выбрали свободу, а вас убили на взлете, ну и еще всякую такую гневную чушь... Ее пытались вразумить, но куда там! В результате ее выперли из института, но это бы еше полбеды... Эта дуреха связалась с какими-то сомнительными диссидентами, вела себя более чем неосторожно, я деталей не знаю даже, но, короче, ее арестовали, и в результате она оказалась в психушке...

— О господи!

— Она просидела там около полугода, ее мать и Марк Лернер сводили землю с небом, чтобы ее вытащить, но помогло то, что у нее обнаружили тяжелую форму туберкулеза и сочли за благо выкинуть из больницы. Вот тут-то мы и познакомились, я ее лечила. И с Аллочкой они вскоре очень сдружились, хоть я поначалу это и не одобряла. Она не хотела лечиться, хотела умереть, она была сломлена совершенно, но Марк... Как же он ухаживал за ней, как любил... Они поженились, когда ей стало лучше, но ничего хорошего из этого брака не вышло...

— Об этом она мне говорила, но как-то вскользь, — потрясенно произнес он. — А что дальше?

— Дальше? Она ушла от Марка, жила с матерью, но вскоре у матери случился инсульт, ее парализовало, и Ника три года была буквально прикована к ней, денег не было, она как-то перебивалась, друзья помогали по мере сил, потом мать умерла — и Ника исчезла.

— Как — исчезла?

— Исчезла! Уехала куда-то, только изредка звонила... Оказалось, она жила в какой-то глуши, вышла замуж за провинциального художника, но потом вернулась и зажила довольно весело... Чересчур весело, я бы сказала...

— Что вы имеете в виду?

— Она ведь очаровательная женщина, страшно нравится мужчинам...

Он сглотнул застрявший в горле комок.

— Помню, я как-то попыталась ее вразумить, но она ответила: Белла Львовна, для меня был только один мужчина, я все пытаюсь полюбить другого, а у меня не получается... Ну а потом настали новые времена, и она невесть почему решила, что вы живы... Все твердила: вот увидите, он вернется, он меня найдет! И эта безумная идея пошла ей на пользу! Она вдруг изменила, резко изменила свою жизнь. Разогнала всех мужиков, пошла учиться, как будто готовила себя к встрече с вами. Потом начала делать кукол, и они имели большой успех... Она даже стала неплохо зарабатывать, одним словом, взялась за ум. Но лет пять назад, мы тогда еще жили в Москве, Алла вдруг говорит мне: мама, по-моему, Ника пьет. Я стала к ней присматриваться и поняла — она действительно пьет, причем пьет одна, втихаря, что хуже всего... Но тут уж надо знать Аллу! Она подняла на ноги всех!

Он хотел спросить, почему Ника запила, но вдруг ясно понял, что услышит в ответ — потому что ты так и не появился, потому что она потеряла надежду. И не спросил.

— Мы с Аллой отвели ее к нашему другу, он врач-нарколог, у него свой метод, он лечит именно женщин. А он вдруг без памяти в нее влюбился. И вытащил... Она все эти годы не пила. Алексей Николаевич преданно служил ей, хотя был женат... А недавно он развелся с женой и сделал Нике предложение, уже здесь, в Бонне. И она готова была его принять, но буквально в этот момент вы прислали свои дурацкие розы...

— К черту его! Я сам на ней женюсь! Я люблю ее!

— Вы опоздали... Ника мне все рассказала. Она поехала с вами, чтобы проверить себя, но это стоило ей таких нечеловеческих усилий — казаться веселой и спокойной, что она сорвалась...

— Но зачем надо было ломать передо мной комедию? Мы же с ней... Она единственное по-настоящему родное мне существо... И у нас...

— Вы хотите сказать, что у вас с ней все было отлично в постели? — вдруг очень жестко проговорила старая женщина. — Тем не менее она бросилась к Алексею, и он увез ее в Москву. А мне она сказала, что поняла — она вас больше не любит.

— Врет! — закричал он. — Все она врет! Она так спасается от своей любви! Она с ним будет несчастна! А я сделаю ее счастливой, я замолю все грехи!

Белла Львовна долго и печально на него смотрела.

— Знаете, что еще она мне сказала перед отъездом? У меня с Владом все кончено, я поняла — если бы он меня просто бросил, я бы обиделась, разозлилась, но нашла бы в себе силы жить, а он объявил себя мертвым, и я сделала из него икону. А оказывается, он просто пошутил... Но теперь я больше не хочу жить прошлым, мне еще не поздно начать сначала, а Алеша мне поможет... Вот так, молодой человек.

— И вы считаете, она это серьезно? Ерунда! Умоляю вас, дайте мне ее телефон, я позвоню, я скажу, что люблю ее! Я сам не понимал, спрятал эту любовь, как Кощееву смерть... А теперь...

— Не надо, Влад, оставьте ее в покое. Она сломлена, ее нельзя пересаживать на новую почву. Вы прекрасно жили без нее и дальше проживете. Не надо.

— Но вы все-таки дайте телефон.

— Зачем?

— Ну и не давайте! Думаете, я не смогу и без вас ее найти? Найду и буду с ней до конца жизни, любовь все лечит...

— По-моему, ваша любовь больше калечит.

— Да, вы правы. Но я должен загладить свою вину. Я поеду в Москву и скажу ей... Зачем, зачем она от меня все скрыла? Но я благодарен вам... Хорошо, что вы мне это рассказали.

— Не надо ехать в Москву, не надо, Влад! Во всяком случае, не делайте этого сгоряча, обдумайте все хорошенько.

— Спасибо вам, я пойду и подумаю...

Он встал и направился к двери, но вдруг остановился, словно споткнувшись:

— А вы уверены, что она не ждет меня? Не ждет, что я примчусь за ней, упаду в ноги и все такое?

— Разве можно быть хоть в чем-то уверенной, когда речь идет о любви? — пожала плечами старая женщина.

Он вышел на улицу, чувствуя себя совершенно разбитым. Так, сказал он себе, я действительно должен сначала все хорошенько обдумать, один раз я уже поступил необдуманно... Он добрел до скамейки и сел. Смогу ли я теперь жить без нее? Смогу, наверное, но это будет не жизнь... И вдруг откуда-то донеслась мелодия «Сказок Венского леса», его любимый вальс. Он заслушался и внезапно вспомнил: «И заслушаюсь я, и умру от любви и печали...» Почти в пятьдесят лет русский американец сидел один на лавочке в центре Европе и умирал от любви и печали.

P. S. Разумеется, он не умер. Через час вспомнил, что сегодня у него еще маковой росинки во рту не было, встал и пошел в ближайшее кафе.

Умер-шмумер, лишь бы был здоровенький.

ОГЛАВЛЕНИЕ

Литературно-художественное издание

Екатерина Николаевна Вильмонт

Плевать на все с гигантской секвойи

Ответственный редактор *И.Н.. Архарова*
Технический редактор *Т.П. Тимошина*
Корректор *И.Н. Мокина*
Компьютерная верстка *М.А. Варгановой*

ООО «Издательство АСТ»
141100, РФ, Московская обл., г. Щелково, ул. Заречная, д. 96

ООО «Издательство Астрель»
129085, г. Москва, пр-д Ольминского, д.3а

Вся информация о книгах и авторах Издательской группы «АСТ» на сайте:
www.ast.ru
e-mail:astpub@aha.ru

По вопросам оптовой покупки книг
Издательской группы «АСТ» обращаться по адресу:
г. Москва, Звездный бульвар, 21 (7 этаж)
Тел.: 615-01-01, 232-17-16

Заказ по почте:
123022, Москва, а/я 71, «Книга - почтой», или на сайте shop.avanta.ru

Издано при участии ООО «Харвест». ЛИ № 02330/0494377 от 16.03.2009.
Республика Беларусь, 220013, Минск, ул. Кульман, д. 1, корп. 3, эт. 4, к. 42.
E-mail редакции: harvest@anitex.by

ОАО «Полиграфкомбинат им. Я. Коласа».
ЛП № 02330/0150496 от 11.03.2009.
Республика Беларусь, 220600, Минск, ул. Красная, 23.